ЛЕГЕНДЫ АВТОРСКОЙ ПЕСНИ

МИРЕЙ МАТЬЕ

МОЯ СУДЬБА

ИСТОРИЯ ЛЮБВИ

Москва

алгоритм

2014

УДК 82(1-87)-94
ББК 84(4Фра)
М 35

Оформление *Бориса Протопопова*

Матье М.

М 35   Моя судьба. История Любви : пер. с фр. / Мирей Матье – М. :
Алгоритм, 2014. – 352 с. : ил. – (Легенды авторской песни).

ISBN 978-5-4438-0522-1

Звезда мировой величины Мирей Матье стала знаменитой в 19 лет. Ее парижский теледебют вызвал триумф. Вскоре ее уже знал весь мир, и она была признана наследницей Эдит Пиаф. Вот уже несколько десятилетий певица с неизменными аншлагами гастролирует по всей планете, сочиняет песни, выпускает альбом за альбомом – слава ее не меркнет. Дочь простого каменщика из Авиньона, она стала самой известной француженкой в мире, а у нас в России – символом Франции, кумиром миллионов.

Мирей Матье никогда не была замужем, у нее нет детей. Ее судьба до сих пор загадка. Завесу над многими событиями своей жизни она приоткрывает в этой автобиографической книге.

УДК 82(1-87)-94
ББК 84(4Фра)

ISBN 978-5-4438-0522-1

Я верю,
Жизнь моя начнется: пришла любовь!
Я верю,
Счастье улыбнется сегодня вновь...
Я верю
Всем твоим признаньям нежным, как верю я судьбе.
Да, верю я
Всему, что ты мне скажешь. Да, верю я тебе[1].

Детство

Дом с островерхой крышей

Когда в один прекрасный день — это произошло в Париже — я стала «Мирей Матье, победительницей телевизионного конкурса песни», девочкой из Авиньона, неожиданно получившей известность, чей портрет появился на первой полосе газеты «Франс суар»... я не слишком удивилась. Это был сияющий знак, ответ на горячую страстную мольбу, с которой я обратилась к небу в тот памятный вечер, когда меня охватило отчаяние: «Господи... я так мала, у меня не хватает сил. Помоги нам всем. Молю тебя, о Господи, сотвори чудо!»

---

[1] Музыка Поля Мориа, слова Андре Паскаля. *(Примеч. авт.)*

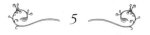

И чудо свершилось. Я была счастлива. У меня будто выросли крылья. Мне казалось, меня окружили ангелы-хранители...

Увы, я внезапно оказалась на земле, когда столкнулась лицом к лицу с журналистами и мне пришлось отвечать на их вопросы. К примеру, на такие:

— Не поделитесь ли с нами каким-нибудь воспоминанием из своего детства?

«Каким-нибудь воспоминанием»... У меня были тысячи воспоминаний, и не «каких-нибудь», а очень для меня важных, потому что из них состояла вся моя прежняя жизнь. Но с чего начать? А к тому же эти воспоминания были неотделимой частью моего «заветного сада».

— Вы самая старшая из тринадцати детей очень бедной семьи? Но ведь и у детей бедняков есть игрушки. У вас была, наверное, какая-нибудь любимая маленькая кукла?

«У меня были маленькие сестры» — вот что вертелось у меня на кончике языка. Но я не могла и слова вымолвить — стояла молча, точно дуреха, как говорят в наших краях.

Нет, у меня никогда не было куклы. Игрушками нам служили камешки, без которых нельзя было обойтись при игре в «классики» или в «лягушку». Мы смешивали их с глиной и строили домики. Или лепили человечков... а шляпой для них служили листья. Глина, камешки, листья и вода — вот что забавляло нас долгими часами. Побольше воды, и глина превращалась в шоколадный крем — и начинался воображаемый пир. Это помогало нам забывать о том, что вечером у нас на ужин будет одна только картошка. Глина, хорошенько перемешанная с водой, становилась волшебным тестом, из которого можно было лепить наши детские грезы. И листья... о, эти листья! В них заключался целый мир! Самые маленькие служили нам монетами, самые большие — казначейскими билетами. А еще из листьев можно было сделать ожерелье, скрепляя их сосновыми иглами... До чего же мы были богаты!

Они не были злыми, эти журналисты, они просто не представляли себе, что такое бедность. Они не знали, чем она «пах-

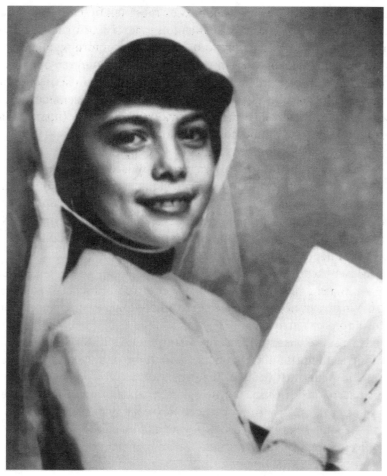

Перед первым причастием

Первое причастие было не менее важное и торжественное событие, чем вступление в брак... Облачаясь в белоснежное платье и надевая на голову белый капюшон, я чувствовала себя так, будто попадаю в мир чудес, и ревностно готовилась к торжественному событию. Если бы меня спросили, какой день в моем детстве был самый светлый, я бы назвала именно этот.

нет», не знали, к примеру, как пахнет газетная бумага. Впрочем, запах свежего номера их ежедневной газеты или отпечатанного на глянцевой бумаге богато иллюстрированного журнала им был, конечно, знаком... Но я говорю о другом, о чуть горьковатом запахе старых газет, в которые уже заворачивали овощи, или тех, что запихивали в наши башмаки, чтобы меньше мерзли ноги. Или газет, которыми мы укутывали грудь (подкладывая их под фартук) либо спину, помогая друг другу.

— Это убережет вас от кашля, — говорила мама.

Да ей цены не было, этой газетной бумаге! Могла ли я представить, что наступит день, когда я увижу себя на первой полосе газеты? Тогда я не задумывалась над будущим. Не представляла себя, скажем, матерью семейства в окружении кучи детей. Не видела себя и ни в какой другой роли. Смотрела лишь на то, что было передо мной, перед моими глазами.

Мама часто говорила:

— Знаешь, в Париже беднякам приходится куда хуже, чем нам! У нас тут под рукой все, что ниспослал нам Господь бог. Стоит только нагнуться...

На тех же газетных листах мы сушили листья шалфея, дикой мяты, боярышника, чабреца — их собирали в «лечебных целях». По рецептам бабули. Газетный лист с его большими черными заголовками казался не таким унылым, когда на нем лежали все эти травы. Тогда от него исходил душистый аромат.

— Травы лечат от всего... — уверяла мама.

Я ей верила. Но было непонятно, отчего все мы так часто болели. И однажды она сама...

День был прекрасный. Только солнечные лучи не заглядывали в наш дом... в очень тесный дом с островерхой крышей. Он находился в квартале Круазьер и стоял напротив церкви Нотр-Дам-де-Франс. Я на всю жизнь запомнила его мрачные стены, с которых сочилась влага. Мы занимали две маленькие комнаты. В нижней комнате, без окон, с одной лишь застекленной дверью, мы ели, а ночью там спали родители. В комнате наверху было небольшое оконце, расположенное, однако, так высоко,

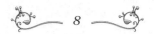

что я не могла до него дотянуться. В ней часто жила бабушка и мы, дети. Водопровода в доме не было, и за водой приходилось ходить во двор, к колонке; а путь в туалет лежал через соседский сад. К счастью, у нас был двор. Летом мама купала нас в корыте на солнышке: раз уж солнце не заглядывало к нам в дом, приходилось самим идти к нему... Зимой жилось гораздо труднее: вода в колонке часто замерзала... Но в тот день, осенний день, стояла ясная теплая погода. Мы втроем — Матита, Кристиана и я — играли с камешками. Мне было шесть лет, Матите — пять, а Кристиане — четыре года... Мама шла по двору с грудой белья, собираясь расстелить его на траве. И вдруг она как закричит:

— Боже милостивый! Да что это со мной?! Матушка!

И она выронила белье. Теперь наша бедная мамочка стояла на одной ноге. А другую ногу изо всех сил сжимала руками. Ее ладони и пальцы были в крови. Но кровь все бежала. Нет, кровь... кровь... била струей из ее ноги, и на земле расплывалась красная лужа... Прибежала бабуля и принялась звать соседа:

— Господин Вержье, скорее сюда, скорее! Нужно перетянуть ей ногу жгутом!

Бедное мамино лицо все побелело, исказилось от боли, а кровь... эта кровь... И тогда я потащила обеих сестренок в сарайчик, куда ссыпали уголь, когда он у нас был. Мы забились туда и ревели в три ручья. Невозможно было понять, где чьи слезы. Мы размазывали их по лицу вместе с угольной пылью, и, когда бабушка вытащила нас на свет божий, мы походили на трех негритят. Но только всем было не до смеха. Маму увезли в больницу.

— Это все ее разбухшие вены, — сказала бабуля. — Они у нее полопались.

— А почему?

— Ноги у нее совсем износились, понимаешь? Ты ведь видела, как расползается старый лоскут. У нее, у бедняжки, здоровье слабое, а работы — через край. И все время появляются младенцы, потому она так и устала, понимаешь?

Нет, я ничего не понимала. Почему в таком случае мама не оставляет этих малюток в капусте?

— Но тогда бы тебя не было на свете. Не было бы ни Матиты, ни Кристианы, ни Мари-Франс, ни Режаны.

Режана была у нас самая младшая, она еще лежала в пеленках.

Это воспоминание вселило в меня ужас перед кровью. Я до сих пор от него не избавилась. Особенно потому, что не раз его испытывала — почти перед каждым прибавлением нашего семейства. Когда это случилось вторично, на поиски соседа бросилась Матита. Он подстригал живую изгородь.

— Скорей сюда, господин Вержье, опять нужен жгут!

Когда мама попадала в родильный дом, где ее выхаживали, она всякий раз повторяла:

— Только тут я и отдыхаю! Будто в отпуске нахожусь!

А когда мама уходила домой с малюткой на руках, сиделка говорила ей, весело улыбаясь:

— До свидания, госпожа Матье. До скорой встречи!

Оправившись после родов, мама мужественно отправлялась в привычный путь из квартала Круазьер к центру города.

— Ничего, все наладится, — говорила она. — У меня есть верное средство против боли.

И она уходила прихрамывая. Однажды утром, разглядывая свою ногу, всю изъеденную язвами, мама промолвила:

— Когда-нибудь мне ее отрежут...

Я ужаснулась и сказала:

— Я принесу тебе мазь от аптекаря.

Мазь стоила 20 франков. Сейчас это для меня пустяки. Но тогда для нас это были огромные деньги.

— Может, он отпустит ее в долг, — с надеждой сказала мама. Я попыталась, но... из этого ничего не вышло.

— Тем хуже, — заявила я сестренкам, — будем меньше есть.

Когда позднее, много позднее — после того, что было названо «успехом маленькой Матье», — удалось наконец поло-

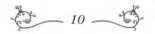

жить маму на операцию, на ее бедных ногах обнаружили 23 язвы. Я ей тогда сказала с грустью:

— Ох, мамочка! Ты у нас просто мученица! А она мне ласково ответила:

— Да нет! С чего ты взяла! Старшенькая моя... до чего ж ты боязлива, девочка... Если бы я, как ты, всего страшилась, меня б давно на свете не было!

Я это хорошо понимала... Но разве могла я поведать журналистам историю маминой болезни?!

Однажды один из них весьма учтиво со мной попрощался. Но слух у меня острый, и я услышала, как он сказал своему приятелю, который ждал его в коридоре:

— Очень мила... Но сущая идиотка!

Я безропотно снесла обиду. Он был прав, я тогда ничего не умела, особенно поддерживать беседу. Я походила на крольчонка, который впервые покинул свое убежище и замер, ослепленный лучами солнца. Я тоже впервые покинула свое захолустье и ни за что не хотела туда возвращаться. Я хотела покорить этот мир, где все, казалось, сверкало: глаза людей, юпитеры, автомобили, зеркала, драгоценности, улыбки... Этот мир представлялся мне олицетворенным чудом. Чудом, о котором я однажды молила всей душой. А когда оно — через 11 лет! — свершилось, я ухватилась за неслыханную удачу и твердо решила никогда ее не упускать. Я считала и поныне считаю, что если уж человеку улыбнулась удача, он не смеет ей изменять, он должен служить ей душой и телом. И каждое утро, открывая глаза, должен благодарить небо, ниспославшее ему счастливый случай.

Мама верит в Бога. Однажды мне кто-то сказал: «Вера — это единственная роскошь бедняков». Пусть так. Выходит, и у бедности есть свои преимущества.

Я думаю, мама в детстве была не так бедна, как мы. Однако она была гораздо несчастнее, потому что в нашей семье все любили друг друга. У нее, у Марсель-Софи, в те годы не было настоящего домашнего очага. Отец обожал ее, мать, без сомнения, тоже, но только на свой лад: она работала в кафе и жила собст-

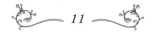

венной жизнью, и потому маленькую Марсель в детстве воспитывали бабушка и старшая сестра. Они жили тогда в Дюнкерке. Моя мама родилась недалеко от этого города — в Розендале, что по-фламандски означает «Долина роз». Война превратила ее в «Долину ужасов»... Но еще до войны, когда маме было всего 14 лет, судьба уготовила ей жестокое испытание: ее сестра заболела туберкулезом. Мама выхаживала сестру как могла. В ту пору — дело происходило в 1936 году — антибиотиков еще не было, туберкулезных больных лечили, вернее сказать, пытались лечить, прибегая к пневмотораксу. В конце концов, больную отправили домой. И маленькая Марсель таскала на себе большие кислородные подушки. На улице люди провожали ее взглядом и шептали вслед: «Она несет их своей чахоточной сестре!» Тогда все ужасно боялись заразиться, и потому даже подруги перестали к ней приходить. Но ей было все равно. Она тоже ни с кем не виделась и жила только одним: надеждой на выздоровление сестры. Она походила на человека, который стремится спасти утопающего и плывет, плывет из последних сил, с трудом поддерживая голову тонущего над поверхностью воды, а достигнув берега, с ужасом замечает, что... Кислород не помог, неминуемый конец наступил, и бедняжка испустила дух на руках у младшей сестры, которая осталась вдвоем со старой бабушкой.

Когда мама рассказывала мне о своем детстве, я всякий раз думала, что ее судьба была куда горше моей: если мы даже и страдали от голода и холода, то на душе у нас было тепло, потому что мы жили дружной семьей. Она же, бедняжка, была так одинока...

А потом началась война. И мамина бабушка, которая родилась в 1848 году, говорила ей:

— Ну, я на своем веку уже две войны пережила!

Однако старушка и представить себе не могла того, что вскоре началось в Дюнкерке. Мама стала работать, она шила чехлы из брезента для железнодорожных платформ. Это занятие было ей по душе. Она любила трудиться и легко заводила

подружек. Ей нравилось управляться с огромной иглой, а затем старательно натягивать готовый брезент!

27 мая 1940 года немцы бомбили город, чтобы помешать союзникам грузиться на корабли... Началось что-то ужасное. Всюду пылали пожары. Марсель и ее бабушка бросились в ближайший подвал. Старушка не разглядела в ночной темноте пучок электрических проводов. Она запуталась в них и не могла высвободиться. Девочка стала звать на помощь. На ее крики никто не отозвался. Напрягая все силы, она помогла бабушке подняться на ноги. Когда обе выбрались наружу... оказалось, что их дома больше нет, они остались в чем были. Всюду виднелись дымящиеся развалины.

Бомбардировки продолжались, несчастные переходили из одного подвала в другой, там искали спасения сотни людей. Когда весь этот кошмар кончился, пришлось разбирать развалины и вытаскивать погребенных под обломками людей... Девочка поместила свою бабушку в больницу, а сама, как и другие, бедствовала.

26 сентября 1940 года старушка умерла. Она упала с лестницы и сломала шейку бедра. Она упорно твердила:

— Миленькая моя Марсель, кто-то меня толкнул...

— Да нет же, нет! — утверждал главный врач. — Она сама упала.

Марсель была склонна верить своей бабушке, которая сохранила ясный ум: ей было 92 года, а она охотно припоминала различные события французской истории! От нее я и унаследовала, без сомнения, интерес к истории...

И вот маленькая Марсель осталась совсем одна; она решила отправиться в кафе, чтобы разыскать свою мать. Однако ее там уже не было. У хозяйки кафе было двое маленьких детей, один из малышей был очень странный: на него тяжело подействовала война. Он боялся дневного света, говорил, что свет режет ему глаза, и, как больной зверек, упрямо забивался в темный стенной шкаф. Его мать предложила девочке присматривать за ребенком: сама она весь день хлопотала в кафе, и у нее не оста-

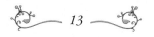

валось ни одной свободной минуты. Девочка привязалась к несчастному малышу. Она выводила его на прогулку. Старалась вернуть к нормальной жизни. Мало-помалу он перестал бояться дневного света... Так проходили годы войны. А потом опять начались бомбардировки — шел уже 1944 год — и владелица кафе сказала девочке: «У меня в Авиньоне живет кузина. Поедем туда все вместе».

Скромные сбережения Марсель ушли на эту поездку. И вот девочка с севера Франции, никогда прежде не покидавшая родных мест, оказалась в Провансе, в городе, где некогда нашли себе прибежище римские папы. Там звучала южная речь и звенели стрекозы.

Приезжие поселились на улице Кремад. Теперь у матери маленького Раймона уже не было кафе, и она могла сама заботиться о своем сыне. Марсель пришлось искать другую работу. Из объявления она узнала, что мэрии требуется «молодая девушка со школьным аттестатом». Она тут же настрочила письмо и получила это место. Ей поручили заполнять хлебные карточки, которые еще не были тогда отменены. Она была очень расторопна и работала быстрее всех! За час заполняла рекордное число карточек, к тому же ни разу не потеряла ни одной карточки и легко уличала мошенников.

— Эта девочка просто неподражаема, — говорил ее начальник. — Она заполняет столько карточек, что они весят больше, чем она сама!

Его слова были не таким уж преувеличением: Марсель весила тогда всего 38 килограммов!

Проработав полтора года в мэрии, она начала скучать.

— Хлебные карточки больше заполнять не нужно, теперь я весь день клюю носом над конторской книгой, куда почти нечего записывать.

— Я не хочу, чтобы ты увольнялась, — уговаривал ее начальник. — Возьми положенный тебе отпуск и немного отдохни.

Многие не упустили бы подобного случая... Но не Марсель. Она не могла ничего не делать. (А я вот могу. Могу просто на-

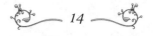

Счастливое семейство. Родители Роже и Марсель Матье
в окружении своих пока еще восьмерых детей

*Картошка, чечевица, черствый хлеб и чесночная похлебка – вот
что мы обычно ели... Но мы чувствовали себя счастливыми,
потому что были все вместе*

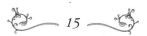

блюдать, как растет дерево. Смотрю и стараюсь представить себе, как в его сердцевине по волокнам бежит сок. Могу без устали следить, как ползет паук или муравей.) К тому же надо было зарабатывать на жизнь, ведь Марсель по-прежнему жила у матери маленького Раймона, а та отбирала у нее все жалованье, выдавая по воскресеньям на мелкие расходы по 20 сантимов. И эти жалкие 20 сантимов Марсель откладывала, мечтая купить себе подвенечное платье. Дело в том, что она влюбилась.

Произошло это на площади Карм прекрасным сентябрьским вечером, когда ночи стояли еще такие теплые. Был устроен бал. До сих пор в жизни Марсель было очень мало развлечений. Но наступил мир. Все было залито ярким светом, горели разноцветные фонарики. Миниатюрную, легкую как перышко, ее тут же пригласил на танец какой-то парень. На губах у него играла приветливая искренняя улыбка, а цвет его глаз напомнил Марсель море, которого ей так не хватало. У него были очень сильные руки.

— Меня зовут Роже Матье.

— А как ваша фамилия?

— Матье и есть моя фамилия.

Перед мысленным взором Марсель возникла большая конторская книга, лежавшая на столе в мэрии.

— Мне встречалась эта фамилия в списке на получение хлебных карточек. Тот Матье — каменотес.

— Это мой отец.

Девушка облегченно вздохнула: хотя с виду этот малый походил на драчуна, у его отца, оказывается, собственный дом.

— А какие камни он гранит?

— Отнюдь не драгоценные… Он делает надгробия.

Марсель пришла в восторг:

— И кресты тоже?

— Да. И ангелов, и пречистых дев.

— Пречистых дев?!

Она перекрестилась.

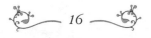

— Я вижу, вы верующая?

— Да.

— Я тоже.

— А сами вы чем занимаетесь?

— С двенадцати лет работаю вместе с отцом. Вернее сказать, работал, потому что я только что вернулся из Германии. Грязная война...

Марсель заметила, что при этих словах он помрачнел. Она сказала самым ласковым тоном:

— Но ведь теперь-то война кончилась.

— Да, кончилась и, надеюсь, больше не повторится. А сами вы откуда? Произношение-то у вас нездешнее.

Она рассказала ему о своей жизни в Дюнкерке в годы войны: о мертвых английских солдатах в канавах у дорог, о торпедах, разрушавших здания, о том, как люди прятались в подвалах, страшась и надеясь, что каменные своды не рухнут... Она описала, как в спешке уезжала из города, как их поезд бомбили; они застряли на вокзале в Амьене, и бомбардировщики на бреющем полете проносились над ними... Он спросил, нравится ли ей здесь, на Юге. Она призналась, что поначалу мистраль часто не давал ей уснуть и что Авиньон — совсем маленький город по сравнению с Дюнкерком.

— Да, а вы еще не сказали мне, как вас зовут.

— Марсель-Софи Пуарье. Но хочу вас сразу предупредить: я уже наслушалась шуточек насчет того, что по-французски слово «пуар» означает не только грушу, но и простофилю!

Он рассмеялся, а про себя подумал, что ей неплохо бы поменять фамилию и что «Марсель Матье» звучало бы гораздо лучше.

С того дня они больше не расставались. Она, как и собиралась, ушла из мэрии. И поступила работать на картонажную фабрику. Теперь она больше не сомневалась: ей удастся скопить деньги на подвенечное платье. Она придавала этому большое значение, потому что ее родители так и не обвенчались...

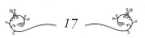

Марсель жалела только об одном, что бабушка и старшая сестра могут увидеть ее свадьбу только с небес... Утешалась же она тем, что ее свекор занят таким прекрасным ремеслом. Марсель часто приходила к нему в мастерскую возле кладбища. Там папаша Матье трудился над камнями, которые он тщательно и любовно отбирал.

— Камень — что женщина, — приговаривал он, — всегда обращаешь внимание на цвет ее лица и родинки на нем.

При этом все вокруг смеялись, потому что семья Матье отличалась веселым нравом.

У Роже был очень красивый голос, тенор.

— Может, мне стоит попробовать силы в опере? — попытался он было заикнуться, когда ему исполнилось 16 лет.

Отец так и взвился. Певец! Разве это профессия?! Работать с камнем — вот настоящее дело! Надо сказать, что в роду Матье профессия передавалась от отца к сыну уже много поколений. Правда, во времена Авиньонского пленения пап Матье занимались иным ремеслом и трудились над более деликатным материалом — они были садовниками.

Думается, я тоже кое-что унаследовала от этих моих далеких предков. Я имею в виду то волнение, которое охватывает меня при виде цветов и растений, то удовольствие, с каким я ухаживаю за своими орхидеями и гардениями в моей маленькой теплице в Нейи, и ту радость, какую я испытала однажды утром, когда, бродя по полям за нашим домом в квартале Круазьер, наткнулась на полянку клевера с четырьмя листочками... Эту находку я долго хранила в тайне, как бесценное сокровище. Как знать, может быть, именно она и принесла мне счастье?

— Ну и везет же тебе, малышка! — воскликнула бабуля.

Она была незаурядной личностью, наша бабуля! Мы, малыши, только так и называли ее. А звали ее Жермена. У нее были очень густые и длинные волосы, выпуклые скулы, большие, черные, миндалевидные глаза и чудесный голос... Как и мой отец, она всегда пела по-провансальски. И с дедушкой они говорили тоже только по-провансальски. Выйдя замуж за Роже Матье,

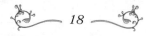

моя мама, девушка с Севера Франции, вошла как бы в чужеземную семью. Но она так сильно любила своего мужа, что отправилась бы с ним даже к папуасам. Когда не чуждая колдовским чарам бабушка устремляла жгучий взгляд черных глаз на невестку, она встречалась со взором ясных голубых глаз, в которых отражалось само небо.

Итак, мама венчалась в белоснежном платье. Она не собиралась никому пускать пыль в глаза. Просто такова была традиция. И ее придерживались обе: невестка с Севера и свекровь с Юга. Замуж выходят один раз — и на всю жизнь.

— Белоснежное платье не менее священно, чем монашеское одеяние, — считала моя мама.

Она вступала в брак, как другие поступают в монастырь. И хотя сама бабушка уже не жила больше с дедушкой, она одобряла взгляды своей невестки. Я так никогда в точности и не узнала, что именно произошло между стариками. Они жили порознь, хотя и не разводились. В семействе Матье разводов не признавали. А так как их дочь (моя тетя Ирен, которой предстояло сыграть огромную роль в моей жизни) вышла замуж и стала матерью семейства, наша бабуля стала жить в доме своего сына...

Согласно традиции — во избежание беды — жених не должен был заранее видеть подвенечное платье. Он получал право на это только в день свадьбы.

Надо сказать, что я унаследовала от бабушки ее суеверие: если бы мне вдруг пришлось в какой-нибудь телевизионной передаче появиться в подвенечном платье, я бы почувствовала себя совсем несчастной. К счастью, такого случая не представилось.

Итак, в апреле 1946 года те, кому вскоре предстояло стать моими родителями, дружно ответили «да» перед лицом мэра и священника, и произошло это даже позже, чем следовало, потому что, как говорят у нас, «передник у нее вздымался».

Я не замедлила появиться на свет: родилась 22 июля.

— Малышке повезло, она родилась под созвездием Рака, — изрекла бабуля, она хорошо разбиралась в истолковании знаков Зодиака.

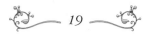

Мне выбрали имя «Мирей», иначе и быть не могло. Так единодушно решили папа и дедушка. Папа был страстный поклонник оперы, а дедуля преклонялся перед Мистралем.

Один декламировал по-провансальски:

> Cante uno chato de Prouvenco
> Dins lis amour de sa jouvenco...
> (О деве из Прованса я пою,
> Впервые встретившей любовь свою...)

Другой пел: «О, ангелы в раю...»

И оба склонялись над постелью молодой мамы, которая нежно прижимала меня к груди.

— Никак не возьму в толк, как такая хрупкая женщина, которая питается одними анчоусами, сумела произвести на свет ребятенка весом в два кило с лишним!

Мама, и вправду сказать, утратила привычку есть нормально, если у нее такая привычка когда-либо была. Ужин в доме свекра, обожавшего свинину, был для нее сущей мукой. Она съедала анчоус, что, по общему мнению, возбуждает аппетит, брала себе немного риса — и дело с концом!

Дедушка беспокоился: как эта худышка из Фландрии станет рожать ему внуков? В ответ бабуля заявляла, что это не его забота! У нее были свои рецепты. Уж конечно, не в Дюнкерке мама могла узнать, что укроп — на Юге он достигает человеческого роста — прибавляет молока кормящим матерям, что чесночный отвар взбадривает не меньше, чем отвар из хины, а масло из тыквенных семечек укрепляет кости.

— Можете все быть спокойны, она так же крепка, как башня Папского дворца!

А маме необходимо было крепкое здоровье... Война оставила свою отметину на ее муже. В Саарбрюккене он попал под бомбардировку, его отбросило взрывной волной и сильно контузило. Из-за этого у него плохо сгибалась рука и с трудом поворачивалась шея, что одно время ошибочно приписывали кар-

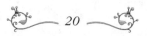

бункулу. Когда у отца уже были жена и ребенок, он вдруг обнаружил, что ему не по силам труд каменотеса. Его охватило уныние, так что маме пришлось в одно и то же время возиться с младенцем, выхаживать мужа и вести хозяйство в доме с островерхой крышей, который комфортом не отличался.

Доктор Моноре утешал ее: Роже выправится, ведь он здоровяк, другой бы на его месте погиб. Нужно только проявить немного терпения и поддерживать в нем бодрость духа. Терпения-то у мамы хватало! А поддерживать в муже бодрость ей помогала безграничная любовь к нему...

Зимой обитателям нашего дома приходилось особенно тяжело: в нем было так сыро, холодно и мрачно. У отца был полный упадок сил, он даже не выходил на улицу. Приближалось Рождество. Первое Рождество в моей жизни, которое, впрочем, в счет не идет, ведь мне было всего полгода. Но мама непременно хотела его отпраздновать, потому что это было первое Рождество в ее семейной жизни.

— Отпраздновать? Но как? — недоумевал отец. — Денег-то у нас нет.

— Положим, немного найдется...

И она продала свои сережки. Только их ей и удалось спасти в Дюнкерке. Эти золотые сережки с крошечными жемчужинами необыкновенно шли ей. Это был подарок ее бабушки к первому причастию.

— На эти деньги, — заявила мама, вытаскивая 500 франков, полученные за сережки, — можно устроить рождественский ужин для всей семьи. Пригласим твоих родителей и сестру Ирен, подадим на стол жаркое с овощами, а на оставшиеся деньги купим глиняные фигурки святых!

Тогда отец, который весь день предавался мрачным мыслям, съежившись на стуле, впервые за долгое время улыбнулся.

— Превосходная мысль! — воскликнул он. — А я смастерю к празднику рождественские ясли!

И он тут же принялся за работу, забыв и думать о своем фурункуле. Раздобыл картон. Глаз и рука у него были верные — он

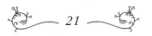

быстро нарисовал домики, овчарню, мостик, стойло. Вырезал, прилаживал, клеил... До тех пор он только высекал надгробия, но теперь выказал незаурядные способности художника-миниатюриста: из множества кусочков пробковой коры он сложил старые каменные стены... Затем соорудил часовенку, потом мельницу Доде... Целыми часами он трудился, не разгибая спины. Мало-помалу из картона и бумаги возникли холмы.

Мама с восторгом следила, как вырастало под его руками селение. Должно быть, и я с соской во рту следила за происходящим.

— Теперь фигуркам святых будет вольготно!

Папа, уже три месяца не выходивший из дома, отправился в окрестные леса. Он принес оттуда мох и уйму веточек, чтобы сделать игрушечные деревья. Потом купил мыльную стружку, взбил ее, как яичный белок... И получился снег, надо признаться, великолепный снег, который тут же пошел в дело. Высыхая, эти мыльные снежинки твердеют, твердеют все больше... Но к ним лучше не притрагиваться, а то защиплет в носу — и сразу вспомнишь, что они из мыла.

Когда все сооружения были готовы, мои родители любовно разместили внутри купленные фигурки, их было много: пузатый мэр с трехцветным шарфом, барабанщик, рыбак с сетью, торговка пирожками с большим противнем, женщина с арбузом в руках и другая — с кувшином, продавщица морских ежей, цветочница, женщина с миской чесночной похлебки, пряха с прялкой, пастух, опирающийся на посох, арлезианка, вожатый с медведем, цыганка, дородный священник, вытирающий пот со лба... И, разумеется, восхищенная чета: воздев руки, она восторгалась младенцем Иисусом.

Когда все было закончено, полюбоваться рождественскими яслями собрались родные и соседи: пришел каменщик-облицовщик господин Фоли — в глубине его сада помещался туалет, пришел и торговец домашней птицей господин Вержье... Пришел и дедуля.

С матерью у рождественских ясель, которые смастерил отец, когда Мирей было всего пять месяцев. Рождество в доме Матье всегда было главным семейным праздником

— Ну что ж, Роже, видать, ты пошел на поправку!

— Одно дело работать с картоном, а другое дело — с камнем! Тем не менее, он стал выздоравливать. И уже весной снова взял в руки резцы и молоток.

— Этим чудесным исцелением мы обязаны рождественским яслям, — восклицала мама. — Яслям, связанным с нашей малюткой Мирей! Мы будем их восстанавливать каждый год. В них наша защита.

В прошлом году — через 40 лет — я приехала на Рождество в Авиньон. Здесь многое изменилось. Теперь квартал Круазьер не узнать. Какое счастье, что я в свое время набрела на клевер с четырьмя листочками. Сейчас бы я его не обнаружила. Там, где чуть ли не до самого горизонта тянулись поля, теперь высятся новые дома... Но рождественские ясли сохранились. Все, что сделал некогда отец из картона и бумаги, — на месте. «Его» стойло, «его» мельница, «его» домики по-прежнему приводят в восторг — теперь уже папиных внуков. Мой брат Роже с благоговением, осторожно достает фигурки из коробок, где они хранятся. Их даже прибавилось. Теперь пастух пасет больше баранов, чем 40 лет назад! В игрушечном селении появилось электричество, и крошечные лампочки освещают дома. Но в остальном...

— Знаешь, — как-то сказала мне мама, — наши рождественские ясли и ты — одного возраста. Но только ты изменилась гораздо больше, чем они.

Первые гонорары

Впервые празднование Рождества запомнилось мне в четырехлетнем возрасте. Папа к тому времени совсем поправился, и к нему вернулась обычная веселость. Он пел дома, пел в мастерской дедушки, и, слушая его, я застывала, словно зачарованная, — совсем как змея при звуках дудочки заклинателя. Как только раздавалось папино пение, я вторила ему, точно ка-

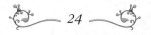

нарейка. Это приводило его в восторг, и в конце концов он объявил, что в этом году я непременно приму участие в праздничном песнопении.

То была еще одна местная традиция. После торжественной мессы в примыкавшем к церкви Нотр-Дам-де-Франс зале благотворительного общества собирались любители хорового пения, жившие поблизости: надев национальные костюмы, они разыгрывали различные сценки, изображая рождественских персонажей, танцевали и пели по-провансальски. Я почти ничего не понимала в происходящем, но папа упорно настаивал, чтобы я тоже что-нибудь спела.

— Она еще чересчур мала, — возражала мама. — И так робка и боязлива, что ты мне из нее дуреху сделаешь! — прибавляла она, уже настолько усвоив местную манеру говорить, будто никогда и не жила в Дюнкерке.

— Какую еще дуреху! — ворчал отец. — Я не дуреху, а соловья из нее сделаю!

Мне сшили прелестное платьице. На репетиции я пела хорошо, совсем как дома, и не сводила глаз с отца, стоявшего внизу у сцены. Но вечером...

— Что ей лучше дать: настой из розмарина для успокоения или отвар шалфея, чтобы взбодрить немного? — допытывалась мама у бабули, которая не имела готового рецепта для подобного случая.

— Дадим ей, пожалуй, немного меда, чтобы голос получше звучал!

Я была в панике: в зале полно людей, знакомые со мной заговаривали... Я запела, но уже на четвертом такте... осечка. В отчаянии я искала глазами отца. Он стал мне подсказывать, я ничего не понимала, как в омут провалилась. Но он не оставлял своих попыток, и к всеобщей радости я вынырнула на поверхность. И впервые испытала истинное волнение, подлинную тревогу, так как впервые выступала перед публикой и заслужила первые аплодисменты. Папа протянул мне леденец. Никто еще не знал, что это был мой первый гонорар.

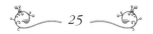

А мой второй гонорар... Впрочем, то был не просто гонорар, а чудо. Дело происходило в детском саду, который находился недалеко от дома, у входа рос изумительный розовый куст, быть может, тогда и зародилась во мне любовь к изысканным ароматам. Я не уставала любоваться этими розами. Какое удовольствие наблюдать, как бутоны раскрываются по утрам и снова закрываются вечером, когда уходишь домой! Казалось, они желают мне доброй ночи, и я им отвечала тем же. Само собой понятно, что к розам слетались пчелы, и я говорила себе: как, наверное, приятно быть пчелкой, она может зарываться в душистый цветок и вдыхать его чудесный запах. Встреть я в ту пору какую-нибудь фею, я б непременно сказала ей: «Мадам, мне бы доставило огромное удовольствие жить среди лепестков розы!» Иногда я думаю: вероятно, это наивное детское желание побудило меня выбрать розовый атлас, чтобы украсить им свою комнату, когда я, став известной певицей, обживала свое первое собственное жилище в Нейи!

— Ты что, видела такую комнату в Голливуде? — однажды спросила меня приятельница.

Вовсе нет! Думаю, все дело в воспоминаниях, связанных с детским садом! Кстати, я очень любила нашу заведующую госпожу Обер. Мне нравились и стихи, которые мы все вместе разучивали. В них говорилось о цветах или о животных, их было так легко запоминать:

> Маленький цыпленок
> Зернышко клюет,
> Маленький крольчонок
> Под кустом живет.
>
> Курочка-пеструшка
> Нам яйцо снесла,
> Розовая хрюшка
> На траву легла.

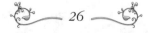

А вот другой стишок:

> Кролик голову повесил,
> Муравей совсем невесел,
> У мышонка сто забот...
> Кто на помощь им придет?!

Иногда мы пели короткие песенки, и тут я особенно усердствовала — недаром же папа называл меня соловьем! Вот почему на следующее Рождество я распевала уже не детскую считалочку, а настоящую песню:

> Как мне куколку унять?
> Ни за что не хо-очет спа-а-ть!

Я пела эту песенку для всех детей, собравшихся вокруг елки в нашем детском саду. Разумеется, я, как и другие, получила в подарок игрушку. Но она меня не слишком интересовала, я даже в точности не припомню, что это была за игрушка. Чудо было в другом — это платье, в которое меня нарядили по случаю праздника! Когда его на меня надели и я увидела себя в зеркале... Это платье из тюля было такое легкое, просто воздушное, и... розовое! Я превратилась в цветок! Настоящее диво! На этот раз я не волновалась и не робела... У меня было такое чувство, будто ангелы подхватили меня и уносят на небо!

Перед уходом домой я сняла платье. Да и как я могла оставить его у себя?! Разве можно было хранить подобное платье в нашем доме, где на стенах проступала сырость. Это было бы оскорбительно для такого свежего, красивого, сверкающего платья. Я понимала, что оно не для меня, и потому не испытывала горечи. Мама часто говорила: «Слава добрая дороже позолоченных сережек», а затем прибавляла: «Может, денег у нас и нет, но зато нас все уважают». Позднее, когда я начала изучать историю Франции (она меня так захватывала!), то поняла:

по одну сторону — короли, королевы... и разные вельможи, чей удел — необыкновенные приключения, а по другую сторону — народ, чей удел — нищета. Так уж повелось...

В наших краях тоже высился замок. Конечно, он не шел ни в какое сравнение с замками французского короля, но тех я никогда не видала, и для меня любой замок был настоящим замком. В моем представлении Король-Солнце, Спящая Красавица и владелица нашего замка были существами одного порядка. О ней нам было известно только то, что она богата.

— Туда не нужно ходить! — говорили родители.

Этот запрет лишь побуждал нас как ни в чем не бывало отправляться гулять в ту сторону. Мы брели по дороге, обсаженной шелковицами, добирались до приморской сосны, милой сердцу Мари дю Крузе, важной дамы, которая учила нас катехизису... Это была очень высокая сосна, она виднелась уже издали. Верхушка ее все время гнулась и распрямлялась: ветер не оставлял ее в покое. Возле замка росло множество больших деревьев, за ними было так удобно прятаться. Из своего укрытия мы хорошо различали посыпанную песком аллею, катившие по ней экипажи, из них выходили нарядно одетые дамы.

— О! Погляди на ту, что в белом, до чего она красива! — Нет, мне больше нравится та, что в голубом! — Ах, нет! Прекраснее всех та, что в желтом платье, расшитом цветами!

Никто ни разу не обнаружил, что мы подглядываем за происходящим в замке, хотя внутри мы так и не побывали. Теперь, повидав множество других замков, я по здравому размышлению пришла к выводу, что то была просто небольшая дворянская усадьба. А позднее она перестала быть такой, какой представала нашим глазам, когда мы смотрели на нее, прячась за деревьями, что росли вдоль дороги в Массиарг. Здание преобразилось— стало как будто меньше, его обступили теперь дома с умеренной квартирной платой, похожие друг на друга.

Домами этими застроили все наши поля... А ведь поля служили не просто местом для игр, там было наше королевство.

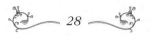

В домах, где мы жили, было сумрачно и тесно. А бескрайние поля манили к себе свободой и светом. И сулили нам новое удовольствие: здесь росли самые разные цветы (ведь возле детского сада были одни только розы) — васильки, нарциссы, цвел боярышник... Тут всегда можно было сорвать что-либо полезное для бабули и, как она говорила, «для нашего доброго здоровья».

Оттуда нам случалось приносить домой головастиков. Мы сажали их в банки и спорили, чей головастик вырастет быстрее. Старались ловить кузнечиков, что было совсем нелегко; потом кузнечика зажимали в кулаке и подносили к уху, чтобы послушать, как он стрекочет.

Мы всегда бродили целой ватагой: мои младшие сестры, Матита и Кристиана, и подружки — Элиза и Даниель Вержье — дочери нашего соседа, торговавшего домашней птицей. По другую сторону двора стоял дом господина Фоли, итальянца-каменщика, окруженный хорошо ухоженным садом, где росло много клубники. У него и его красивой жены детей не было. Я считала, что в этом нам повезло: ведь будь у них дети, нам доставалось бы меньше клубники, которую мы без зазрения совести воровали.

— И кто это поедает мою клубнику?! — восклицал он, размахивая своими длинными руками. Наш сосед был очень крупный и высокий человек, таким он мне, по крайней мере, казался, потому что я в ту пору едва достигала его колен. Конечно, он хорошо знал, чьих рук это дело. Но как могли мы удержаться, проходя мимо грядок с клубникой всякий раз, когда спешили в дальний угол его сада (там стояла будка, на двери у нее было вырезано сердце, мне это так нравилось, что я всякий раз говорила: «Иду поглядеть на сердце», вместо того чтобы сказать «Иду делать пипи!»). В саду господина Фоли росла смоковница, и, когда поспевали винные ягоды, мальчишки взбирались на нее... По нашему двору важно прохаживались гуси господина Вержье, и со стороны трудно было понять, кто кого преследует: они — нас или мы — их.

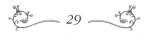

Я так любила гладить кроликов или бросать курочкам зерно. Однажды госпожа Вержье дала мне выпить свежее яичко. «Сырые яйца очень полезны для горла», — утверждала бабуля. Госпожа Вержье знала, что мы небогаты, и, должно быть, поэтому время от времени подсовывала мне яичко, приговаривая: «Это для тебя, наш соловушка».

Самое важное время наступало для нас в четыре часа пополудни: к этому сроку бабуля готовила нам бутерброды; сливочного масла на них не было — его заменяли две-три дольки чеснока, смоченные оливковым маслом.

— У вас от этого силенок прибавится, — всякий раз говорила она. Чеснок в различных видах сопутствовал нам с утра до вечера, во всякое время года: ячмень на глазу сводили, прикладывая к нему разрезанную пополам дольку чеснока, чесноком удаляли мозоли с ног, чесноком лечили от укуса осы; ожерелье из долек чеснока должно было уберечь нас от эпидемий, к припаркам из толченого чеснока прибегали, когда у кого-нибудь болел живот или ныли зубы; растертый с цветами мальвы чеснок был прекрасным средством при воспалении десен. Бабушка готовила вкусную чесночную похлебку, заливала творог чесночным соусом. Она знала секрет чудесного снадобья, для него мы приносили ей таволгу, душицу, полынь, шалфей, гвоздику, дягиль, розмарин. Она все их смешивала и вымачивала в белом вине, прибавляя, само собой разумеется, и чеснок.

— Это снадобье защитит вас даже от чумы! — с жаром уверяла бабушка. И она объясняла нам, что оно носит название «зелье четырех злодеев».

— А почему его так зовут, бабуля?

— Давным-давно это было, тогда многие люди — и мужчины, и женщины, и даже маленькие дети, совсем такие, как вы, — умирали, как мухи от чумы; в ту пору жили четыре злодея, они входили в жилище зачумленных, душили их и уносили все, что могли...

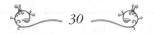

В школе с одноклассницами. Мирей в последнем ряду, четвертая слева

Я постоянно опаздывала на первый урок, потому что у меня, как у старшей, было спозаранку множество дел: сходить за молоком, поднять малышей, одеть и умыть их, умыться самой – маме хватало хлопот с младенцами, их надо было перепеленать и накормить. Перед школой я отводила малышей в детский сад, а он находился в другом месте.

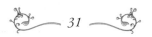

— Но если все умирали, почему злодеи не хотели ждать их кончины?

— Потому что этим злодеям не терпелось разбогатеть. В жизни так часто бывает: люди не хотят дожидаться решения Господа Бога.

— Разве Он всегда все решает?

— Только Он. Повелел же Он в своих десяти заповедях: «Не убий», а не то попадешь в ад.

— И все четыре злодея очутились в аду?

— Ну... этого точно никто не знает. Дело в том, что благодаря им удалось спасти много больных. Ведь никто не решался входить в дома зачумленных. Никто, кроме этих злодеев. Когда их схватили, то обнаружили, что они натирались каким-то чудесным зельем, и тогда им сказали, что, если они откроют его секрет, их не пошлют на виселицу. С тех пор секрет этот передается от отца к сыну и от матери к дочери, потому-то и я его знаю. Когда подрастете, я его вам тоже открою. Он любых денег стоит.

— Как ты думаешь, Господь Бог простил этих злодеев?

— Конечно. Он-то и внушил судьям, что их надо помиловать.

— Стало быть, злодеи попали в рай?

— О, это было бы слишком! Скорее всего, они в чистилище.

Однако «зелье четырех злодеев» оказывалось бессильно, когда папа впадал в уныние. Мама говорила: «Опять война на него навалилась».

Я не раз слышала, как он рассказывал о войне. Это было ужасно! Понятно, почему его порой охватывала тревога. Мне тоже хорошо знакомо это. Я узнала ее гораздо позднее, когда стала, как говорят, известной. Но вели мы себя при этом по-разному. Папа тогда не выходил из дома и сидел не шевелясь. Я же, напротив, в такие минуты должна непременно что-то делать, двигаться, выходить на улицу... Словом, мне нужен внешний толчок, чтобы одолеть оцепенение: нечто подобное испытывает кинооператор, когда слышит, наконец, команду режиссера «Мотор!». И я начинаю действовать....

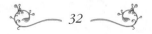

Рассказы о войне нагоняли на меня страх. Помнится, в день смерти Папы Иоанна XXIII над Авиньоном разразилась небывалая гроза. Я металась, как майский жук, и вопила:

— Война началась! Началась война!

— Да нет же, люди тут ни при чем, — успокаивала меня мама. — Это небесный гром...

Когда папа оставался дома — потому ли, что болел, потому ли, что не надо было высекать надгробия или работать на кладбище, потому ли, что мама находилась в больнице или в родильном доме, — до чего заботливым отцом он был!

Он вставал по ночам, поднимался к нам по лестнице, чтобы посмотреть, не раскрылся ли кто из детей, и осторожно поправлял одеяло.

Родители никогда не поднимали на нас руки. Мы так и не узнали, что такое оплеухи и шлепки. Наказанием служили такие слова:

— Ты меня очень, очень огорчаешь, дочка. Теперь я тебе больше не могу доверять.

И после этого долгие часы на меня не смотрели, со мной не разговаривали, как будто меня тут вовсе не было. Это надрывало душу. Становилось гораздо страшнее, чем когда бабуля пугала нас букой. Такие угрозы годились только для малышей. А я тем временем как-то незаметно почти достигла того возраста, который называют сознательным. Я очень долго с грустью вспоминала детский сад и его заведующую госпожу Обер. Своих школьных учительниц я так и не полюбила. Даже не помню, как их звали.

Мое первое горестное воспоминание о школе связано с уроками чистописания. А я ведь так старалась! Наглядевшись на то, как тщательно дедушка и папа трудились в своей мастерской, высекая надгробные надписи, я столь же тщательно выводила буквы в своей тетради...

Учительница остановилась у меня за спиной, и я вдруг услышала ее резкий голос:

— Мирей!.. Левой рукой не пишут!

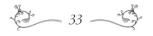

Я с удивлением уставилась на нее. Я же так старалась, даже от старания все губы искусала. Буквы у меня получились такие красивые... Но я от рождения была левшой. Как Мари-Франс и Режана (как впоследствии будут левшами один из близнецов Ги — другой близнец пишет правой рукой, — как Роже и двенадцатый ребенок в нашей семье, Жан-Филипп).

— Протяни ко мне руки, — потребовала учительница.

Я доверчиво протянула руку... И хлоп! Она стукнула меня линейкой. В дальнейшем я всегда была настороже и старалась подальше упрятать пальцы, но она все равно добиралась до них и все больнее с каждым разом била меня линейкой по левой руке.

— До чего ж ты упряма! Пиши правой рукой!

Я бы и рада была, но ничего не получалось. Как только я брала карандаш в правую руку, он переставал меня слушаться и, как я ни старалась, вместо букв получались неразборчивые закорючки. Учительница не понимала, что я ничего не могу поделать, и невзлюбила меня. Над моим ухом то и дело раздавался ее визгливый голос: «Пиши правой рукой! Правой рукой! До чего ж ты упряма!» И вслед за этим — удар линейкой.

В конце концов, я кое-как научилась писать правой рукой; а моя левая рука частенько бывала в синяках... Ох уж эти удары линейкой! Я до сих пор недоумеваю: ведь главное уметь писать, не все ли равно, какой рукой?

И с той поры я сделалась слегка косноязычной. Возможно, стараясь изо всех сил писать не левой рукой, а правой, я стала то и дело оговариваться. В моей речи согласные звуки менялись местами, переходя справа налево, и наоборот. Например, улицу Букрери я называла улицей Буркери, а вместо Сент-Агриколь говорила Сенг-Атриколь...

Полностью я от этого до сих пор не избавилась. Даже теперь я, случается, запинаюсь, произнося некоторые слова. И если пишу правой, как того хотела учительница, то ем и шью левой...

Мое косноязычие немало забавляло подружек, но меня оно тревожило с каждым днем все сильнее. Я словно гналась за слетавшими с моего языка словами, пытаясь их поймать (я спо-

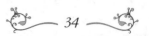

тыкалась на словах, как другие спотыкаются у порога). Поэтому, читая вслух, я все время запиналась. И учительница решила: раз я невнимательна на уроках... мое место на последней парте! И добилась того, что я и в самом деле перестала слушать, как она объясняет урок. Я совершенно не понимала ее, а она не понимала меня.

Мама, конечно, догадывалась, что у меня возникли какие-то трудности, но у нее хватало и своих. Мы жили в тесноте, и потому я знала о ее затруднениях.

Я не раз слыхала, как она говорит:

— Приходила домовладелица. Я отдала ей 500 франков за жилье... И теперь ломаю голову, как дотянуть до конца недели.

В другой раз она жаловалась:

— Нужно купить пару башмаков, но если даже наскрести все, что есть в доме, то...

А иногда я слышала:

— Нет, и в этом месяце не удастся свести концы с концами.

У меня перед глазами встает небольшая комната на первом этаже, которая служила то кухней, то столовой, то спальней (перед тем как лечь спать, мои родители отодвигали стол к стене и раскладывали диван-кровать... При этом важно было не забыть опустить ножки, иначе ложе опрокидывалось и тот, кто ложился первый, оказывался под столом... То-то было смеху!); мама сидит и чистит картошку, вечереет, с работы приходит отец. Он говорит: «Сегодня я опять не мог купить мяса...» — «Бедный ты мой Роже, — отвечает мама, — я огорчена больше всего, потому что ты не поешь как следует...» Уж она-то хорошо знала, какой у него тяжелый труд! Во всякое время года — и в холод, и в сильную жару — камень нелегко поддается. Нужно немало сил. К тому же мама постоянно боялась, как бы отец снова не заболел.

Питались мы по преимуществу чечевицей и горохом, но ведь их приходилось покупать. Я часто слышала, как мама спрашивала у бакалейщицы, не отпустит ли та продукты в долг.

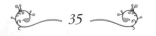

— Ну конечно, госпожа Матье, я знаю, что за вами не пропадет, так как у вашего мужа долгих простоев не бывает! Люди-то постоянно умирают, не правда ли?

Картошка, чечевица, черствый хлеб и чесночная похлебка — вот что мы обычно ели... Но мы чувствовали себя счастливыми, потому что были все вместе.

В доме всегда находили лишнюю тарелку для того, кто был еще беднее нас. Зимой время от времени раздавался стук в дверь.

— А, это Шарло! — говорил папа. И, в самом деле, это был Шарло.

Я так и не узнала его настоящего имени. Нет, он совсем не походил на Чарли Чаплина. Правда, как и тот, был бродягой, и все свои пожитки возил в старой детской коляске. Его красивую голову патриарха еще больше украшала длинная борода, он ходил в потрепанном берете и не расставался с большим зонтом, который уже давно потерял свою первоначальную форму.

— Заходи, согреешься немного, — приглашал его отец.

Старик усаживался возле печки, и мама подавала ему тарелку супа. Иногда он приносил с собой консервную банку: она заменяла ему котелок.

— Возьмите это с собой, — говорила мама, набивая ее чечевицей или горохом...

— Почему он к нам приходит, мама? — спрашивала я потом. — Разве у него нет своего дома?

— Нет, у него есть крыша над головой. Но лучше бы у него, бедняги, вовсе крова не было. Его обобрал родной брат, все у него отнял. У Шарло прежде были деньги и земля своя была, а теперь у этого горемыки ничего не осталось.

— Скажи, мама, он что — немного тронутый?

— Ты бы тоже умом тронулась, доведись тебе пережить такое. Его брат из себя первого богача строит, а невестка у него сущая ведьма. Под жилье они отвели ему сарайчик, а в дом не пускают. И когда однажды бедный Шарло забыл ключ от калитки, ему, несмотря на преклонный возраст, пришлось перелезать через ограду, рискуя распороть себе живот.

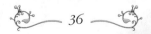

Мы, дети, очень любили Шарло. Говорил он мало, но все же иногда рассказывал занятные истории, помогая себе жестикуляцией; он всегда так приветливо смотрел на нас. И ел он с таким удовольствием... Потом уходил, затем снова возвращался нам на радость, ведь он хорошо к нам относился. И вот однажды...

— Слыхали, что произошло с Шарло? Его нашли на обочине дороги, он лежал, скорчившись под деревом. Должно быть, умер прошлой ночью, она была такая холодная...

В тот вечер я долго не могла заснуть. Все думала о Шарло, который умер один-одинешенек в леденящем ночном мраке, а мы в это время лежали в тепле, рядышком, согревая друг друга.

— Нужно было оставить его у нас, папа...

— Конечно, можно было бы положить для него тюфяк в углу. Но ведь у него была своя гордость, понимаешь, дочка?

Нет, я ровным счетом ничего не понимала. Почему брат, ограбивший его, не угодил в тюрьму? И почему Шарло не мог жить в своем теплом доме, где бы он не страдал от холода?

В воскресенье мы молились за душу Шарло.

— Его, кажется, похоронили в Крийоне, — обронил папа.

Это небольшое живописное селение расположено у подножия горы Ванту.

Позднее мне не раз приходило в голову, что следовало посетить его могилку. Но я даже не знала, как его зовут...

Нам на кладбище никогда не бывало грустно, напротив, очень даже весело, ведь там работал папа. В среду вечером мы уже с нетерпеньем ждали четверга: наутро вместо школы можно было отправиться на кладбище! Как всегда, мы вставали спозаранку.

— Ну как, воробушки, уже собрались?

Папа поднимал как перышко трех своих дочек — Матиту, Кристиану и меня, — одну за другой сажал нас в свою ручную тележку, и — в путь! Наш дом находился неподалеку от мастерской дедули, а сама мастерская помещалась прямо напротив кладбища.

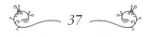

Входя в нее, я испытывала восхищение, мне нравилось здесь, как в церкви: всюду виднелись кресты, незаконченные статуи или просто каменные глыбы, за которыми так удобно было прятаться во время игры (правда, дедуля такие шалости не слишком одобрял). Слева от входа был небольшой чуланчик, чуть побольше стенного шкафа, дедушка хранил там свои бумаги.

Дом, примыкавший к мастерской, был впоследствии превращен в цветочную лавку для самой младшей моей сестры, Беатрисы: она обладает хорошим вкусом и делает красивые рождественские венки из остролиста. Но в конторке дедули все осталось на месте — так, как было при нем. Не выбросили ни одной накладной, ни одного счета, ни одного наброска, сделанного его рукою, ни одной конторской книги. Кажется, что дверь распахнется, он войдет и усядется за свои бумаги, бормоча по-провансальски:

— Dón tèms que Marto fielavo, pagavo tintin! Vau mai teni que d'espera! (В доброе старое время платили наличными! Лучше синица в руках, чем журавль в небе!)

Дедуля был совсем не таким, как наш отец, лишь глаза у них были одного цвета — голубые, почти фиалковые. Хотя и южанин, дед отличался спокойным нравом (и такое бывает!). Он трудился, не жалея сил, не отдыхал даже по воскресеньям. Человек, высекавший ангелов, говорил, что не верит в бога, и был членом коммунистической партии. При всем том он не возражал, когда мои родители решили венчаться в церкви. В отличие от папы, с нами, детьми, он был не слишком ласков. Дедушка не любил, когда попусту тратят время; если бы меня воспитывал он, я бы так и не научилась играть в кегли…

До поры до времени все у нас шло на лад, но в тот год зима выдалась необычайно суровая. Бабуля это заранее предсказала, глядя на луковицы: кожица у них была очень плотная. Холод настойчиво проникал в дом изо всех щелей. И болезнь тоже постучалась к нам в дверь. У мамы снова начали кровоточить ноги.

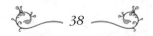

Родители со старшей Мирей и ее сестренками

Любовь, семейное тепло - глубокое, сильное чувство, навеки соединившее наших родителей, навсегда сплотило нас, детей, вокруг них и привязало друг к другу.

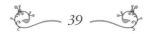

— Милые мои перепелочки, — говорила она Матите и мне, — придется вам заменить меня... Взять на себя заботу о доме...

Это было непросто, мы были еще так малы. Хотя мне уже исполнилось шесть с половиной лет, я не слишком-то подросла. Чтобы поставить на огонь таз с водой для мытья посуды, мне приходилось влезать на скамеечку... А он был тяжелый, такой тяжелый. Большие кастрюли я поднять была не в силах и мыла их холодной водой. А вода в колонке была ледяная. Зима стояла такая суровая, что на улицу избегали выходить. Мы чувствовали себя совсем одинокими. Бабуля тогда жила не с нами, а в деревне (по дороге в Морьер) со своим новым мужем; его звали Батист, и он мне очень нравился, он был круглый как колобок и, в отличие от нашего деда, очень веселый.

— Спасибо тебе, бабуля, — сказала я с детской наивностью, — за то, что ты подарила мне еще одного деда!

В ответ она меня пылко обняла... Но хуже всего было то, что теперь она гораздо реже бывала с нами. Тетя Ирен также жила у себя и растила моего маленького кузена Жан-Пьера; у нее были свои трудности: она разошлась с Дезире, своим мужем-железнодорожником...

Холод безжалостно проникал в дом. Посреди нижней комнаты стояла печь, но у нас, наверху, зуб на зуб не попадал. Папа изо всех сил старался нас согреть. Он клал на печь кирпичи, а когда они раскалялись, относил их к нам в постель; когда мы раздевались перед сном, он поджигал в миске спирт, но тепла хватало на две минуты. Когда Кристиана начала кашлять, я сразу поняла, что и нам этого не миновать. В многодетных семьях делятся всем, даже микробами.

Приближалось Рождество, самое трудное в моей жизни... Чтобы поднять у нас настроение, папа вновь принялся за свои ясли.

— Для нас сейчас трудная пора, — говорил он. — Вот вернется мама, и дела пойдут лучше. А пока надо держаться.

Новое невезение: Батист призвал папу на помощь — заболела бабуля, а от их деревни до родильного дома, где лежала мама, идти было очень далеко. Папа навещал то жену, то мать, проделывая весь путь пешком. Бедный наш папа, на кого он теперь был похож!..

В тот злосчастный рождественский вечер он тоже брел по темной дороге.

Матиту бил озноб, она заболела. Теперь я осталась совсем одна.

— Мирей у нас бравый солдатик! — часто говаривал доктор Моноре. Потому что я была самой крепкой из детей. Я уже переболела ветрянкой и коклюшем, но заболевала всегда последней, а выздоравливала первой.

В тот вечер я уже не была «бравым солдатиком», но была «одиноким бойцом», измученным и не имевшим больше сил сражаться.

Мне казалось, что я вот-вот умру от горя прямо тут, перед этим тяжелым тазом с грязной водой, который была уже не в силах поднять. Перед этой печью, в которой уже не было угля, я лишилась последнего мужества, и судорожные рыдания сотрясали мое тело. Чтобы спастись от холода, я засунула мои бедные ноги в устье погасшей печки. И взывала к Богу:

— Господи, не можешь же ты нас покинуть! Мы в такой нужде. Все больны. Что с нами будет? Я не знаю, что делать, я ведь так мала, но ты, Господи, сделай что-нибудь для нас, сотвори чудо, молю тебя, сотвори чудо!

И тогда я поняла, что молитва приносит облегчение. Папа нашел меня спящей: я заснула от усталости и холода, уронив голову на скамеечку. Но успокоилась. Поверила, что мама скоро вернется. И что трудная пора в нашей жизни, как говорил папа, минует.

С этого дня я часто молилась, молилась от всей души. Богу хорошо известно, как часто я обращалась к нему с разными просьбами! Тревог, страха, горестей у меня в жизни хва-

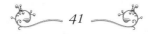

тало, и они еще впереди. Ведь я не прошла весь свой путь. Но я знаю также, что никогда больше не останусь одна. Бог существует. Я везде нахожу его: в своей душе в часы одиночества, в любом уголке света, куда меня приводят поездки; и не столь важно, где и как именно ему поклоняются: святыня — повсюду святыня. Веру мне никто не внушил, не передал. Я сама нашла, сама обрела ее у погасшего очага в ту темную рождественскую ночь.

Моя мольба была не просто услышана. Я просила у Бога подарить мне маленького братца, находя, что пяти сестер в одной семье более чем достаточно... И вот в Крещение мама возвратилась домой с двумя бутузами на руках!

— Поздравляю! Близнецы! — проворчала бабуля, к которой вместе со здоровьем вернулась и язвительность. — А этот болван-доктор ничего не видел!

— И вовсе он не болван, — возразила мама, — он с нас денег не берет!

Папа был доволен. Наконец-то мальчики!

— Теперь их у вас семеро, это славное число, оно приносит счастье, — заявила бабушка, глядя на отца. — Не хватит ли? Надеюсь, ты на этом остановишься!

Бедная моя бабуля... Она и представить себе не могла, что в семье появится еще столько же детей!

А жизнь продолжалась...

С приходом весны стало немного легче. Но в школе ничего не изменилось: там меня по-прежнему ждала кислая мина учительницы и парта в последнем ряду. Я сидела на ней не одна, рядом были и другие ученицы из многодетных семей. Я постоянно опаздывала на первый урок, потому что у меня, как у старшей, было спозаранку множество дел: сходить за молоком, поднять малышей, одеть и умыть их, умыться самой — маме хватало хлопот с младенцами, их надо было перепеленать и накормить. Перед школой я отводила малышей в детский сад, а он находился в другом месте.

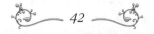

Милый моему сердцу детский сад... Я оставляла там Кристиану, Мари-Франс и Режану, а сама убегала в школу. Любовались ли сестренки «моими» розами, как я любовалась ими в свое время? Благодаря этим розам я уже в раннем детстве поняла, что такое ностальгия.

Переходя из класса в класс, я по-прежнему продолжала сидеть на последней парте. И постепенно начала думать, что для бедняков школа — одно, а для богатых — другое; одни плохо усваивали урок, потому что дома некому было с ними возиться, а другие успевали лучше, потому что дома им помогали готовить уроки, да и в школе учительницы уделяли им больше внимания.

После рождения близнецов мы теперь спали всемером на большой кровати. Трех старших мама устраивала на ночь в изголовье, а четырех младших — в изножье, поперек постели, попарно.

— Вы у меня спите так, как спал в сказке Мальчик-с-пальчик! — шутила мама.

Наступил день, когда я очень пожалела, что я и в самом деле не Мальчик-с-пальчик, у которого в карманах было полным-полно белых камешков! Утром все мы — сестры, подружки и я — приготовили корзинки.

— Теперь самое время отправляться за улитками, — напутствовала нас мама, — дождь кончился, и они начнут высовывать рожки из своих домиков. Только смотрите, к грибам не прикасайтесь: могут попасться ядовитые. Собирайте только улиток!

Мама приготовляла улиток на свой лад: она мариновала их с чабрецом, и мы их ели на Рождество. Я обожала это блюдо. А бабуля готовила из слизи улиток чудодейственное средство от коклюша.

И вот мы тронулись, весело размахивая корзинками. Удивительно, до чего одна лужайка похожа на другую... И все они оказывают на тебя одинаковое воздействие: стоит только ступить на них, как ты пьянеешь от аромата различных цветов и трав.

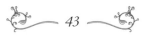

Трудно сказать, почему так получилось: то ли из-за цветочного аромата и особого запаха, который поднимается над лугами после дождя, то ли дело было в чабреце и розмарине, ведь они придают бодрость человеку... Но так или иначе мы беззаботно переходили с одной поляны на другую и ушли очень далеко от дома. Солнце тем временем стало клониться к закату.

— Надо идти направо! — настаивала одна из нас.

— Нет, налево! — возражала другая.

А я, самая старшая, никогда не знала толком, где «право», где «лево», и потому продолжала идти наугад, не отличая друг от друга ни кустов, ни рощиц, ни тропинок, ни развилок. Самые младшие уже начали плакать.

Я старалась поднять дух своих спутниц, распевая песни из моего тогдашнего репертуара. Вот начало первой из них:

> Одна коричневая мышка
> Гуляет при луне, плутишка...

А вот отрывок из другой:

> Заквакали лягушки,
> Ведь скоро ночь, а ночью
> Их голос слышен очень...

Третья песенка начиналась так:

> — Скажи, на что ты, тетка, взъелась?
> — Картошки, видно, я объелась,
> А муж мой сто улиток проглотил!

Но моим слушательницам было не до песен.

Мы долго блуждали по лесу, и только когда уже совсем стемнело, наши родители, которые вместе с соседями вышли на поиски, наконец, нас нашли.

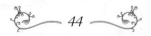

Квартал Мальпинье

Мне не исполнилось еще восьми лет, когда на свет появился восьмой ребенок в нашей семье — «маленький Матье».

— Давайте назовем его Роже, как и вас, — сказал моему отцу доктор Моноре. — А я стану его крестным!

Славный доктор привязался к нашей семье. Навещая своего крестника, он уделял внимание всем нам.

Когда мама поправилась после родов, она решила пойти в мэрию, где о ней помнили как об образцовой служащей.

— Мы не можем больше жить, как кролики в тесной клетке! — возмущалась она. — Представьте только себе: восемь детей и всего две небольшие комнаты!

— Мы это отлично знаем, госпожа Матье, но...

Всегда находилось пресловутое «но». Еще сказывались послевоенные трудности...

— Новое строительство — не езда на почтовых. Но одно мы вам обещаем, госпожа Матье: вас переселят первой...

И мы ждали, однако почти каждую неделю мама ворчала:

— Уж сегодня я опять пойду надоедать мэру...

Наконец в один прекрасный день она вернулась домой сияющая:

— Все в порядке! Оно у нас есть! Вернее сказать, скоро будет! Жилье в новом квартале!

— Не может быть!

— А вот и может! Мэр мне твердо обещал, и я своими глазами видела: мы — первые на очереди.

Трудно передать, какими чувствами наполнили нас эти два слова: «новый квартал». Мы ощущали радость, предвкушая избавление от тягот.

— У нас будет четыре комнаты! Какая роскошь!

Эти четыре комнаты уже стояли у нас перед глазами: своя комната для старших детей, своя — для маленьких, комната родителей, столовая...

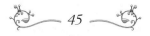

— А ко всему еще и водопровод!

Вода в доме! Какое чудо! Вода течет по твоему приказу! Стоит только открыть кран — и она уже тут, бежит у тебя по пальцам!

— А где будет туалет, мама?

— Тоже в доме!

Итак, прощай сад господина Фоли, через который приходилось мчаться, держась за живот. Придется распроститься с садом? Мне стало не по себе: значит, больше не будет ни клубники, ни винных ягод, ни птичьего щебетания... но зато будет вода, бегущая из крана!

Это важное событие произошло в ноябре, когда маленькому Роже было семь месяцев.

— Переезжаем! Переезжаем! Переезжаем из этой крысиной норы!

— Да нет здесь никаких крыс, чего ты выдумываешь!

— Когда ты родилась, Мими, мама говорила, что ты похожа на крысенка. Вся семья это знает. Маленькая Мими была величиной с крысенка!

— Крысенок, как и мышонок, — просто ласкательное слово! Болтаешь невесть что, лишь бы на тебя внимание обратили!

— Помолчите, девочки! Лучше помогите нам собираться!

Сборы были недолгие. Вещей у наших родителей было немного. Зато у них было восемь детей.

И вот последний «рейс»: нас усадили в тележку вместе с оставшимися коробками и нашим единственным сокровищем — электрофоном и пластинками с записями Пиаф, Тино Росси и оперных арий. Когда мы въехали на каменистую дорогу квартала Мальпенье, нашему взору предстал весь этот «новый квартал», и мама тут же заметила:

— Нужда в этих домах была неотложная, потому их и построили так быстро...

— Они из этернита, — сказал папа.

Он объяснил, что в ход идут крупные панели, из которых быстро собирают дом. И вот возник серый жилой массив, ка-

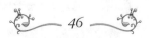

Родной Авиньон. Она родилась в романтичном средневековом городе, в солнечном Провансе, ее детство прошло в квартале Мальпенье, где жили совсем не богатые люди

Понятно, в каждой семье были свои трудности, ведь семьи-то были многодетные. В одном жители квартала были схожи: все они терпели нужду.

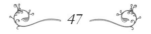

кой-то плоский — совершенно одинаковые приземистые строения будто лепились друг к другу. Он мне показался почти враждебным, быть может, потому, что вокруг не слышно было никаких звуков.

— Другие многодетные семьи въедут позднее, — пояснила мама. — Мы первые жильцы. Поселимся в крайнем доме. За ним будут видны поля.

Ах! Значит, позади будут поля? Я сразу приободрилась. И на минуту забыла, что перед глазами у нас пока разрытая земля.

— Наверное, скоро здесь все заасфальтируют...

Особенно мне понравилось, что в каждый дом вели три невысокие ступеньки. Мы с сестрами прыгали по ним, сдвинув вместе обе ноги. И сразу же обошли все четыре комнаты.

— Глядите, здесь всюду настоящие окна, а не жалкие оконца! — восхитилась мама.

Потом все бросились к раковине: кран действует!

— Да, он действует! Но тут баловаться с водой нельзя!

Вода, текущая из крана, была священна. Не могло быть и речи о том, чтобы весело брызгаться ею, как мы брызгались возле колонки перед прежним домом. Здесь, в квартале Мальпенье, колонки во дворе не было. Впрочем, и двора-то не было, а был пустырь. Зато воды вскоре оказалось чересчур много...

Размеры катастрофы стали нам ясны уже в день новоселья, когда, как говорится, подвешивают котелок над очагом. Правда, никакого котелка не подвешивали. Но вся семья собралась посмотреть, как мы устроились. И тут начался дождь.

— Хорошее предзнаменование, — заметила бабуля. — Дождь предвещает счастье...

Сперва этому не придали должного значения. Когда мы пришли из школы, нам показалось, что дом стоит посреди озера. И мы нашли это очень забавным. Но взрослые так не думали.

Несмотря на три ступеньки, вода отовсюду проникала в дом. И все вычерпывали воду, как из прохудившейся лодки: тетя Ирен и Жан-Пьер, бабуля и ее Батист, бабушкин брат дядя

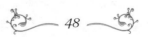

Рауль — он, бедняга, был, как говорится, «отмечен буквой К», потому что был кривогорбый и кривоногий! Считалось, что Рауль приносит счастье именно из-за своего горба. Однако в тот день и горб не помог — вода продолжала прибывать.

— А все из-за того, что до сих пор они не уложили асфальт! — ворчал отец.

Вода неумолимо проникала в дом, перекатывалась через порог, просачивалась сквозь плохо пригнанные оконные рамы, искала и находила щели. Она уже достигла щиколоток. Все разулись.

— Не только котелка не подвесили, но еще приходится воду из колодца черпать! — пошутил Батист.

— Из какого колодца?

— Это для красного словца. Или вы предпочитаете Ноев ковчег?

Да, я бы его предпочла. История о Ноевом ковчеге была одним из самых любимых мною эпизодов катехизиса.

— Там даже животные не вымокли!

— Она права. Я так и скажу в мэрии! О животных и то больше заботятся!

— Конечно, мама! Кролики у господина Вержье никогда не мокнут.

— А ну-ка, дети, заберитесь повыше. Шлепаете по воде, а потом все простудитесь...

Да, начало было неважное, но и продолжение было не лучше. Две или три семьи уже поселились рядом с нами. Мама говорила о них: «Ну, эти — не подарок!..» Они были столь же бедны, как и мы, но гораздо хуже воспитаны. И потому в воздухе висела брань:

— Черти полосатые!.. Стервецы!.. Мерзавцы!..

В школе сразу же возникло различие между детьми из Мальпенье и всеми остальными. А среди учениц из Мальпенье самыми никчемными считались те, кто сидел на задних партах. Мою соседку по парте тоже звали Мирей. Она была, как и

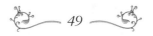

я, маленького роста. Но хотя звали нас одинаково, жилось нам по-разному: отец чуть не каждый вечер колотил ее. Домой он постоянно возвращался пьяный. Ее крики надрывали мне душу. По утрам она, как и я, опаздывала в школу — ей тоже приходилось возиться со всеми младшими братьями. Бедняжка так боялась плохих отметок, за которые ее били еще больше, что нередко страшилась возвращаться домой. В такие дни я провожала ее из школы, тоже дрожа от страха.

Случалось, ее место рядом со мной пустовало. Тогда на перемене учительница обшаривала раздевалку, действуя своей линейкой, точно шпагой. Обычно она находила Мирей, в ужасе прятавшуюся за висевшими там пальто. А однажды она, как испуганный зверек, забилась за большой шкаф, стоявший в конце коридора. Несчастная стыдилась своих синяков.

— Ну, а что говорит твоя мама?

— Она молчит, а то он и ее поколотит.

Мирей часто удивлялась:

— Неужели твой отец никогда тебя не бьет?

— Никогда.

— Ну, знаешь, тебе здорово повезло.

Так, благодаря маленькой Мирей, я поняла, что мне и в самом деле очень повезло. У нас дома все вместе садились за стол, папа — на одном конце, мама — на другом, но она часто даже не присаживалась, потому что ей хотелось, чтобы мы, дети, получше ели (если даже в доме была только картошка, мама умудрялась готовить из нее разные блюда, чтобы было хоть какое-нибудь разнообразие), либо потому, что ей нужно было покормить или перепеленать очередного младенца. Иногда, вспоминая, что ее сестра в свое время играла на скрипке красивые мелодии, мама напевала незамысловатую песенку:

> Когда я спать уже легла,
> Тихонько мама подошла,
> Она поправила подушки,
> Мне носик вытерла и ушки...

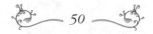

В нашей семье вообще много пели, и не только в церкви по воскресеньям.

Стены наших домов, лепившихся друг к другу, не столько задерживали, сколько проводили звуки, а потому каждый хорошо знал, что происходит у соседей. Теперь в квартале Мальпенье не осталось ни одного незаселенного дома. И кто только здесь не жил!

Были среди обитателей квартала и цыгане, люди совсем неплохие и очень любившие музыку. А я очень любила их слушать. Слов я, правда, не понимала, но всегда находилась старая цыганка, и она пересказывала мне содержание песен:

— Он поет о том, что те, кто любит танцевать, живут как вольные пташки... Или же: «У него по щекам текут крупные, как горошины, слезы, потому что возлюбленная бросила его»... Или: «Твои глаза похитили мое сердце, а ресницы, за которыми они прячутся, напоминают густую траву...»

А иногда она говорила:

— Ну, а эту для маленькой девочки пересказывать нельзя!

Старые цыганки знали те же рецепты, что и бабуля. И суеверия у них были такие же. Встретить черную кошку — к беде. Встреча со стадом баранов сулила богатство, но только при одном условии: чтобы завладеть этим богатством, нужно быстро сжимать кулаки столько раз, сколько идет баранов (а сделать это было очень непросто, ведь речь шла о целом стаде).

Понятно, в каждой семье были свои трудности, ведь семьи-то были многодетные. В одном жители квартала были схожи: все они терпели нужду. И, должно быть, именно поэтому, из-за того, что жилось всем одинаково, люди помогали друг другу. Нигде больше мне не доводилось наблюдать, чтобы так охотно давали в долг, делились последним. Даже у бедняков бывают праздники, а радуются они праздникам гораздо больше, чем богачи: для них ведь это целое событие. То устраивали пирушку цыгане. В другой раз госпожа Дюран — она была родом из Эльзаса, но вышла замуж за жителя Авиньона — пекла такой пирог, которым лакомилась в детстве, или ягодный торт с корицей...

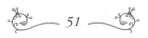

Мы много пели. И это позволяло нам не обращать внимания на крики жившего напротив буяна, который, приходя в ярость, бил стекла. Но он же плакал три дня подряд, когда в больницу увезли избитого им сына.

Не проходило недели без скандала или потасовки, когда приходилось вызывать полицию. Так что довольно скоро квартал Мальпенье получил прозвище «Чикаго».

Поля были настоящим спасением для матерей из нашего квартала. Они отправляли нас туда гулять и в эти часы были спокойны. Нам же эти «бескрайние» поля казались сущим раем. Однажды я, которую мама считала такой робкой, взобралась на дерево, но спуститься на землю не могла: у меня начинала кружиться голова. Кристиана отправилась за помощью.

— Мирей сидит на дереве?

— Да! На самой верхушке!

— Такая трусиха, как она! Напрасно ты думаешь, что я сдвинусь с места!

Мама поверила тому, что случилось, только когда прибежал Юки и стал с лаем тянуть ее за подол. Юки — это была кличка нашего пса.

Вернее сказать, то был приблудный пес. Он увязался за Матитой, когда мы возвращались из школы. Чистопородным он не был, скорее всего, это был плод любви немецкой овчарки и фокстерьера. И вот мы заявились домой, а по пятам за нами следовал пес.

— Уж не хотите ли вы, чтоб мы кормили еще и собаку?! Нам и самим мяса не хватает!

— Он станет есть то, что ему дадут. Погляди, как он голоден, бедняга.

И тут начался дождь. У мамы, конечно, не хватило духу выгнать собаку за дверь.

— Дождемся прихода отца, а там видно будет... Довольная Матита подмигнула мне.

Но папа вышел из себя:

— Что еще за собака!

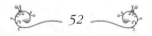

— Ты ведь сам так жалел, что дедуле не с кем ходить на охоту с тех пор, как у него не стало Пелетты! — воскликнула Матита. — Я уверена, что у Юки хорошее чутье.

— Откуда ты взяла, что у него хорошее чутье и что его зовут Юки?

— Я назвала его Юки, потому что эта кличка ему очень подходит, а уж чутье у него есть. И вот лучшее доказательство: ведь он пошел за нами, а мог пойти и за маленькой Миреи (моей соседкой по парте, которую отец нещадно колотил), там бы ему вдоволь досталось пинков!

— Постойте-ка! Ведь пес кому-нибудь принадлежит. И, должно быть, его маленький хозяин плачет сейчас оттого, что собака потерялась... Так что завтра я пойду в полицию и заявлю о находке...

То была незабываемая ночь: Юки спал, точно принц, между Матитой и мной. От этого нам было тепло и очень приятно. А на следующий день мы с нетерпением ожидали возвращения отца. Оказалось, что в нашем квартале ни у кого не пропадала собака. Но ведь пес мог прибежать издалека...

— Оставьте его пока у себя, господин Матье, — сказали в полиции, — ну а если через год и один день его никто не хватится, тогда поступим так, будто дело идет о драгоценностях или бумажнике с деньгами: собака останется у вас!

Папа вернулся, ведя Юки на поводке. Пес был явно рад: он уже считал наш дом своим. Вскоре я заметила, что папа слегка переиначил свою излюбленную фразу о том, что у него много детей.

— Эх, дружище! — говорил он теперь охотно. — С чего это мне разжиреть, коли приходится кормить собаку и десять детей!

Дело в том, что в нашей семье после пяти девочек появились на свет пять мальчиков: близнецы, Роже и родившиеся уже после переезда в Мальпенье Реми и Жан-Пьер. Установилось полное равновесие!

Папа решил проверить, как поведет себя Юки на охоте. Нас, дочерей, он взял с собой, сыновья были еще слишком

малы. В первый день Юки вел себя как ненормальный, похоже было, что он в жизни не охотился. Он походил на столичного пса, очутившегося на проселочной дороге. Напоминал Юки и сбежавшего с уроков школьника, который оказался на лугу и вдыхает пьянящий аромат цветов. Он гонялся за стрекозами...

— Ну, нет! Стрекозы не про тебя!

До чего ж эти чудесные создания были красивы! Устроившись у ручья, я не уставала подолгу любоваться ими, такими разными: стрекозы были и желтые, и зеленые, и голубые... Особенно восхищали меня голубые, они были такие бархатистые и сверкали в солнечных лучах. Это чувство восторга я сохранила навсегда; позднее, гораздо позднее, когда в моей жизни произошла чудесная перемена и я смогла заказать себе первое вечернее платье, я остановила свой выбор на бархате нежно-голубого цвета...

По правде говоря, мне совсем не нравилась охота. Меня пугали звуки выстрелов, и я не могла есть дичь, убитую на моих глазах. Я лишь сбивала с толку нашего Юки.

Однако он делал успехи. Так что в один прекрасный день папа торжественно заявил: «Этот пес, пожалуй, получше Пелетты». Вот почему мы не без некоторой тревоги ожидали, когда пройдет «год и один день». Папа и Юки отправились в полицию. Мы с волнением ждали их возвращения. Наконец на дороге, ведущей в наш квартал, замаячили два силуэта: Юки бежал впереди и по прочно усвоенной привычке тянул за собой своего хозяина. Отныне пес окончательно принадлежал нам. Мы обнимали его как героя.

Мы очень любили провожать отца в его мастерскую; там он надевал свой рабочий костюм, всегда белый, на котором не так заметна пыль от камня.

Папа усаживал нас в тележку, пристраивал рядом свои инструменты, и уже вскоре мы оказывались возле кладбищенской ограды.

Лора Кольер, первая учительница пения Мирей Матье в Авиньоне

Кладбище Сен-Веран — одна из достопримечательностей Авиньона. Оно расположено, как говорится, «вне городских стен» — между заставой Сен-Лазар и заставой Тьер.

Не будь здесь могил, это кладбище походило бы на парк, где приятно гулять. От старинного аббатства сохранилась только апсида.

— Здесь некогда был монастырь бенедиктинок, — рассказывал папа. — Во время войны они тут все побросали...

— Той войны, на которой ты был ранен?

— Ну, что ты, глупышка! Войн на свете было много. Нет, тогда воевали с Карлом Пятым. Войско Франциска Первого поспешило сюда на выручку. Солдат собралось видимо-невидимо, и в поднявшейся суматохе монашенки разбежались.

Иные кумушки находили неподобающим, что школьницы проводят свободный от занятий день на кладбище, но нам здесь очень нравилось. Мы узнавали от папы столько интересного!

— А ну-ка, дочки, быстрее... Надо навести порядок у Агаты-Розали. Речь шла о могиле камеристки Марии-Антуанетты — «Агаты-Розали Моттэ, в замужестве Рамбо».

— Она, можно сказать, нянчила наследников французского престола.

— Папа, и ей тоже отрубили голову?

— Нет. Она умерла в своей постели, видишь, тут написано: «Скончалась на восемьдесят девятом году жизни».

Потом мы очищали надгробие на соседней, еще более давней могиле. Папа давал нам железный скребок, и мы удаляли плесень с памятника, чтобы придать блеск камню.

— Здесь покоится госпожа де Виллелюм, урожденная Мориль де Сомбрей.

Меня сильно занимало имя этой дамы, наводившее на мысль о мухоморе.

— Она жила в годы Французской революции, — рассказывал папа. — Ее отец был комендантом Убежища для увечных воинов, он пытался защищать дворец Тюильри, и его арестовали. Мадемуазель де Сомбрей так плакала, так умоляла сан-

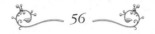

кюлотов, что ее отца пощадили, она спасла его. Когда она умерла — это случилось гораздо позже, здесь, в Авиньоне, — у нее вынули сердце из груди и захоронили его в Париже, рядом с прахом отца...

У меня в голове не укладывалось, как это можно вынуть сердце из груди и похоронить его в другом месте. А в том, что дочь спасла своего отца, я не видела ничего необыкновенного:

— Ведь если бы арестовали тебя, папа, мы поступили бы так же, как она. Правда, Матита?

И Матита, которая обычно со мной соглашалась, поддержала меня:

— Конечно, так же бы поступили. Но я бы не хотела, чтобы у меня потом вынули сердце из груди!

Кладбище казалось нам чудесным садом, так здесь было хорошо и спокойно.

Однажды папа принес сюда ящик с несколькими отверстиями; при этом у него был очень довольный вид:

— Я получил на это разрешение! — сообщил он.

Я так никогда и не узнала, кто дал разрешение... Папа осторожно открыл ящик, и оттуда выскочили две белки. Вскоре у них, разумеется, появились детеныши... С каким удовольствием мы смотрели, как белочки прыгают с ветки на ветку! И охотно приносили им орешки...

А в другой раз отец принес сюда пару голубей:

— Не понимаю, почему кладбище должно иметь печальный вид, — недоумевал папа. — Коль скоро здесь наш последний приют, пусть уж он будет повеселее!

Позднее у входа на кладбище установили мраморную доску; надпись на ней звучала так поэтично, что я даже выучила ее наизусть:

Да, это кладбище в июне
Прекраснее других, где я бывал:
щебечут птицы, ярко светит солнце,
а рядом тень, прохлада и листва.

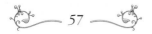

Здесь множество деревьев всех пород:
приморских сосен, сосен из Алеппо,
опутанных густым плющом,
и стройных неподвижных кипарисов —
я долго-долго ими любовался.

Какой покой! Какая безмятежность!
Как жаль, что тут так тесно от надгробий,
я предпочел бы здесь покоиться один,
один среди деревьев благородных.
Пройдя вперед по маленькой аллее, —
ее у входа украшает шелковица —
я посетил могилу Милля.

Морис Баррес

Папа тоже знал историю Стюарта Милля.

— Это был английский писатель, он путешествовал в наших краях вместе с женой. И случилось так, что бедная дама умерла в Авиньоне. Тогда охваченный горем муж приобрел небольшой дом возле кладбища, в нем он и скончался пятнадцать лет спустя; его похоронили рядом с возлюбленной супругой.

На кладбище мне никогда не было грустно. Когда мы не приводили в порядок памятники, то клали на могилы цветы, поливали лежавшие там букеты. Случалось, что на могилке с одиноким крестом не было ни одного цветочка, зато перед иным мраморным мавзолеем их лежали целые груды. Тогда мы брали оттуда несколько цветочков и относили их на сиротливую могилку. А папа делал вид, будто ничего не замечает.

А уж дедуля — убежденный сторонник равенства — нас бы не осудил.

Нередко дедушка и отец вместе трудились над могильным памятником, высекая надписи. А иной раз они сооружали леса, когда речь шла о монументальных надгробиях.

— Но это, в сущности, пустяки по сравнению с тем, что мы сделали в Гренобле! — замечал папа.

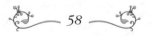

Они однажды ездили в Гренобль и воздвигали там памятник, чем мама немало гордилась.

— У них такая репутация, что о ней наслышаны и вдали от Авиньона! — не уставала она повторять.

А приходя на кладбище, мама непременно показывала нам памятники, где внизу виднелась надпись «Матье».

Из-за всего этого мы, дети Роже Матье, чувствовали себя на кладбище Сен-Веран как в собственном королевстве, где были и свои пугающие тайны. Однажды землекопы, рывшие глубокую могилу, извлекли оттуда прямо на наших глазах череп. Мы пришли в ужас.

— Не надо в подобных случаях бояться, — наставительно сказал отец. — Все мы после смерти станем такими. Череп этот рассыплется в прах, а тот, кому он принадлежал, теперь на небесах... Пойдемте-ка лучше со мной, поможете красить надгробия.

Папа научил нас управляться с кистью, чтобы белить камень. Это было нашим любимым занятием. Мы пустились за ним вприпрыжку, забыв и думать о могильщиках.

Случалось, мы на кладбище даже напевали. Это покоробило однажды какую-то даму, которая пришла посидеть у могилы:

— Подумать только, они поют! Поют на кладбище!

— Но ведь они дети! Простите их. Они не ведают, что творят.

— А вам бы надо их остановить. Вы же еще и собаку привели! Собаку! На кладбище! Спасибо, еще не в церковь!

— Да, мадам, как святой Рох!

Она удалилась, чопорная, непримиримая, довольная тем, что задала нам головомойку.

Мы снова взялись за кисти в полном молчании. Но через минуту удивленно воскликнули:

— Послушай, папа... Теперь ты поешь?!

Мы так часто белили камни, что приохотились работать с кистью. И папа решил купить краску для нашей комнаты.

— Какой цвет вы предпочитаете, дочки?

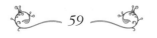

Зеленый цвет приносит несчастье, голубой больше подходит для мальчиков; Матита, Кристиана и я единодушно выбрали розовый. Папа принес домой банки с розовой краской и три малярные кисти.

— Пусть займутся делом, — сказал он маме, — и ты в воскресенье немного от них отдохнешь!

Наступил торжественный час. Отец отодвинул от стены шкаф и больше ни во что вмешиваться не стал.

— Управляйтесь сами, девочки. Держать кисти в руках вы уже умеете. Итак... смелее вперед!

Кровать и стулья накрыли газетами, мама надела на каждую из нас старенькие фартучки. Когда немного спустя она рискнула заглянуть в комнату, то ужаснулась:

— Боже мой, тут все в краске!

— Вот и прекрасно. Они и должны всё покрасить.

— Да, стены покрасить. Но не себя же!..

Перемазавшись, мы походили на разноцветные леденцы. Веселились как сумасшедшие и во все горло распевали «Три колокола». Я запевала: «Донесся колокольный звон...» А сестры подхватывали: «Дин-дон, дин-дон, дин-дон!»

Надо сказать, что Пиаф была у нас как член семьи. Я не могу передать, что почувствовала, когда впервые услышала ее голос по радио. Впрочем, пожалуй, могу. Она сама рассказала о подобном чувстве в своей песне «Аккордеонист». «Аккордеоном он владел, как бог, пронзали звуки с головы до ног, и ей невольно захотелось петь...»

В школе я славилась тем, что ничего не могла заучить наизусть, а вот все песни Эдит Пиаф запоминала сразу и без усилий. Благодаря нашему «фону» (мама никогда не говорила «электрофон»), который был далек от совершенства, благодаря ему я как попугай с восторгом повторяла все, что было записано на пластинках. Вспоминаю, что мама не раз спрашивала у отца;

— Как ты думаешь? Она понимает, что поет?

— Конечно, нет!

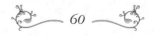

Я пела:

> В его сплошной татуировке
> Не разберусь я до сих пор —
> На сердце: «Знай, оно свободно»,
> Над ним: «Не пойманный — не вор».

При этом я понятия не имела, что представляет собой легионер, герой песни Эдит Пиаф. Но, так или иначе, я пела ее песни. И развлекала ими жителей нашего квартала. Бабуля была на седьмом небе: ей очень нравилась Пиаф. Бабушка давала мне время от времени немного денег за будто бы «оказанные небольшие услуги» и приговаривала:

— Теперь ты можешь купить еще одну пластинку Пиаф.

Однажды я появилась дома с только что купленной пластинкой «Человек на мотоцикле» (а на обороте — песня «Узник башни»).

Папа предпочитал петь не песенки «Милорд» или «Чи-чи», но арии из оперы «Кармен». Мама знала весь репертуар Тино Росси, зато отцу были знакомы чуть ли не все оперы. В «Чикаго» нам жилось теперь немного легче, чем в доме с островерхой крышей, хотя иные соседи доставляли немало беспокойства. И вот в один прекрасный день папа торжественно объявил:

— Мамочка... У меня для тебя сюрприз: у нас теперь есть абонемент в оперу!

— Абонемент! Ты что, с ума сошел?! А как я попаду в оперу?

— На моем велосипеде. На багажнике.

— Но послушай, Роже... что я на себя надену?

— Уж не думаешь ли ты, что я купил билеты в первые ряды кресел! Мы будем сидеть на верхотуре, на галерке. Наденешь чистое платье, как в церковь.

— Мне ехать на багажнике?! Ты, видно, шутишь?! А потом, как быть с детьми?

— Наши малыши уже не раз оставались дома одни.

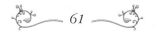

— Ну, нет! Мальчики слишком малы, а девочки еще не выросли!

— С ними посидит Ирен. Пусть хоть вечером забудет о своей фабрике.

Дело в том, что тетя Ирен разошлась с мужем и теперь работала на фабрике, где изготовляли жавель. Она согласилась.

— Ты накормишь малышей, Марсель, и уложишь их спать, а я буду вязать и присматривать за ними.

Вот так получилось, что благодаря «Вертеру», «Чио-Чио-Сан», «Тоске» и «Фаусту» я научилась вязать. Мне очень нравилось сумерничать в обществе тетушки. Сначала она дала мне несколько деревянных палочек, чтобы развить пальцы. А потом вручила спицы. Я принялась вязать свое первое кашне из мягкой шерсти. Однако то Режана распускала на нем петли, то близнецы куда-то запрятывали кашне, то Юки играл с клубком. И мне приходилось убирать мой шедевр на буфет. Однажды, пытаясь достать его, я свалилась со стула, держа в руках свою незаконченную работу; при этом на глазах у перепуганной насмерть Матиты одна из спиц вонзилась мне в бок. Я боялась пошевелиться, а кровь между тем все текла и текла.

— Тетя! Тетушка! Иди скорее сюда! Наша Мими сейчас совсем как святой Себастьян!

Мои родители, только что пережившие драму злосчастной «Травиаты», неожиданно столкнулись с новой драмой. Я вопила так, словно меня пронзил стрелой какой-то индеец.

— Я ходила за доктором, — объяснила тетушка, — он наложил повязку и сделал укол от столбняка. А теперь ее нужно уложить спать.

Спокойствие тетушки и отвар из ромашки не возымели нужного действия. Желая меня успокоить, папа принялся пересказывать содержание «Травиаты». В ту пору я еще ничего не слыхала о Паньоле, не видала ни одного его фильма, и потому мне не могло прийти в голову, до какой степени мой отец походил на Ремю из кинофильма «Сезар»: у него был такой же южный акцент, такая же точно живость и то же человеческое

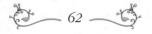

Ее самой любимой певицей с детства была Эдит Пиаф

Надо сказать, что Пиаф была у нас как член семьи. Я не могу передать, что почувствовала, когда впервые услышала ее голос по радио... В школе я славилась тем, что ничего не могла заучить наизусть, а вот все песни Эдит Пиаф запоминала сразу и без усилий.

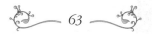

тепло. Мама торопливо снимала свое воскресное платье и одновременно просила папу говорить потише, опасаясь, что он разбудит малышей; тетушка укачивала меня, держа на коленях, а папа на свой лад знакомил меня с содержанием «Травиаты»:

— Звали-то ее, собственно, Виолетта, и она была прекрасна как цветок, но при этом — потаскушка...

— Роже, неужели ты думаешь, что эта история для детей?

— Это история «клас-си-чес-ка-я»! К тому же, когда девочка достигнет совершеннолетия, я ей куплю абонемент в оперу!

— Ее совершеннолетие еще не завтра. А уж коли тебя потянуло на историю, рассказывай лучше историю Франции!

— Ну, в истории Франции тоже хватает потаскушек и убийц. А в «Травиате», по крайней мере, убийц нет. И все-таки Виолетта умирает...

— Почему, папа?

— Потому что она подхватила дурную болезнь.

— Что ты рассказываешь девочке? Бедняжка Виолетта умерла, как и моя сестра, от чахотки!

— А я что сказал? Разве чахотка не дурная болезнь? Ладно. Продолжаю... Потом появляется Альфред, довольно смазливый юноша, правда, с небольшим брюшком. Ты заметила, Марсель, что у него небольшое брюшко? Он влюбляется в Виолетту.

— Он тоже подхватывает чахотку, папа?

— Неизвестно. Опера заканчивается до этого. Пожалуй, они и вправду могли бы ее удлинить. Итак, я снова продолжаю... Отец юноши, некий господин Жермон, не хочет, чтобы он женился.

— Потому что она больна?

— Потому что она потаскушка. Их семейству это бы не понравилось.

— Послушай, отец, твоя история ей уже надоела.

— Надоела?! Она слушает, не сводя с меня глаз! Наша Мими не какая-нибудь простофиля. Ни эта опера, ни вязальная спица не выбьет ее из колеи! А потому я продолжаю...

Я прислушиваюсь к рассказу отца до тех пор, пока его голос не начинает казаться мне каким-то мурлыканьем, и тут тетушка, которая все еще держит меня на руках, идет вместе с ним в дальнюю комнату, а папа укладывает меня в постель, где уже спит Матита.

В другой раз отец с торжествующим видом привозит в тележке домой большую коробку:

— Мамочка!.. Пойди поглядеть еще на один сюрприз!

— Что это еще такое? Какая громадная коробка!

— Тебе, женушка, ведь некогда ходить в кино. Вот я и привез его в дом! Это был телевизор.

Мы все собрались вокруг него, как вкруг златого тельца.

— Как тебе удалось купить его, Роже?

— В рассрочку. Ты хоть довольна?

— Скорее, тревожусь. Как нам удастся расплатиться за него?

— Я же сказал тебе — потихоньку да помаленьку. А знаешь, что мне сообщил продавец: «Вы восемнадцатый человек в Авиньоне, у которого есть теперь телевизор!» Ты отдаешь себе в этом отчет? Мы, можно сказать, в числе первых!

Во всяком случае, у себя в квартале мы были первыми. Все соседи смотрели у нас телевизор. Так бывает на премьере спектакля: в доме собралось не меньше народу, чем на свадьбе. Нам задавали множество вопросов, на которые мы не могли ответить. К примеру, спрашивали:

— Как это получается, что мы отсюда видим человека, который говорит с нами из Парижа?

— Просто вставляешь вилку в розетку, аппарат начинает работать, и все тут, — объясняла мама.

Однако случалось, что вилку вставляли в розетку, а телевизор не работал.

— Это потому, что у вас снизу провода заливает водой! — объяснил мастер по ремонту. — И тогда возникает короткое замыкание.

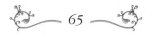

В этом отношении ничего не менялось: в дом, как и прежде, проникала вода. Асфальт так и не уложили, и когда в дождливый сезон шли ливни, к дому можно было в лодке подплывать!

Для того чтобы расплатиться за телевизор, пришлось потуже затянуть пояса. Но все были довольны. Это было настоящее чудо: ведь теперь перед нами постоянно вставала картина того, что происходит в разных концах света.

— Но приобрели мы его поздно, слишком поздно, — с огорчением вздыхал отец. — Я никогда не утешусь, что не успел поглядеть на коронацию английской королевы!

При этих словах дедушка пренебрежительно пожимал плечами, ведь у него в кармане был членский билет коммунистической партии. Он чихать хотел на всех королей Франции, а уж на английскую королеву тем более! Однако в нашей семье кое-что вызывало почтение. Мой папа начал лысеть совсем молодым («Война тому виной», — объясняла мама), поэтому он не снимал шляпу даже дома. Не снимал он ее и в общественных местах. Даже на галерке в опере. А когда кто-нибудь решался сделать ему замечание, он отвечал:

— Для меня сидеть с непокрытой головой — все равно что для моей жены разгуливать в купальном костюме!

Однако я видела, как он обнажал голову, сидя у телевизора. Это происходило, когда исполняли «Марсельезу» или когда на экране появлялся генерал де Голль.

Работал наш телевизор или нет (из-за отсыревших проводов), но любопытные все равно собирались. Никогда у нас не было столько друзей. Не говоря уже о тех, что стали нам близки благодаря маленькому экрану. Катрин Ланже и Жаклин Кора были мне гораздо милее и дороже, чем моя школьная учительница. Я даже видела по телевизору Эдит Пиаф — один раз, всего лишь один раз.

Я и представить себе не могла, что она такая бледная, такая хрупкая, такая измученная... Меня немного успокоило только то, что на шее у нее был маленький крестик.

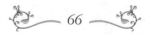

— Какой он все-таки славный человек, ваш муж! — сказала госпожа Вержье, наша соседка по прежнему жилищу, которая специально пришла к нам «поглядеть домашнее кино». — Приглашает смотреть телевизор всех желающих...

То была сущая правда. Даже мы, дети, приглашали к себе по четвергам своих подружек. Жили мы не богаче, чем прежде, но чувствовали себя чуть ли не принцами. Когда теперь, во время зарубежных гастролей, я проезжаю по бедным кварталам, еще более убогим, чем наш квартал Мальпенье, когда я думаю, например, о трущобах Рио-де-Жанейро, то вспоминаю о кучках бедняков и босоногих детей, сгрудившихся вокруг старого телевизора, ведь он — их единственная роскошь, единственное средство отвлечься от тяжкой действительности, единственная возможность установить контакт с миром, которому нет до них дела...

Папа называл телевизор «ящиком грез», а дедушка — «лукавым ящиком» или еще резче — «ящиком от Лукавого». По этому поводу они постоянно спорили на провансальском языке. Они так и не отказались от своей привычки: каждый доказывал собственную правоту.

— О чем он все толкует, наш дед? — спрашивала мама.

— Говорит, что в его время люди разговаривали друг с другом и ни в каких особых аппаратах не нуждались.

— А что ты ему ответил?

— Что легче выключить звук у телевизора, чем заставить замолчать провансальца!

Телевизор многое изменил в нашей жизни. Теперь самым сильным наказанием стал запрет смотреть телевизионные передачи. В одном папа был неумолим: в восемь вечера дети должны лежать в постели! А потому мы смотрели главным образом воскресные телепередачи.

И никому из нас не приходило в голову, что в один прекрасный день, который был еще так далек, именно в этой передаче родится некая Мирей Матье.

«Выводок» маленьких Матье

А пока я была просто маленькой Мими, ничем не выделялась среди своих сестер и братьев. Мама всегда одевала нас одинаково.

— Не желаю я, чтобы вы походили на детей последних бедняков, которым дарят носильные вещи дамы-благотворительницы!

Она выходила из положения, прибегая к услугам магазинов «Нувель Галери» и «Шоссюр Андре», где хорошо знали, что она многодетная мать. Там ей продавали уцененные товары, а иногда делали скидку. И выглядели мы совсем неплохо в одинаковых детских пальто и одинаковых сапожках одного и того же цвета. Обычно мы ходили гуськом, держась за руки, чтобы никто не потерялся, и часто слышали, как говорят нам вслед:

— Какие они миленькие, эти приютские дети...

— Да они вовсе не из приюта, это — семейка Матье!

Родители гордились, что мы всегда опрятно одеты, а папа гордился еще и тем, что он — отец десяти детей.

Лишь одно платье переходило из года в год от одной сестры к другой: платье для первого причастия. Понятно, что первой — на правах старшей — обновила его я. Мама приобрела его в кредит в «Нувель Галери». Это церемониальное платье казалось мне прекрасным. Само слово «церемониальное» приводило меня в восторг! Я изучала катехизис с таким же увлечением, как и историю Франции. Голова у меня была уже полна именами королей и святых: Людовик Святой совершал паломничество к горе Сент-Бом, где будто бы нашла себе прибежище Мария Магдалина; святая Марта одолела Тараска на берегу нашей Роны, здесь совсем рядом; этот чудовищный Тараск, «полудракон с рогами и огромным рыбьим хвостом», по словам бабули, был «куда больше быка». Наши края кишмя кишели святыми. Некогда они сидели чуть ли не на каждом камне, отдыхали под деревьями, там и сям обнаруживали их мощи.

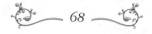

— Когда вырастешь, — говорила мне бабушка, — отправишься в Карпантра и увидишь там удила лошади императора Константина, в них вкраплен гвоздь из креста Иисуса. Мать этого императора, святая Елена, посетила Палестину, узрела священный крест, извлекла из него гвоздь и повелела вставить его в удила, дабы он оберегал ее сына.

Облачаясь в белоснежное платье и надевая на голову белый капюшон, я чувствовала себя так, будто попадаю в мир чудес, и ревностно готовилась к торжественному событию. Но однажды я совершила грех... Занятия в школе заканчивались в полдень, что позволяло нам присутствовать на получасовом уроке катехизиса, после чего мы отправлялись в столовую. Священник рассказывал нам интересные эпизоды из Священного писания. Особенно большое впечатление произвел на меня рассказ о том, как Иоанн Креститель совершал обряд крещения над Христом. Я отчетливо представляла себе, как именно это происходило: Иисус совершал омовение в Иордане... Значит, достаточно погрузиться в воду, чтобы очиститься от грехов? У священника возле церкви был небольшой сад, а к тому времени созрела клубника. Я никогда не могла спокойно проходить мимо грядок с клубникой. Едва завижу эти красные ягоды на зеленом стебельке, как у меня уже слюнки текут! Короче говоря, мы вволю наелись этой клубники. Впали в смертный грех чревоугодия. Совсем забыли о катехизисе. Но я с глубокой уверенностью сказала своим сестрам:

— Теперь надо окунуться в ручей, и грех нам простится.

— Ты думаешь?

— Сам священник об этом сказал. Вода смывает грехи.

И вот мы уже барахтаемся в ручье, усердно обрызгиваем друг друга... Домой мы вернулись мокрые, но это вряд ли чему помогло.

За трое суток до принятия причастия был день «отдохновения». С утра, прихватив с собой завтрак, мы отправлялись на природу, а в канун церемонии, вечером, устраивалась торжественная процессия. Нечто похожее бывало и в Вербное вос-

кресенье, когда мы шагали, размахивая оливковыми ветвями, но теперь все выглядело гораздо более впечатляюще, потому что мы шествовали в темноте с зажженными восковыми свечами в руках.

А в день первого причастия так приятно было обходить в белоснежном платье дома близких и друзей, преподнося религиозные картинки. Взамен нам давали монету — милостыню для нищих. Такова была традиция. До сих пор я помню картинку, которая мне особенно нравилась. На ней был изображен белокурый ангелочек, похожий на нашего Реми, и начертаны слова святого Бернара: «Господи, все мое достояние — хрупкое тело и простая душа; и то и другое я вверяю тебе».

Первое причастие было не менее важное и торжественное событие, чем вступление в брак, — на церемонии присутствовала вся семья. В церкви все дружно пели, и красивый тенор отца выделялся из хора. В такие минуты все горести и невзгоды забывались.

Если бы меня спросили, какой день в моем детстве был самый светлый, я бы назвала именно этот. Даже прежние наши соседи приняли участие в празднестве. Госпожа Вержье принесла цыплят, господин Фоли — клубнику. А папа, словно священнодействуя, надел на мое запястье маленькие четки.

Я с ними никогда не расставалась.

На следующий год, 10 мая, я помогала Матите облачаться в белоснежное платье. Наступила ее очередь. К этому дню мы все готовились с такой же радостью, с таким же усердием, с таким же волнением. В тот же день должны были крестить Жан-Пьера. Предстояло двойное торжество.

С утра мы отправились в церковь, оставив младенца, которому исполнилось всего четыре месяца, на попечение моей двоюродной бабушки Жюли, сестры нашего деда. Мы еще молились в храме, когда туда прибежала взволнованная соседка... И вот богослужение нарушено, мама поспешно покидает церковь, папа торопится за ней, оставляя священника в полной рас-

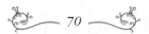

...в воскресный день мы собирались все вместе. День этот начинался с мессы. В церкви мы пели, папа и я выступали в роли солистов, а родственники и друзья составляли хор.

терянности... Жан-Пьер был без сознания, эта новость пробежала по рядам молящихся, окончательно скомкав богослужение.

У злополучной Жюли никогда не было детей, и вот что она надумала: накормив малыша, тут же принялась его купать. И внезапно обнаружила, что держит в руках бездыханное тельце ребенка, а глаза у него остекленели... Бедного крошку тут же отправили в больницу. Мои родители, не помня себя от горя, провели там целый день. Малыш все еще не приходил в себя.

Ну и причастие же получилось у бедной Матиты. К угощению никто даже не притронулся. Разумеется, ни вечерни, ни крестин не было. Бабулю больше всего огорчало то, что несчастный Жан-Пьер мог умереть без соборования!

Я наотрез отказалась уйти из церкви. Оставшись одна, я молилась, молилась, заливаясь слезами. И Жан-Пьер был спасен. Но моя сестра Матита не испытала того блаженства, которое выпало на мою долю в прошлом году.

Младшие братья постоянно причиняли мне немало беспокойства. И не потому, что они были непоседы и озорники, напротив, они были из числа самых послушных в нашем квартале. Но здоровье у них было не такое крепкое, как у нас, у сестер. А быть может, им просто меньше везло. Ги, один из близнецов, постоянно страдал отитом, начиная с трех лет. Какая жалость была смотреть, как он мучится, прижимая к уху подушку. А в доме то и дело слышались грозные слова:

— Только бы у него не развился мастоидит!

Так оно и случилось, и Ги надолго оглох. Лишь позднее, гораздо позднее — перед его свадьбой в 1978 году — удалось сделать ему операцию в Безье.

А сколько страха, и какого страха, натерпелась я из-за Реми! Ему было тогда три года. Он походил на белокурого ангелочка, даже когда спал. Тревогу поднял Режи:

— Мама, папа, идите скорее сюда, Реми задыхается!

У малыша были судороги, но сперва маму это не напугало:

— Почти у всех маленьких детей бывают судороги!

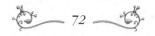

У папы же на этот случай было верное средство, почерпнутое от бабули. Он поднялся из-за телевизора, где смотрел захватывающий детектив. Средство было очень простое: мама крепко держала малыша, а папа, придавив ему ложкой язык, в это время жевал чеснок и дышал прямо в рот ребенку. Обычно после такого лечения судороги проходили. Но на этот раз облегчение не наступило. Чеснок делу не помог. Судороги у Реми не прекращались, что приводило в ужас меня и моих сестер, а ко всему еще у ребенка был сильный жар.

Сначала папа решил, что всему виной бисквит, которым перекормили малыша. Из-за этого, мол, у него и начались такие продолжительные судороги. Но внезапно, убедившись, что жар не спадает и Реми заводит глаза, папа воскликнул:

— Пойду за доктором Моноре!

И он ушел, хотя уже наступила ночь. Мы сидели вокруг мамы, дрожа от страха.

— Боюсь, что он кончается... — прошептала мама, вытирая пот с влажного лобика ребенка.

Тельце у Реми понемногу деревенело, и это заставляло опасаться самого худшего.

Папа все не возвращался, очень долго не возвращался. Он искал доктора повсюду. Но наш доктор Моноре был очень красив и пользовался большим успехом у дам... Встревоженный отец полночи просидел вместе с мамой возле Реми. А на рассвете отправился к другому врачу, доктору Андре. Тот, едва бросив взгляд на больного, тотчас же заявил:

— Немедленно в больницу! А вы, дети, в школу не пойдете!

— Не пойдем? Почему?

— Потому что болезнь заразная!

Я спросила, опаснее ли она, чем свинка?

— Гораздо опаснее!

В свое время я очень боялась свинки, потому что у всех сильно распухали железки. Сперва у близнецов разболелись десны, потом они стали жаловаться, что у них все во рту горит,

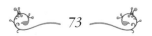

а под конец не могли ни есть, ни говорить. Мы ожидали, что же еще появится? Появились люди. Какие-то странные люди с большими пульверизаторами, «чтобы произвести в доме дезинфекцию». И опрыскивали они не только всю мебель и одежду, но и нас самих. Я тут же вспомнила о зачумленных, про которых нам в свое время рассказывала бабуля. Выходит, «зелье четырех злодеев» перестало действовать, раз уж всех опрыскивают такой удушливой жидкостью?! Едкий, тошнотворный запах преследовал нас несколько дней. О том, чтобы идти в школу, не могло быть и речи! От нас слишком дурно пахло!

— Не хотите же вы перезаразить весь квартал спинномозговым менингитом!

Нам даже не разрешали навещать Реми в больнице. А всем так его недоставало... Мама объясняла, что даже она видит его только через оконное стекло. Между тем ноги у нее снова начали кровоточить.

— Скоро и одиннадцатый появится на свет! — говорила она соседям. Мама отправилась в больницу перед самым Рождеством.

— Бедные вы мои детки... Опять остаетесь одни, и в ответе за весь дом! Приглядывайте получше за отцом и за Жан-Пьером.

Ему, этому бутузу, был всего год, а мне — 12.

Той зимой благодаря преподобному отцу Бернару я поняла одну важную истину. Он часто посещал квартал Мальпенье. И старался всячески помогать бедным семьям в свободное время, после преподавания в коллеже. Мы завидовали его ученикам старших классов, потому что он водил их в кино, а затем они обсуждали увиденное. Наша школа не выдерживала никакого сравнения с этим коллежем! Я узнавала от отца Бернара за два часа больше, чем от нашей учительницы за долгие месяцы. Мы замечали его издалека, лишь только он появлялся на каменистой дороге. Бабуля, стоявшая за соблюдение традиций, прозвала его «священнослужителем в штанах». Папа в ответ говорил:

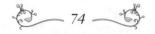

— Очень хорошо, что он оставляет свою сутану дома, иначе, приходя в наш квартал, он бы часто уходил отсюда с грязью на подоле!

В тот день отец Бернар подкатил тележку прямо к нашему дому:

— Что слышно, Мирей? Как у вас дела?

Дела у нас шли неважно. И на этот раз мы с тяжелым сердцем встречали Рождество. Ни крошки Реми, ни мамы не было с нами, чтобы разделить праздник.

— Не хочешь ли ты, Мирей, помочь мне собрать побольше хвороста? На улице холодно, а вдвоем дело пойдет быстрее.

Мы углубились в поле, дошли до росших вдали тополей. И, войдя в лес, принялись собирать там сухие ветки. Отец Бернар работал без устали и при этом беседовал со мной:

— Видишь ли, Мирей, дрова эти мы отдадим тем, у кого совсем ничего нет. Я знаю, что ты сейчас тоже не слишком счастлива. Однако какой бы несчастной ты себя ни считала, всегда найдутся люди куда более несчастные. Страждущие сильнее тебя. Еще более обездоленные, чем ты. У тебя, по крайней мере, есть крыша над головой. А у иных и того нет.

— Как?.. Совсем нет крыши?

В нашем доме с потолка часто капала вода. Каково же было тем, у кого и кровли над головой не было?!

— А собранный нами хворост позволит им развести огонь в своем убежище...

Я изо всех сил старалась помочь ему, хотя пальцы у меня закоченели. Когда тележка была полна доверху, мы оба почувствовали себя счастливыми. И часто, очень часто я вспоминала слова, услышанные от него в тот день. И они неизменно мне помогали.

Однажды февральским утром папа объявил:

— Дети мои... у вас появилась еще одна сестренка, Софи-Симона! Быстро собирайтесь и пойдем в больницу!

Наступило радостное оживление. Нас не пришлось понукать. И вот мы все в одинаковых розовых пальтишках!

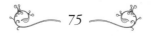

— Надеюсь, вы на этом не остановитесь и подарите нам еще одного малыша, чтобы получилась ровно дюжина! — пошутила веселая сиделка. — Вы только поглядите, какая она милашка!

Но в тот день этот укутанный младенец меня не слишком занимал. Все мои мысли были о Реми: он лежал в другом крыле больницы, и видеть его можно было только сквозь оконное стекло. Все во мне возмущалось. Какая несправедливость! Бедный наш ангелочек...

Мама старалась меня успокоить:

— Милая моя Мими, в многодетных семьях никогда не обходится без невзгод. Им грозит гораздо больше опасностей, но ты и сама знаешь, что поводов для радости в таких семьях зато гораздо больше.

И неожиданная радость ждала меня в школе. Я перешла в следующий класс, там была уже другая учительница — госпожа Жюльен.

Эта полная веселая женщина сразу располагала к себе, она никогда не прибегала к линейке, а когда разговаривала, то размахивала руками, как крыльями. Лоб у нее был в мелких веснушках, свои уже седые волосы она стягивала в пучок на затылке и увенчивала его пышным шиньоном. Ее шиньон постоянно возбуждал мое любопытство: сколько на него приходилось тратить времени каждое утро! Правда, ей не нужно было, как мне, каждый день перед школой приносить домой пять больших буханок хлеба и два кувшина молока для младших братьев и сестер! Но она отлично понимала, почему я опаздываю на урок и путаюсь, произнося слова.

— Я знаю о твоих трудностях, Мирей. Твоя мама сказала мне, что тебе плохо дается деление. Ты хотя бы понимаешь, что это такое?

— Нет.

— Неправда, понимаешь! Вот смотри-ка... Ты приносишь домой две дюжины яблок... Их, стало быть, двадцать четыре. Торговка — женщина добрая, и вместо каждой дюжины она дала тебе по тринадцать яблок, значит, всего получилось их

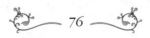

двадцать шесть. Не так ли? Вас в доме одиннадцать детей, прибавь сюда еще маму, получится двенадцать, а вместе с папой — тринадцать. А теперь дели яблоки. Каждый получит по два. Вот ты и правильно разделила!

Какая победа! Это окаянное слово «деление», от которого у меня кровь холодела в жилах, теперь меня больше не пугало. Я с торжеством ворвалась в комнату:

— Мама, я уже умею делить... При помощи яблок!

Госпожа Жюльен извлекла меня из последнего ряда, где мне было суждено, думала я, пребывать вечно.

— Садись-ка здесь, впереди... да, сюда... на первую парту. И когда мы будем заниматься счетом, ты будешь выходить к доске.

Сидеть на первой парте! Как хорошей ученице! Я почувствовала, что возвращаюсь к жизни. С тех пор я пристрастилась к цифрам и с удовольствием складывала, делила...

Меня ждала еще одна радость. Госпожа Жюльен знала, что в домах квартала Мальпенье кран есть только над кухонной раковиной. И в одно прекрасное утро она нам сказала:

— Вот что, дети... те, у кого дома нет душа, могут пользоваться им в школе.

Душем, который помещался за дверью, постоянно запертой на ключ? И ее отопрут для нас, учениц из Мальпенье? В это просто не верилось! Об этой двери ходили самые невероятные слухи. Матита даже уверяла, что за нею Синяя Борода держит всех своих жен. И вот по мановению госпожи Жюльен, этой доброй феи, дверь внезапно распахнулась, и все разъяснилось.

Наше первое купание под душем было каким-то откровением, мы могли сколько угодно стоять под струйками теплой воды. Мы чувствовали себя обновленными, сильными, здоровыми, счастливыми! Я на всю жизнь сохранила воспоминание об испытанном тогда удовольствии и даже теперь предпочитаю облицованным мрамором ваннам с позолоченными кранами любезный моему сердцу теплый душ — ласковый, бодрящий, снимающий усталость. Разумеется, школьный душ было

бы даже смешно сравнивать с садовой лейкой, из которой папа обливал нас в теплые дни! Ведь душ-то действовал во всякое время года! Теперь я уже совсем по-иному относилась к школе и все реже опаздывала на занятия.

У госпожи Жюльен была дочь по имени Фаншон. Она была гораздо старше меня... по крайней мере, года на четыре. У нее была завидная профессия: она танцевала в Авиньонской опере. И часто устраивала утренники в школе. Высокая, тоненькая, с удивительно стройными ногами (недаром она была балериной!), она всегда приходила в изящных туфельках, которые приводили меня в восторг.

— Тебе, кажется, нравятся мои туфли? — как-то спросила она, встряхнув своими длинными локонами.

— О да! — вырвалось у меня.

Они были ярко-красного цвета... На следующий день Фаншон пришла в других туфлях и протянула мне сверток. В нем лежал предмет моих грез.

— Возьми эти туфли. Я их тебе дарю.

Увы, меня ждало огорчение. У высокой Фаншон и нога была не маленькой, а я всегда носила обувь 33 размера. Вот незадача... Ведь туфли были до того хороши! Выход был все же найден: я напихала в них газетную бумагу, которую хранила для протирки стекол. Дома в мои обязанности входило следить за чистотой окон и надраивать наждаком чугунную печку, а золу из нее выгребал папа. Словом, надеть туфли мне удалось, но элегантной походки не получилось.

— Ты переваливаешься на ходу, совсем как утка госпожи Вержье, — таков был суровый приговор моих сестер. — Теперь мы так и будем тебя называть «Мими-утка»!

Сколько раз они произносили эту фразу нараспев!

Фаншон, которая по-прежнему хорошо ко мне относилась, неизменно настаивала на том, чтобы я участвовала в школьных праздниках, где она танцевала; по моему мнению, танцевала она превосходно, правда, сравнивать мне было не с кем, а когда она исполняла танец «Умирающий лебедь», у меня всегда слезы

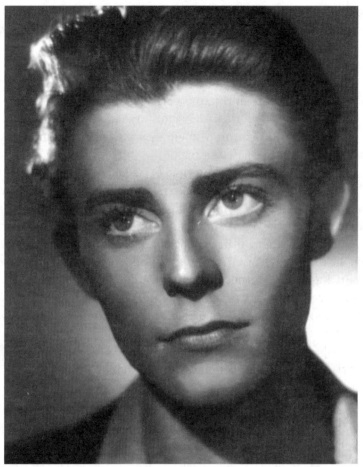

Жерар Филип, кумир поколений, тоже жил в Авиньоне

…я хорошо помню, как старшие школьницы прогуливались на переменах с его фотографиями в различных ролях из кинофильмов. Я часто вглядывалась в эти фотографии, передававшие необычайный блеск его глаз, и о чем-то мечтала. Много времени спустя, уже в Париже, я увидела игру этого волшебника экрана в фильмах «Пармская обитель», «Дьявол во плоти», «Фанфан-тюльпан»…

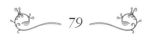

выступали на глазах. Я с раннего детства привыкла петь на публике, еще с того дня, когда спела «Моя милая куколка», однако Фаншон хотела, чтобы я выступала с совсем другими песенками, а мне это было не по душе.

— Что с тобой, Мирей? Тебе не хочется петь?

— Не могу. У меня горло болит.

Я самым бессовестным образом лгала.

— Просто беда с этой Мирей, — жаловалась Фаншон своей матери.— Она упряма и ленива.

Эта нелестная характеристика была во многом справедлива. Но не во всем. Да, я могла показаться упрямой, когда делала то, что мне нравилось, и ленивой, когда не хотела делать того, что мне не нравилось. И с тех пор я ни капельки не переменилась!

Мне не по нраву был репертуар, который навязывала Фаншон, зато я с каждым днем все больше любила песни Пиаф и Марии Кандидо. Но песни о страстной любви Фаншон решительно отвергала, замечая: «Пиаф не для маленьких девочек». У нее были твердые педагогические принципы. Кстати, впоследствии она стала учительницей.

Конфликт между нами так и не удалось уладить. Моими верными союзницами были две подружки — Мари-Жозе и Розелина.

— Ты им чертовски здорово подражаешь, — утверждали они. И я, как ни в чем не бывало, затягивала песню «Мой легионер».

Мари-Жозе Бекериан была высокая и рыжая армянская девочка, жила она в красивом доме, стоявшем в саду, где росла японская хурма. У этого редкого дерева был тот же удел, что и у клубничных грядок господина Фоли. Только здесь, на беду, была неугомонная бабушка, она гонялась за нами, громко крича: «Так вот кто, оказывается, постоянно поедает мою хурму?!»

Впрочем, она была совсем не злопамятна и охотно угощала нас вареньем из лепестков роз, которое мы ели вместе с ломтиками сыра...

У Розелины, у бедняжки Розелины, поначалу было еще более безоблачное детство, чем у Мари-Жозе. Она жила вдвоем с матерью, а та ни в чем не отказывала дочке; происходило это, возможно, потому, что отец не жил с ними, и мать всячески старалась, чтобы девочка из-за этого не страдала. Она была портниха и шила дочке такие красивые платья, о которых можно было только мечтать. Когда Розелина приглашала меня в гости, стол у них напоминал богатую витрину кондитера! На нем высились горы вкусного печенья и графинчики с клубничным сиропом... Моя подружка была всегда нарядно одета, так что я однажды не удержалась и воскликнула: «До чего же у тебя красивая блузка!»

Она была отделана розовым кружевом, а рукава были в оборках. Мать Розелины ласково сказала мне:

— Ну что ж, раз тебе блузка понравилась, я и для тебя сошью такую же! Я чуть было не прикусила язык. Я попала в ужасное положение: разве могла я обладать такой вещью, какой не было у моих сестер? Это противоречило непреложному правилу, которого придерживалась мама: «В семье Матье все дети должны одеваться одинаково!»

Но именно она-то и положила конец моим сомнениям:

— Милая моя Мирей, ты уже растешь («Ох! Не так уж и расту!» — подумала я). Надеюсь, ты скоро получишь свой школьный аттестат! Тогда будешь считаться взрослой и сможешь одеваться, как тебе нравится.

Красивая розовая блузка отправилась еще на год в шкаф. Розелина меня в ней так никогда и не увидела. После неожиданной смерти матери ее жизнь коренным образом переменилась. Случившееся стало ужасным ударом для моей подружки. Она была в полной растерянности и не могла осознать того, что произошло. Она чувствовала себя совершенно беззащитной. За девочкой приехала и увезла ее с собой бабушка, которую та почти не знала. И тогда я подумала, что совсем не так уж хорошо быть единственным ребенком в семье. После того как

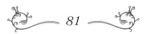

Розелина уехала из наших краев, я о ней больше ничего не слыхала. Крутая перемена в ее судьбе произвела на меня глубокое впечатление. И дело было не только в разлуке с близкой подругой, но в том, что я постигла важную истину. Пусть у меня и не было красивых платьев, как у Розелины, но зато мне было даровано другое: любовь, семейное тепло — глубокое, сильное чувство, навеки соединившее наших родителей, навсегда сплотило нас, детей, вокруг них и привязало друг к другу. Все это я ощущала каждодневно, особенно по воскресеньям, и хранила в своей душе, как бесценное сокровище.

Ведь в воскресный день мы собирались все вместе.

День этот начинался с мессы. В церкви мы пели, папа и я выступали в роли солистов, а родственники и друзья составляли хор.

Есть люди, которые никогда не поют. Я наблюдала за ними в храме. У них рот будто на замке. Они не издают ни звука. Словно их заморозили. Они не решаются петь. Может, боятся, что у них это плохо получится, а может, им просто не хочется. И значит, у них на душе неспокойно. Меня так и подмывает сказать им:

— Пойте! Не важно, как, но только пойте! Если б вы только знали, какое это приносит облегчение! Думаю, что пташка, когда она расправляет крылья и пускается в свой первый полет, испытывает такую же радость! Пойте! И если у вас даже нет ни гроша в кармане, вы почувствуете себя богаче.

Мы, члены семейства Матье, пели все вместе и тогда, когда отправлялись на прогулку к Домской скале. Но в этом случае в наш репертуар входили веселые, задорные песни. Мы, дети, бежали вприпрыжку, уходили вперед, возвращались назад, и все кончалось тем, что малыши мчались наперегонки: каждый хотел оказаться первым наверху, у подножия огромного дуба. Родители шли медленно, не уставая любоваться открывавшимся оттуда живописным пейзажем: внизу был виден город и — главное — Рона.

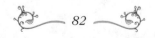

— Это самая красивая река на свете, — уверял нас папа, который, к слову сказать, не так уж много путешествовал на своем веку.

Однако мы ему верили и до рези в глазах смотрели на Рону, сверкавшую на солнце.

Была еще одна причина, почему нам так нравилась Домская скала. Дело в том, что дедушка принимал участие в реставрации лестницы святой Анны, которая ведет к собору. Он даже участвовал в перепланировке старых садов. И всякий раз мы непременно подходили к гробнице Иоанна XXII. Оба Матье — и отец, и сын — считали образцом зодчества воздвигнутую здесь часовню, хотя во времена Французской революции ее колоколенки лишились своих куполов. Это обстоятельство постоянно порождало горячие споры между папой и дедушкой:

— Нечего сказать! Хороши они, твои революционеры! Разорили такую красоту!

Дедушка пылко возражал по-провансальски. Что именно он говорил, я не понимала, но смысл всегда улавливала:

— Не будь революции, что было бы с такими, как мы, Матье? Они бы все, пожалуй, перемерли с голоду!

Но папа продолжал ворчать:

— Какая жалость, что не сохранился этот редкостный материал из Перна (речь шла о самой лучшей каменоломне в наших краях). И эти безбожники разбили вдребезги прежнюю статую папы, так что пришлось ее потом изваять заново!..

Дедушке этот разговор был явно не по душе, и он переводил взгляд на резиденцию епископа, у входа в которую высились, как и прежде, лев святого Марка и бык святого Луки: они были целы и невредимы.

Примирение наступало, когда папа указывал нам на «свои» старинные крепостные стены, которые опоясывали лежавший внизу город. Он вместе с дедушкой регулярно участвовал в их подновлении. И очень этим гордился, чуть ли не так же, как тем, что был отцом 11 детей. Он не уставал ругать всех «вандалов, вампиров и вертопрахов», которые норовили разрушить

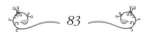

стены, мешавшие городу разрастаться вширь. Бурные споры по этому поводу разделили Авиньон на два лагеря: одни стояли за сохранение стен, другие были против. «Кощунственную» затею уже начали проводить в жизнь.

— Увидите, еще прольется кровь! — грозился папа, который в жизни и мухи не обидел.

И вид у него был при этом такой свирепый, что мы, дети, невольно верили ему. Хотя всерьез поверить в это не решались.

Возвращаясь домой после прогулки к Домской скале, мы всякий раз задерживались на площади перед Малым дворцом, чьи оконные переплеты из камня давно нуждались в ремонте. Именно на этой площади летом бурлил Авиньонский фестиваль. Но местных жителей он не слишком занимал. Съезжались на него парижане, туристы... Все те, кого папа пренебрежительно именовал «пачкунами, которые пишут на стенах»; при этом он нас предупреждал: «Берегитесь, если я увижу, что и вы посмеете писать на камне!» Сама мысль об этом выводила его из себя.

Только позднее, гораздо позднее я узнала, что юный бог театра жил в нашем городе. Я говорю о Жераре Филипе. Сама я его никогда не видала. Когда он дебютировал в трагедии Корнеля «Сид», мне было всего пять лет, а когда он сыграл свою последнюю роль, едва исполнилось 12. Но я хорошо помню, как старшие школьницы прогуливались на переменах с его фотографиями в различных ролях из кинофильмов. Я часто вглядывалась в эти фотографии, передававшие необычайный блеск его глаз, и о чем-то мечтала. Много времени спустя, уже в Париже, я увидела игру этого волшебника экрана в фильмах «Пармская обитель», «Дьявол во плоти», «Фанфан-Тюльпан»... И когда я теперь пою:

> Жил в Авиньоне принц, хорош собой и смел,
> Ни королевства он, ни замка не имел,
> Но для того, кто наш Прованс любил,
> Он самым настоящим принцем был.

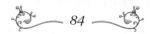

А я в те годы девочкой была,
Мечтая, розы для него рвала...
В ту пору счастье вовсе не ценили... —

...имя Жерара Филипа в песне не упоминается, но публика хорошо понимает, о ком идет речь. И испытывает глубокое волнение. Вспыхивают аплодисменты, они выражают любовь к нему, любовь, которую испытываю к нему и я, хотя мы в жизни ни разу не встречались: я родилась слишком поздно.

Слишком поздно и для встречи с Эдит Пиаф. Мне удалось увидеть ее только в фильме Блистена «Померкшая звезда» (и меня потрясло, как она естественно в нем играла), а также в фильме Саша Гитри «Если бы мне рассказали о Версале», в нем она пела: «Дело пойдет, пойдет на лад!» — пела так, что это глубоко волновало; видела я ее также и во «Французском канкане» Жана Ренуара: она играла роль пресловутой Эжени Бюффе, «дивы» начала XX века.

Думаю, что кинематограф мог бы чаще привлекать к работе Эдит Пиаф. Ведь она была актрисой — и комической и трагической — в не меньшей мере, чем певицей. Однако, без сомнения, она была прикована «стальной цепью» к эстраде и страстно любила петь: без песни она просто жить не могла! Другим удавалось обуздать эту страсть, и потому они стали известными актерами: я имею в виду Монтана, Бурвиля, Ремю, Фернанделя...

Фернандель! Это был для нас самый любимый из прославленных артистов кино, в чем госпоже Жюльен принадлежала немалая заслуга. Она надумала проводить в летние вечера киносеансы под открытым небом. То-то было радости! Расставляли скамьи, приносили прохладительные напитки, как на празднике. И мы с восторгом смотрели «Анжели», «Возрождение», «Шпунц», «Топаз»... одни только фильмы Марселя Паньоля.

— Вот что я называю поистине нашим кино! — восклицала госпожа Жюльен, которая терпеть не могла американских фильмов.

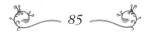

Нам и в самом деле были по душе фильмы Паньоля. В них представал наш Юг, мы слышали свою речь, узнавали близкие нам обычаи и привычки, а когда вокруг стрекотали кузнечики, нам не сразу удавалось понять, стрекочут ли они на экране или в траве у наших ног, потому что еще не успели уснуть. Потом наступил черед «Мариуса», «Фанни», «Сезара», и, посмотрев этот последний фильм, я вдруг обнаружила, что мой папа... вылитый Ремю! Оба употребляли одни и те же выражения. И хотя оба любили поворчать, тем не менее, были на редкость обаятельны и великодушны. Пошуметь и покричать они умели, но сердце у них было доброе.

После того как госпожа Жюльен показала нам фильм «Манон ручьев» с Жаклин Паньоль в главной роли (я долго бредила этим образом), она объявила, что нам покажут теперь «Письма с моей мельницы». Эта картина имела такой успех, что ее демонстрировали дважды. Стремясь соединить приятное с полезным, наша любимая учительница убедила нас прочесть не только те рассказы Доде, по которым был поставлен фильм, но и все другие, в частности «Три малые обедни», «Эликсир его преподобия отца Гоше» и «Тайна деда Корниля». Я выучила их чуть ли не наизусть. И смаковала, точно лакомство. В то время это был весь мой литературный багаж: немного Паньоля и немного Доде.

— Она так мало знает, милая моя дочка, — жаловалась мама. — Иногда я думаю, как она получит свой школьный аттестат.

Я отдавала себе отчет, что час расплаты близок, но уговаривала себя, что время еще есть. Нагоню, когда начнется учебный год. Ведь летние каникулы — самая чудесная пора. К тому же предстоял самый прекрасный праздник из всех, день 14 июля.

С утра мы отправлялись на берег Роны. На плечах у папы восседал самый младший, мне казалось, будто прошел целый век с той поры, когда это место занимала я. Впрочем, принадлежало оно мне недолго: Матита быстренько вытеснила меня оттуда! В небо взлетали разноцветные ракеты, на улицах и на мосту го-

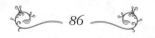

Знаменитый комедийный французский киноактер Фернандель
в фильме «Закон есть закон»

...Фернандель! Это был для нас самый любимый
из прославленных артистов кино...

рожане танцевали в национальных костюмах. Так было прежде, так продолжается и поныне. Верность традиции сохраняется.

А потом был летний лагерь. Мы попали туда во время каникул благодаря Кассе семейных пособий. Все началось в тот памятный день, когда в мэрии чествовали матерей из многодетных семей.

Это была незабываемая церемония: маме вручили очень красивый диплом (дома мы его повесили на стенку, где он красуется до сих пор) и медаль. Нас, детей, больше занимал устроенный затем полдник, а после него — представление с участием клоунов. Маму же интересовало другое: полученные ею подарки — белье и небольшая сумма денег. Словом, праздник удался на славу.

А через несколько дней мы отправились в летний лагерь под названием «Стрекозы». Он помещался недалеко, достаточно было переправиться через Рону. Место это именовалось Вильнёв-лез-Авиньон, от него было рукой подать до монастыря. Место для лагеря выбрали прекрасное, и название к нему как нельзя больше подходило: там резвилось множество стрекоз... их было не счесть. Нам очень нравилось наблюдать, как они появляются на свет... Для этого надо было запастись терпением и хранить полное молчание. Когда стрекозы появляются на свет, они бледно-зеленые, как молодые листочки на липе. Больших стрекоз мы старались поймать, зажать в кулаке и поднести к самому уху, чтобы лучше услышать их пение; однако испуганная стрекоза не издавала ни звука. Оставалось выпустить ее на волю целой и невредимой, хотя мы и были обмануты в своих надеждах. День проходил незаметно. Мама и папа забирали нас вечером домой, а назавтра все повторялось: в семь утра мама усаживала нас в автобус на площади Сен-Лазар (это было довольно далеко от нашего дома). Мы брали с собой перчатку для обтирания и полотенца, потому что в лагере был огороженный душ, которым все пользовались. День начинался с легкого завтрака, потом мы гуляли, обедали, отдыхали, шли на полдник, играли. В те годы строений поблизости не было, мы

действительно жили на природе среди густых акаций и сосен. Воспитательница разыгрывала с нами скетчи и одноактные пьесы. Я неизменно исполняла роль Золушки. То была моя любимая сказка. Этот персонаж, казалось, был создан именно для меня. Я ни на минуту о нем не забывала и ясно представляла себе, как из замарашки становлюсь принцессой... И разве в лагере не у меня была самая маленькая ножка?!.. Моя страсть к элегантной обуви родилась, должно быть, именно тогда, когда я с удовольствием надевала туфельки из беличьего меха. Роль эта мне никогда не надоедала. Я усердно скоблила землю, а мои сестрицы и подружки осыпали меня насмешками, входя в роль злобных сестер Золушки. А в конце спектакля я гордо прогуливалась, как и подобает в моем представлении принцессе, облачившись в «роскошное» платье из листьев, скрепленных сосновыми иглами. И так повторялось без всяких изменений. Сказка превратилась в неизменный ритуал, она сделалась частью нашей жизни, так что все стали называть меня Золушкой.

В один прекрасный день мама приехала со сногсшибательной новостью:

— Дети, вы скоро увидите море!

До сих пор мы видели море только на фотографиях, в кино или на телевизионном экране. И тогда мама вспоминала, что ее детские годы прошли в Дюнкерке. Она признавалась, что ей всегда недостает моря. В ее памяти неожиданно всплывали воспоминания о той поре, когда она была девочкой, когда морские брызги били в лицо, свежий ветер хлестал по щекам, а воздух был, казалось, пропитан морской солью. Сама она прежде никогда не говорила с нами о море. И я с изумлением обнаружила, что в самой глубине души она таила от нас эти воспоминания. Но тогда, стало быть... мама не была совершенно счастлива с нами? Эта мысль некоторое время мучила меня. А вот теперь и мы отправлялись в Марсель...

— Вам необыкновенно повезло, — говорила мама. — Все дело в том, что мы — многодетная семья. Вот нам и позволили обновить загородный дом в Карри-ле-Руэ!

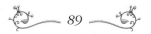

И все это по милости Кассы семейных пособий. Мои сестры были в восторге, мама тоже радовалась:

— Вы только поглядите, как здесь красиво!

Спорить с этим не приходилось. К пляжу спускались по дороге, обсаженной соснами. И, как обычно, держась за руки, чтобы не потеряться; так мы добирались до рыбной пристани.

— Тут вы вдоволь поедите рыбы, — говорила мама, — а это очень полезно для костей... И к тому же научитесь плавать!

Но на деле все получилось вовсе не так. Я даже потеряла аппетит. И, как говорится, вконец зачахла. Меня терзала смертельная тоска по дому. Ведь это была первая долгая разлука. Без папы и без мамы мир мне казался пустым. Море не заменяло семью! Оно меня пугало. При виде этой безбрежной, волнующейся, рокочущей, изменчивой, бездонной стихии меня начинало мутить. И никакими силами невозможно было принудить хотя бы войти в воду.

Я до сих пор так и не научилась плавать. Самое большее, на что я решаюсь, — это окунуться у самого берега. Разумеется, мне время от времени приходится совершать поездки по морю, и при этом мне всегда бывает не по себе. Я, не мешкая, надеваю наушники и часами слушаю Дэвида Боуи или «Аббу», чтобы забыть, где нахожусь.

У воспитательницы в Карри-ле-Руэ сохранилось, должно быть, самое дурное воспоминание о маленьких Матье. Глядя на меня, как на старшую, сестры тоже проливали потоки слез. Через две недели родители решили нас проведать. Сперва они ехали поездом, потом добирались автобусом под палящим зноем. При их появлении мы с сестрами разревелись. Пытаясь нас успокоить, родители тут же отправились с нами на прогулку по дороге, пролегавшей над портом. Мы поравнялись с красивой виллой.

— Погляди-ка, — сказала мне мама, — тут живет Фернандель...

«Наш» Фернандель, общий любимец всей семьи... Но ни тогда, ни на обратном пути, хотя мы намеренно замедляли шаг,

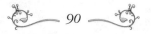

нам так и не удалось увидеть Фернанделя: он будто нарочно не показывался! Мы снова расплакались и плакали до самого отъезда родителей — зрелище было душераздирающее. Словом, наш месячный отдых в Карри-ле-Руэ оказался сущим мучением: слезы лились в три ручья, низвергались водопадом.

— Из-за вас уровень моря, похоже, поднялся, — изрекла мама.

Мы с радостью возвратились к нашим полям. На прогулках мы собирали одуванчики, рвали дикий лук-порей, который гораздо вкуснее того, что растет в огороде, лакомились ежевикой, попадалась нам даже айва...

А в школе меня уже ждала госпожа Жюльен: ведь в этом году мне предстояло получать аттестат об окончании школы.

Мне так хотелось получить его... Прежде всего, ради нее: ведь она мне столько помогала, столько со мной возилась, не могла же я ее подвести! Но боже, какая это была непосильная задача! Просидев несколько лет на задней парте, я почти не слушала объяснений учительницы. Я хорошо понимала, что толком ничего не знаю. Кое-что помнила о Наполеоне, потому что этот человек маленького роста мне нравился. Немного больше — о Жанне д'Арк, она была мне симпатична, и я вообще обожала святых. Но эти вершины французской истории одиноко возвышались над «бездной» моего невежества, где смутно виднелся — благодаря картинкам в учебнике — какой-нибудь «поселок на сваях» или «вигвам американских индейцев».

С каким-то отчаянием я пыталась наверстать потерянное время, а его, как известно, наверстать невозможно. Целыми днями сидела, уткнувшись в книги. Безжалостно терзала свою память. И даже перестала петь.

— Что это совсем не слышно голоса вашей маленькой Мирей?

— Ничего удивительного! — отвечала мама с такой гордостью, с какой другие говорят об экзамене на ученую степень. — Она готовится к получению школьного аттестата!

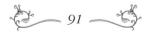

Иногда меня охватывало малодушие.

— О чем ты только думаешь, Мирей, — распекала меня госпожа Жюльен.

Назавтра, чтобы заслужить прощение, я приходила в школу с большим букетом цветов, которые собирала в любезных моему сердцу полях.

— Спасибо, это очень мило с твоей стороны, — говорила учительница. — Но чем тратить время, срывая ромашки, ты бы лучше как следует выучила тройное правило!

Дело шло туго, очень туго! По вечерам я засиживалась допоздна, а папа этого терпеть не мог: он требовал, чтобы свет гасили в восемь вечера.

— Но послушай, Роже, она ведь готовится к школьным экзаменам! Все в доме только об этом и говорили. Я лишилась сна, хотя до тех пор спала как убитая. Время от времени бабуля возмущалась:

— Да вы ее в дурочку превратите. И зачем только нашей девочке этот ваш аттестат? Он что, поможет ей рожать здоровых и красивых детей?!

— Не будь у меня школьного аттестата, — возражала мама, — меня никогда бы не взяли на службу в мэрию!

— Вовсе не он тебя спас, а Господь бог! Знаешь поговорку: Бог помогает блаженным, детям и пьяницам. Так что наша девочка под его защитой! Получит она ваш хваленый аттестат!

Увы, я его не получила. До сих пор помню, как растерянно я глядела на лежавший передо мной чистый лист бумаги. Вопрос был о Капетингах. Я же их всех путала друг с другом. А вот про Жанну д'Арк или про Наполеона им даже в голову не пришло спросить. Папа, как мог, утешал меня:

— Мне сдается, Мими, что гораздо уместнее употребить в разговоре имя Жанны д'Арк или Наполеона, чем имена каких-то там Капетингов!

Госпожа Жюльен смотрела на это совсем по-другому. Суровым тоном она заявила мне, что я ее сильно разочаровала. Мне пришлось остаться на второй год в том же классе: учиты-

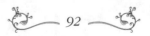

вая мой возраст (14 лет!), это был мой последний шанс. На сей раз я отправилась на каникулы, навьюченная книгами. О поездке в Карри-ле-Руэ не могло быть и речи.

Мы снова оказались в летнем лагере «Стрекозы» в Вильнёв-дез-Авиньон. Там-то я и встретила ясновидящую.

Она жила возле кладбища. Одна наша подружка услышала, как ее мать, великая поклонница гороскопов, упомянула об этой женщине. У многих из нас были велосипеды, и вот мы целой ватагой отправились к ворожее, кто, сидя в седле, а кто — на багажнике. Перед тем мы выгребли всю мелочь из наших копилок и явились к этой гадалке на картах, немало позабавив ее тем, что сразу столько девчонок захотели узнать свое будущее. Беседовала она с нами поодиночке. Первая же подружка, выйдя от гадалки, объявила:

— Я выйду замуж, и у меня будет много детей.

Вторая сказала просто:

— У меня будет много детей...

— Но ты прежде выйдешь замуж?

— Об этом она мне ничего не сказала.

Разгорелся спор, потом все согласились, что без замужества дело не обойдется. Наступил мой черед. Эта женщина нисколько не походила на колдунью, в отличие от той противной старухи, которую я иногда встречала, когда ходила за покупками: та была вся в черном и у нее был ужасный, крючковатый нос. Однажды она на меня накинулась, крича, будто я утащила ее плетеную сумку. Я стояла красная от стыда, потому что это была наглая ложь, но привлеченные ее воплями прохожие останавливались возле нас. С тех пор всякий раз, собираясь идти к бакалейщику, я смотрела, нет ли поблизости этой ведьмы, а если замечала ее — всегда одетую в черное платье, сгорбленную и кривобокую — то поспешно пряталась за платанами. Ясновидящая из Вильнёва не внушала тревоги. Она была толстушка с ярко-синими глазами и приветливой улыбкой. В ее комнате висели карты небосвода, усеянного красивыми звездами.

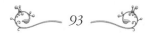

— Когда ты родилась?

— 22 июля 1946 года...

— Ах, вот как!.. Как раз на границе между знаками Рака и Льва... Ты, девочка, наделена живым воображением, возьму-ка я свои карты для гадания...

У бабули были точно такие же карты, но она пользовалась ими только тайком. Мне она никогда не позволяла к ним даже притрагиваться. С некоторым страхом я следила за тем, как гадалка их раскладывает. На ее лице изобразилось удивление:

— Странное дело! — вырвалось у нее. — Я вижу тебя в окружении королей и королев...

— Ничего удивительного, — сказала я. — Я зубрю историю Франции для школьного аттестата. Всех Капетингов запоминаю.

— Нет, тут совсем другое, — возразила она. — Я вижу тебя в кругу живых королей и королев.

— То есть, как — живых?!

Я решила, что она еще больше выжила из ума, чем та колдунья, что подстерегала меня у бакалейной лавки.

— А еще я вижу, что ты объездишь весь мир.

Я вышла от нее совершенно ошеломленная. Сестры и подружки забросали меня вопросами; в полной растерянности я им ответила:

— Она невесть что мне наговорила... Утверждала, что я буду встречаться с королями и королевами...

Вот так история! Никому другому гадалка ничего похожего не предсказала. Я не придала никакого значения этому пророчеству, решив, что она просто чокнутая. Матита и Кристиана были в тот день вместе со мной и все хорошо помнят. А много лет спустя, когда Кристиана, став медицинской сестрой, работала в больнице, ей пришлось ухаживать за больной, которая перенесла тяжелую операцию. И вдруг эта женщина ей сказала:

— А ведь вы — сестра Мирей Матье.

Кристиана внешне на меня не похожа, к тому же она неохотно говорит, что она моя сестра. Не придает этому особого значения.

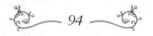

Вся семья в сборе

У меня прекрасные родители, всю свою жизнь они посвятили нам, детям. Я это знала. Но очень скоро, уже в школе, поняла, что редко кому выпадает такое счастье, в других семьях живут иначе... У нас в доме не бывало ссор, раздоров, распрей, разлада...

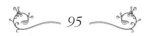

— Вы ошибаетесь, — ответила Кристиана.

— Нет, не ошибаюсь. Я в этом уверена и в свое время в точности предсказала ее судьбу: она ездит по всему миру и встречается с королями и королевами!

Сестра рассказала мне эту невероятную историю, когда я возвратилась из очередной поездки.

— Я бы хотела повидать эту женщину, — заметила я.

— Это невозможно. Она умерла той же ночью...

С тех пор я больше ни разу не обращалась к ясновидящим.

Госпоже Жюльен не нравились мои сочинения, в которых к тому же хватало орфографических ошибок. Я же не на шутку гордилась придуманной мною фразой:

— Хризантемы в снегу похожи на хрустальные шары.

Я находила это предложение точным и красивым, но учительница как холодной водой меня окатила:

— Все, что ты пишешь, Мирей, просто детский лепет.

Чтобы лучше понять, что именно она имеет в виду, я засела за словари. Это стало, пожалуй, моим самым большим достижением. Должно быть, я чаще других учениц рылась в словарях! Однажды госпожа Жюльен произнесла при мне слово «бездумная», я поняла, что это отнюдь не похвала, и долго ломала над ним голову. Принялась его искать в словаре и потратила на это уйму времени, так как думала, что слово это начинается со слога «бес».

И вот он наступил, наконец, «судный день». Я поставила в церкви свечу святой Рите; ее лик помещался вдали от алтаря, но бабуля уверяла, что в безнадежных случаях именно этой святой надо возносить мольбу.

— А почему?

— Потому что, не обладай она истинной верой, ей бы нипочем не справиться со своими напастями. Муж, «на котором негде было пробу ставить» (так в наших краях называют тех, кто ведет разгульную жизнь), бил смертным боем эту святую женщину; смирением и мягкостью ей удалось вернуть его на стезю добродетели, но едва это случилось, как бывшие собутыльники,

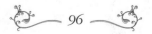

отпетые злодеи, прикончили его. Трое ее сыновей решили отомстить за отца, но она молила Бога: пусть уж они лучше умрут, чем станут убийцами. Так именно и случилось! Тогда несчастная решила удалиться в монастырь августинок, но в этом ей отказали, потому что она была вдова, а по уставу этой обители туда принимали только девственниц! И произошло чудо: Иоанн Креститель, блаженный Августин и святой Николай взяли бедняжку на руки — и она внезапно очутилась перед лицом настоятельницы, хотя двери храма были заперты! Настоятельница, разумеется, теперь уже не решилась изгнать ее из монастыря.

Какая прекрасная жизнь выпала на долю святой, к чьей помощи я собиралась прибегнуть! Снискав ее покровительство, я наверняка должна была попасть в ряды счастливиц, тех, кому вручат аттестат об окончании школы. Так оно и произошло. Я сказала госпоже Жюльен:

— Знаете, я думаю, что получила аттестат потому, что мне удалось употребить в моем сочинении ваше излюбленное слово «бездумная».

Была, правда, еще и свеча, которую я поставила святой Рите, но об этом я предпочла умолчать.

Это знаменательное событие было отмечено у нас дома торжественным праздником. Он состоялся не только потому, что я, как говорила мама, получила «свой диплом», но и потому, что Матита с первой попытки стала обладательницей школьного аттестата. По окончании праздника собрался семейный совет. Было решено, что продолжать нам с Матитой учиться дальше не имеет смысла. Госпожа Жюльен придерживалась того же мнения. У нас не было особых способностей ни к математике, ни к французскому языку, ни к другим предметам. Словом, никаких явных склонностей к наукам!

— У Мирей хорошо получается только одно, — сказала учительница, — она прекрасно поет. Как жаль, что она серьезно не занималась музыкой!..

То был камешек в мой огород. Госпожа Жюльен не раз советовала мне посещать уроки сольфеджио в музыкальном учи-

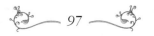

лище, где обучали бесплатно. А для того чтобы я могла успевать на эти занятия, она даже разрешила мне уходить немного раньше из школы.

Окрыленная, я пришла в подготовительный класс по изучению сольфеджио, он помещался в красивом здании нашего музыкального училища на площади перед Папским дворцом. Оглядевшись, я тут же поняла, что все 25 учениц уже знали ноты, а я о них и понятия не имела. К тому же мне еще и не повезло: на следующий день я заболела гриппом. Когда две недели спустя я вновь появилась в классе, меня, разумеется, посадили на последнюю парту. Словом, все повторилось, как в школе!

— К чему мне эта китайская грамота, — подумала я. И больше ноги моей там не было.

— Мы могли бы помогать по дому, — предложила Матита, которая очень любила хозяйничать и готовить. Мне же, признаюсь, такие занятия были не по душе. К величайшему моему облегчению, папа не поддержал предложение сестры. Матита, конечно, была еще девочка, но мне уже исполнилось 14 лет, а потому он решил, что лучше подыскать мне какую-нибудь работу.

— Надо непременно научиться какому-либо ремеслу, — сказал он, — это всегда послужит опорой в жизни.

Я охотно согласилась. Мне не терпелось внести свою лепту в семейный бюджет. Возможность зарабатывать себе на жизнь переполняла меня гордостью. Отныне я никому не буду в тягость!

— Да, папа, я очень хочу работать и готова делать все, что угодно.

— Делать все, что угодно... Ты отдаешь себе отчет в том, что говоришь?! Я не позволю тебе делать все, что угодно!

Все рассмеялись. Я с удовольствием думала, что мое детство подошло к концу. Теперь я уже стала молодой девушкой и могла помогать семье. Однако в один прекрасный день, когда подружка, жившая по-соседству, покрыла мне ногти лаком, папа задал мне хорошую взбучку. Он терпеть не мог, когда прибегают к косметике, и считал, что внешность должна быть естественной.

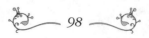

Я попробовала было заикнуться, что тетя Ирен красит губы помадой и это выглядит очень красиво. Он вышел из себя:

— Красиво! Ты находишь, что это красиво?!.. Возьми ломтик лимона, проведи им по губам, и они приобретут естественный красный цвет! А кожа вокруг рта покажется еще белее.

Однажды вечером отец, возвратившись домой, сказал:

— Дело в шляпе! Завтра утром можешь отправляться на фабрику, где изготовляют конверты!

— А что я там буду делать, папа?

— Что делать? Думаю, клеить конверты.

А так как счастье не приходит в одиночку, и мама, в свою очередь, пришла со сногсшибательной новостью: нас опять переселяют.

— Мы будем жить в квартале Круа-дез-Уазо, там построили дома с умеренной квартирной платой!

Не говоря никому, я вновь поставила свечу святой Рите, чтобы возблагодарить ее за то, что для нас начиналась теперь новая жизнь.

Круа-дез-Уазо... Сущий дворец! По крайней мере, он нам таким показался: там у нас были четыре комнаты, а ко всему еще и душ! И уж совсем неслыханная роскошь: из крана текла горячая вода. У родителей была комната с балконом. А в комнате, где поселились Матита, Кристиана и я, имелся умывальник, одну комнату отвели младшим девочкам, другую — мальчикам. В нижнем этаже дома разместились книжный магазин и бакалейная лавка.

— Думаю, нам будет здесь хорошо жить, моя перепелочка, — сказала мама, — а потом, с твоей помощью, легче станет сводить концы с концами!

Она сказала это для того, чтобы подбодрить меня, потому что я приносила домой всего 350 франков. По правде сказать, платить мне больше было не за что. Зато название моей должности — «укладчица» — звучало достаточно солидно. Всего нас трудилось человек 20, я работала на упаковке. По одну сторону лежали кипы конвертов, а по другую — коробки, куда их ук-

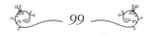

ладывали. Занятие было, в общем, нехитрое. Меня, как самую младшую, поставили помогать двум опытным работникам — госпоже Жанне и ее мужу Луи. У нее были удивительно тонкие седые волосы, а он походил на красивых старичков, которых изображают на картинках.

— Не рано ли ты начала работать? — говорила она.

— Что вы?! Ведь мне уже пятнадцатый год!

— Хочешь конфетку?

Госпожа Жанна показала мне, как надо складывать картон, чтобы получилась коробка. Я протягивала ей коробку, она прошивала ее скрепками на машине, а затем передавала мужу, который укладывал в нее конверты.

— Дело, оказывается, совсем немудреное!

— В таком возрасте все кажется забавой! — говорила она не без удивления.

На фабрике

Я постоянно пела, и в цехе стало веселее. Однажды к нам зашел владелец фабрики; я разом умолкла.

— Продолжайте, продолжайте, девочка. С вашим приходом работа идет быстрее!

С тех пор он время от времени заглядывал к нам:

— Как дела, Мирей? Что-нибудь случилось? Почему нынче утром вы не поете?

Он держал себя очень приветливо. Мне не хотелось огорчать госпожу Жанну и ее мужа, которые по-прежнему угощали меня конфетами, но я мечтала перейти в тот цех, где делали конверты. За эту работу платили немного больше. Каждый сидел за небольшой машиной, она сама разрезала бумагу, складывала из нее конверты и смазывала их клеем. Работа там требовала внимания: если машину вовремя не остановить, в нее могла попасть рука. Поэтому не могло быть и речи о том, чтобы доверить такую работу девчонке, еще не достигшей и 15 лет. Но мне

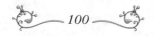

хотелось зарабатывать хотя бы немного больше, и я решилась спросить у хозяина, нельзя ли мне трудиться сверхурочно.

— А вы могли бы приходить к пяти утра?

— Конечно, мосье!

— Но ведь придется вставать чуть свет. Вам без велосипеда не обойтись...

Он предложил мне взять велосипед и постепенно платить за него из жалованья. Взносы, надо сказать, были очень скромные, зато, обзаведясь велосипедом, я могла уезжать из дома на заре и возвращаться поздним вечером, экономя время. Правда, не все было просто... И рано утром, и вечером мне приходилось вытаскивать или убирать велосипед в подвал нашего дома, а там царил мрак. Я на всякий случай вооружалась шваброй, потому что ужасно трусила. Однако стремление ежемесячно приносить домой 500 франков вместо 350 помогали мне преодолевать страх. Мама догадывалась, что я очень боюсь, и успокаивала меня:

— Не тревожься, милая, я стою на страже!

Зимой, особенно в непогоду, когда ездить на велосипеде было нельзя, я добиралась на работу пешком. Заходила за Люсьенной, моей подружкой, которая жила неподалеку от нашего дома и работала на той же фабрике: вдвоем веселее было коротать путь.

На следующий год Матите исполнилось 14 лет. Я спросила у хозяина, не возьмет ли он на работу мою младшую сестру. Она заняла мое место на упаковке, где я помогала госпоже Жанне и ее мужу, а я наконец-то перешла в цех, где работали на машинах. На каждой из них изготовляли за смену по 7000 конвертов. Я справлялась с этим играючи. А что если запустить машину чуть быстрее, ведь она выдаст тогда больше конвертов?! Для этого мне нужно было только сменить репертуар и исполнять не песни Пиаф, а песни Трене!

Гордость переполняла меня при мысли, что я теперь тоже зарабатываю деньги и гораздо реже слышу, как мама сетует на то, что «в этот месяц опять не удастся купить нужные вещи»;

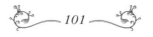

это помогало мне легче переносить некоторые неприятности, например дни, когда дул мистраль. Он с такой неистовой силой врывался в проулки между домами, что всякий раз грозил расплющить меня вместе с велосипедом о стену. Тогда приходилось слезать с седла и, крепко ухватившись за руль, медленно тащиться в полной темноте... Однако отныне Матита ходила на работу вместе со мной, а вдвоем, что ни говори, не так страшно!

Мы обе вставали в четыре часа утра, стараясь не разбудить остальных. Но папа и мама всегда были уже на ногах, чтобы приготовить нам кофе.

На фабрике нередко бывали помолвки, и дело обычно заканчивалось свадьбой; в таких случаях хозяин подносил всем по стаканчику вина, а меня непременно просили петь.

— Тебе давно уже пора принять участие в конкурсе! — сказала как-то одна из моих подружек.

— И она, конечно, победит! — сказала другая.

— С ее замечательным голосом! — прибавила госпожа Жанна.

Речь шла о конкурсе «В моем квартале поют», который устраивала городская мэрия, стремясь оживить музыкальную жизнь Авиньона: то было состязание любителей, которые распевали песни на каждом перекрестке!

Возвращаясь с фабрики, мы проходили мимо «Дворца пива», где охотно собиралась жившая поблизости молодежь. Иногда кое-кто пропускал стаканчик прямо у входа. Как известно, я смелостью не отличалась и спешила незаметно проскользнуть внутрь. Иные мои подружки назначали тут свидания своим приятелям. Я же — никогда. Флирт меня не привлекал. К тому же в моей душе тайно зрела одна мысль, которая постепенно завладела всем моим существом: я мечтала стать певицей. Существует ли более прекрасное занятие на свете?! Оно дарит тебе радость круглый год. А ты даришь радость всем, кто тебя слушает. Ведь пока ты поешь, они забывают о своих невзгодах, о своих недугах... Я наблюдала это в нашем доме, когда мы слушали Эдит Пиаф.

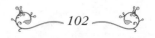

С родителями и еще одной новорожденной сестренкой

10 мая 1964 года, которому предстояло сыграть столь важную роль
в моей жизни, мама произвела на свет тринадцатого ребенка...
Слава Богу, родилась девочка, можно было надеяться,
что с ней будет меньше хлопот, чем с мальчиками.

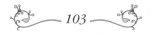

По мере того как приближался день конкурса, жители каждого квартала становились все более пылкими приверженцами того или той, кому предстояло отстаивать их престиж. И тогда я собралась с духом. Матита и фабричные подружки изо дня в день настойчиво убеждали меня, что давно пора поговорить с мамой.

— Я уже и сама об этом подумываю, — сказала она, — вот только не знаю, как на это посмотрит папа...

Наш папа — такой добрый и вместе с тем такой строгий... Нам никогда не разрешали уходить из дома по вечерам, а потому не могло быть и речи о том, чтобы опоздать к назначенному часу, хотя бы на десять минут. В воскресенье, когда можно было неспеша посидеть вместе и побеседовать, я, обменявшись красноречивым взглядом с мамой, завела разговор о конкурсе.

— Отличная затея, этот конкурс, — заметил папа. — Знаешь, будь я помоложе, я и сам бы принял в нем участие в подходящем жанре.

— Это в каком же? В качестве исполнителя комических песенок? — съязвила мама.

Отец испепелил ее взглядом:

— Комических песенок? Мне?! Я бы выступил в качестве оперного певца, и ты это хорошо знаешь! А вот наша Мими могла бы выступить в конкурсе как эстрадная певица. И она бы там достойно выглядела.

Мысль о моем участии в конкурсе высказал сам отец: дело было выиграно!

Впрочем, не совсем. Нужно было еще подготовиться к конкурсу. Я решилась на первый шаг: мы отправились вместе с мамой в мэрию, поднялись на второй этаж, и там я записалась в число участников конкурса.

— В каком жанре вы намерены выступать? — спросил меня служащий.

— Как эстрадная певица!

— Что?.. Но вы еще совсем маленькая!

— Зато у меня сильный голос!

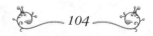

Впервые я, столь робкая от природы, утверждала свои права. Мама посмотрела на меня с нескрываемым удивлением. Тогда я еще не отдавала себе в этом отчета, но позднее, вспоминая тот случай, ясно поняла, что именно тогда во мне родилось неодолимое желание стать профессиональной певицей. Я ощутила, хотя еще не вполне осознанно, что ни в коем случае не соглашусь провести всю свою жизнь на фабрике, клея конверты или возясь с коробками, как бедная госпожа Жанна. Вечером я долго ворочалась в постели.

— Ты что, не спишь? — удивилась Матита.

— Нет. Как ты думаешь, а вдруг я и впрямь стану настоящей певицей?

— Как Эдит Пиаф или Мария Кандидо? Это полностью переменило бы всю нашу жизнь!

Я мысленно представила себе маму, которая перед самыми родами все еще трудится через силу... Она ждала тогда 12 ребенка. Одним едоком в семье станет больше...

— Только смотри, никому ни слова! Пусть это останется нашей тайной.

— Понимаю. Ведь пока это только игра.

На следующий день в семье горячо спорили, какую мне выбрать песню. Мне самой больше всего нравился «Мой легионер», но тут уж мама решительно воспротивилась:

— Эта песня не для твоего возраста!

Голосовали простым поднятием руки, и большинство высказалось за песню «Лиссабонские колокола», которая в исполнении Марии Кандидо сделалась знаменитой. Я успешно прошла предварительный отбор в присутствии устроителей конкурса. Комитет возглавлял Рауль Коломб, заместитель мэра, председатель ККАС, что означало «Комитет по координации авиньонской самодеятельности». Помогал ему Жан-Дени Лонге (в прошлом журналист «Дофине либере»). Я отвечала всем требованиям, предусмотренным условиями конкурса: мне было полных 15 лет (скоро должно было исполниться 16) и я не была профессиональной актрисой.

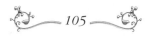

Наступил знаменательный вечер: дело происходило в июне.

— Тебе страшно? — спросила Матита, причесывая меня перед выступлением.

— Немного боюсь...

— Но ведь это... пока только игра...

Она выразительно посмотрела на меня, как бы напоминая о нашем уговоре.

И вот началось! Я стою на возвышении... Совсем как на школьных праздниках, с той только разницей, что на сей раз передо мной не друзья, а настоящая публика. Публика, которая пришла сюда, чтобы поразвлечься, сравнить и обсудить певцов, а при случае и освистать их. Одни слушают очень внимательно, потому что они мои сторонники, другие, напротив, шумят. Я твердо решила во что бы то ни стало добиться успеха. И горланю свою песню. В эти минуты я даю себе клятву преодолеть все преграды и стать певицей!

— Господи боже, я боялась, что ты сорвешь себе голос! — призналась мне вечером мама.

Я прошла в полуфинал. Мои сестры волновались больше, чем я сама. Братья, дедушка, бабуля, второй мой дед, тетя Ирен, мой кузен, двоюродная бабушка Жюльетт — все они стеной стояли за меня. Не было только среди них бедного дяди Рауля, чей горб приносил счастье. Видимо, этого талисмана мне и не хватило. Словом, на сей раз «Лиссабонские колокола» не возвестили о моем триумфе. Победу одержала красивая блондинка, которая выступала в другом, далеком от центра квартале! Это было немыслимо... Просто немыслимо...

— Не нужно плакать, девочка, — ласково сказал мне господин Коломб. — Ты еще так молода. У тебя впереди уйма времени! Употреби его на то, чтобы поработать над своим голосом и... до будущего года!

Одна только Матита понимала всю глубину моего отчаяния. Я потерпела неудачу... И, как в истории со школьным аттестатом, мне предстояло снова добиваться успеха. Но мама

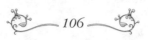

опять попала в больницу из-за своих разбухших вен... я видела, как она страдает, понимала, как ее тревожит постоянная нужда в деньгах, и потому ждать еще целый год мне казалось невыносимым. А я так надеялась на удачу!..

— Господин Коломб совершенно прав, — сказал папа, — тебе действительно надо поработать над голосом. Для этого придется брать уроки.

Я встревожилась:

— Опять в музыкальном училище, потому что в нем учат бесплатно?

— Нет, тебе ведь там не понравилось... Я подумал совсем о другом. Ты знаешь Марселя, угольщика?

— Того, что живет у кладбища?

— Именно его. Он был тенором в опере города Тулона, когда тебя еще на свете не было.

Я была поражена. Тенор... и вдруг стал угольщиком?

— Ну да, когда он начал терять голос... ему пришлось заняться торговлей углем. Никогда не забывай об этом случае, дочка, если тебе доведется стать певицей!

Фактически я брала уроки не у самого угольщика, а у его жены Лоры Кольер. Они поженились, когда она была пианисткой в Тулонской опере. Позднее она стала концертмейстером в опере Авиньона. А выйдя на пенсию, начала давать уроки музыки.

— С Мими я дорого брать не стану, — сказала она папе. — Шесть франков за урок вас устроит?

Я настояла на том, что буду платить за обучение из своего заработка. И, как «славная обладательница» школьного аттестата (не будем вспоминать, как он мне достался!), быстро подсчитала, что за два урока в неделю мне придется выкладывать в месяц сорок восемь франков, и я выкрою их из своих карманных денег, не нанося ущерба семейному бюджету.

— Словом, договорились! — воскликнула я.

Я гордилась собой. Я была довольна и тем, что папа, пусть молча, меня поддерживает. Конечно, он понимал, что теперь это для меня уже не игра. Речь шла о моем будущем. Но я никому

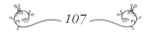

ничего не говорила, таила все в глубине души. Я даже не разговаривала на эту тему с Матитой. Произнося вслух слова, затрагиваешь самое заветное, а ведь и цветок, когда к нему прикоснешься, увядает. В этом смысле я уже становилась артисткой, сама того не подозревая, — начинала верить в приметы!

Мой первый урок едва не закончился катастрофой. Госпожа Кольер, без сомнения, полагала, что я знакома с сольфеджио.

— Оказывается, ты даже нот не знаешь?

— Не знаю.

— К счастью, ты, тем не менее, совсем не фальшивишь! Ну ладно, начнем с вокализов...

Мне это очень нравилось. Я испытывала истинное наслаждение, громко распевая мелодичные гласные звуки. Даже чересчур громко. Госпоже Кольер пришлось умерять мой пыл.

— Мирей, ты, с позволения сказать, не поешь, а кричишь! Учись модулировать!

Для меня это было самое трудное. Но ведь я твердо решила добиться успеха. В ушах у меня звучал голос Эдит Пиаф, который захватывал слушателя и уносил его как поток. Госпожа Кольер упорно старалась направить меня в нужное русло, но в глубине души я ей не до конца доверяла. Словом, как говорила в свое время Фаншон, я была упряма.

— Я совсем не уверена, что ты поступаешь правильно, собираясь петь на конкурсе «Гимн любви», — убеждала она меня. — Для этого ты еще слишком молода.

Я старалась не подавать вида, но ее слова приводили меня в отчаяние. Слишком молода! Все еще слишком молода! Когда же наконец меня перестанут считать ребенком? Ведь я сама плачу за уроки собственными деньгами! Разве у ребенка есть свои деньги?

— Ну, ладно... сама потом увидишь... — твердила госпожа Кольер. Тем не менее, мы продолжали два раза в неделю разучивать в доме 88 на улице Тентюрье «Гимн любви». И я по-прежнему поднималась каждое утро чуть свет, чтобы поспеть на фабрику, где изготовляли конверты, с некоторых пор поме-

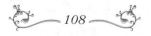

щавшуюся в Монфаве. Нашему хозяину не удалось продлить контракт на старое помещение. Я толком не поняла, что именно ему помешало. Но факт оставался фактом: фабрике пришлось переехать в то место, которое мы именовали деревней. На самом деле Монфаве находился совсем рядом с Авиньоном. Это название попало даже на столбцы газет, — из-за тамошнего юродивого, который считал себя Христом. Мне это местечко совсем не нравилось, и при одной мысли, что я могу повстречать этого «Христа из Монфаве», я осеняла себя крестным знамением. Теперь, когда нам приходилось ежедневно проделывать несколько лишних километров, мы с Матитой обзавелись велосипедом фирмы «Солекс», стоимость которого у нас постепенно удерживали из жалованья. Мы пошли на это потому, что ходили упорные слухи, будто наш хозяин испытывает денежные затруднения. Особенно ясно это стало зимой. Нечем было платить за топливо, и, как некогда у нас дома, приходилось жечь спирт, когда от холода коченели пальцы. Разница была только в том, что у нас дома спирт наливали в миски, а на фабрике — в консервные банки.

Мастером в нашем цехе работал один эльзасец, временами он держал себя приветливо, а иногда — очень сурово. Ему не слишком нравилось, что в дни, когда я брала уроки, мне приходилось уходить с работы немного раньше.

— Но, мсье, я ведь готовлюсь к конкурсу «Песенный турнир»...

— Я хорошо знаю, хорошо это знаю, но кто путет телать конферты? Тоше опъявим конкурс?!

Позднее я встретилась с этим человеком. Однажды он пришел за кулисы повидать меня.

— Ну как, тевочка... Теперь у тепя все итет на лат? И в конферте у тепя кое-что сафелось?!

Теперь мои «болельщики» из «Дворца пива», где я начала выступать чаще, поддерживали мой дух. Особенно усердствовала Франсуаза Видаль (ее матери принадлежала парикмахерская в Монфаве). Франсуаза была моей верной поклонницей.

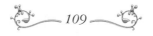

— Накануне конкурса я отведу тебя к маме, и она сделает тебе замечательную прическу. Я в этом уверена.

Мать разрешала Франсуазе ходить на танцы. Меня это мало интересовало.

— Увидишь, там встречаются такие славные ребята...

Я отрицательно покачала головой. Свободного времени у меня хватало только на то, чтобы немного помогать дома, ходить на уроки и мечтать о будущем. Франсуаза настаивала.

— Сходим-ка в воскресенье после обеда немного повеселиться в «Кегельбан»!

Речь шла о находившейся поблизости дискотеке. Я уговорила пойти с собой и Матиту. Но согласилась я только для того, чтобы послушать пластинки. Однако Эдит Пиаф тут особым успехом не пользовалась. Кумирами здесь были «Битлз» и Элвис... Я встретила там знакомого — Мишеля, он в свое время играл на том же школьном дворе, что и я. Повзрослев, он всякий раз, когда я попадалась ему с покупками в руках, брал у меня корзинку и помогал отнести ее домой; нередко он гонял мяч с нашими близнецами, которые были лет на шесть моложе него.

— Редко встретишь парня, который любит возиться с малышами! — замечала мама. — У этого малого, видать, доброе сердце!

Не думаю, что мама не понимала, почему Мишель так часто торчит возле нашего дома. Она уже давно догадалась, что он неравнодушен ко мне. Его велосипед как бы случайно то и дело попадался нам на пути. Возможно, все дело было в Матите, с которой мы были неразлучны; при виде Мишеля она прыскала со смеху. Он не пропускал ни одного праздника, где я пела, но вел себя очень скромно. Думаю, он побаивался моего отца.

— Ты уж до того опекаешь своих дочек, — шутила мама, — что распугаешь всех моих будущих зятьев!

Как-то Мишель пришел с билетами на футбольный матч, он был завзятый болельщик. И сам играл и ходил на состязания, в которых участвовали его приятели. Но я разучива-

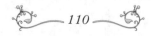

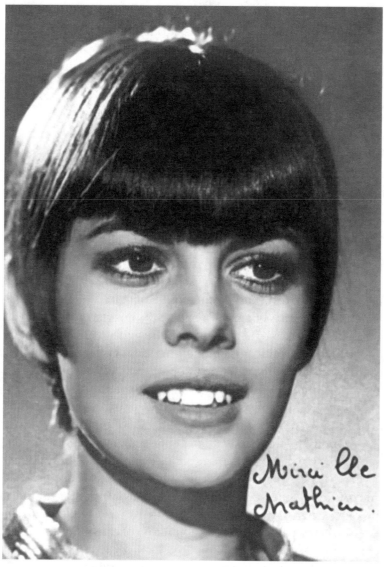

Большеглазая темноволосая девушка с челкой и короткой стрижкой скоро покорит весь мир

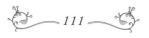

ла песню «Жизнь в розовом свете», Матита заявила, что ей футбол не нравится, и бедняге пришлось опять возиться с близнецами.

Мишель сказал мне, что непременно придет на конкурс, чтобы поднять мой дух; больше того, он заявил, что проникнет и за кулисы.

— Нет-нет, ни в коем случае.

Он с удивлением воззрился на меня:

— Но я хочу тебя подбодрить...

— Тебе не понять... В такие минуты я могу рассчитывать только на себя. Никто не может мне помочь, ни мама, ни даже папа!

Тогда он заявил, что будет сидеть в зале, в одном из левых рядов. Ну, как было ему объяснить, что, выходя на сцену, я не различаю ни одного лица в публике!

Я вторично потерпела неудачу. Госпожа Кольер оказалась права. Меня сочли, без сомнения, слишком молодой для исполнения «Гимна любви», и я это сразу почувствовала. Публика снисходительно отнеслась к юной певице. Мне даже поаплодировали, но зажечь аудиторию я не смогла. Победа снова ускользнула у меня прямо из-под носа. Оставалось только скрыть разочарование, что я и сделала, молча глотая слезы.

— Ну, ладно, ладно, все не так уж плохо, — старался утешить меня отец. — Ты ведь обошла уйму соперниц...

— Обойти-то обошла, но первой оказалась не я, а другая!

Я надолго запомнила взгляд, который папа с удивлением устремил на меня. Пока я училась в школе, даже в последний год, когда мне необходимо было получить аттестат, он никогда не слышал, чтобы я говорила таким тоном. Прозвучавшая в моем голосе решимость была чем-то совершенно новым. И я тут же прибавила:

— С этим поражением я ни за что не смирюсь!

— Ты и дальше будешь брать уроки?

— Конечно, папа.

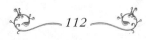

Он улыбнулся. Когда господин Коломб любезно подошел, чтобы утешить меня, я с неожиданной твердостью сказала:

— До будущего года!

Назавтра я снова была у госпожи Кольер.

— Теперь, моя перепелочка, ты поешь более мелодично и звучно, но все еще слишком громко... Не так-то легко стать настоящей певицей.

— Пусть так, но я хочу стать певицей. И только настоящей.

Занятия продолжались. Наконец-то я их полюбила. Они стали моим истинным прибежищем. Здесь я забывала о неприятностях, которых на фабрике возникало все больше, обстановка там становилась тяжелее с каждым днем. Не говоря уже о волнениях, которых дома было предостаточно. Приходилось все время тревожиться о самочувствии моих братишек: они были довольно хрупкие и хилые.

— Ах! Им бы твое здоровье! — сокрушалась мама.

В день, когда Реми исполнилось семь лет, у него подскочила температура до 40 градусов (бедняжка и раньше часто болел). Горло распухло так, что он не мог произнести ни слова. Срочно вызвали доктора Андре. Он на всякий случай взял мазок, хотя и без того был уверен в диагнозе: дифтерит. И в очередной раз — больница.

Через несколько дней, возвращаясь вечером с фабрики, Матита и я внезапно почувствовали, что горло у нас перехватило от какого-то едкого дыма. Мы стремглав бросились в комнату мальчиков. Жан-Пьер играл со спичками, и, к ужасу крошки Филиппа, тюфяк начал тлеть...

Папа работал на кладбище, мама ушла за покупками... Матита, Кристиана и я наперегонки стали таскать воду в кувшинах и кастрюлях... Все мы были так перепуганы, что у вернувшихся родителей не хватило духу нас бранить.

Наконец 10 мая 1964 года, которому предстояло сыграть столь важную роль в моей жизни, мама произвела на свет 13-го ребенка...

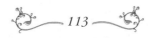

Слава богу, родилась девочка, можно было надеяться, что с ней будет меньше хлопот, чем с мальчиками. Все та же веселая сиделка с довольным видом сказала:

— Ведь я же вам говорила, госпожа Матье, что вы не ограничитесь дюжиной и преподнесете нам тринадцатого.

А мама все смеялась и смеялась... никогда еще я не видала ее такой веселой! Она стала серьезной только тогда, когда заговорила со мной о Конкурсе песни. Я решила снова выступить с песней Эдит Пиаф, на сей раз она вполне подходила мне по стилю, по крайней мере, я так думала сама.

— А что говорит по этому поводу госпожа Кольер?

— Она считает, что теперь все сойдет хорошо.

— Тем лучше, — заметила мама, — ведь я очень люблю эту песню, «Жизнь в розовом свете»!

Я это знала. И отчасти именно потому остановила выбор на ней. Пусть это даже обманет моего верного поклонника Мишеля, убежденного, что я пою ее для него...

Конечно, я волновалась. Даже немного больше, чем в первый раз. Мне непременно нужна была победа. Теперь я в точности следовала советам госпожи Кольер. Не давая себе пощады, каждый вечер работала над своим голосом; стоя перед зеркальным шкафом в комнате родителей, я старательно искала образ, в котором должна буду предстать перед публикой. Папа попросил тетю Ирен пойти со мной в магазин «Парижский ландыш» и выбрать там для меня платье. То был самый шикарный магазин в Авиньоне. Сам факт, что папа решил прибегнуть к своим небольшим сбережениям, доказывал, что он в меня верит. Мама не отходила от крошки Беатрисы, которой едва исполнился месяц, и тетя Ирен охотно согласилась выполнить поручение. Я сказала ей, что мне нужно самое простое черное платье.

— Такое, как у Пиаф? — спросила она. Я утвердительно кивнула головой.

Эдит Пиаф умерла всего восемь месяцев назад. Эта потеря потрясла всю Францию, и я впервые отдала себе отчет в том,

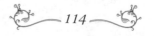

до какой степени могут любить в стране поистине популярную певицу. Дома у нас читали вслух газету, где много говорилось о ней. Вглядывались в фотографии, сделанные во время похорон. И горько оплакивали ее кончину, словно она была членом нашей семьи. Я была потрясена, поняв, что человек может стать близким миллионам людей. Я и помыслить не могла, что когда-либо отважусь ее заменить. Она оставалась единственной и неповторимой. Даже наш папа сказал:

— Эта утрата невосполнима...

И я была в этом убеждена. Когда при жизни Пиаф я пела ее песни, мне казалось, что я тем самым выражаю высочайшее преклонение перед ней. И теперь, когда ее не стало, я бы не простила себе, если бы прекратила их петь. Надо было отдавать дань ее памяти.

— В этом нет ничего зазорного... — сказала бабуля, подарив мне последнюю пластинку Пиаф.

У платья, купленного мне в секции траурной одежды, рукава были из муслина. Эдит Пиаф ни за что бы такого не надела, но более скромного платья не нашлось. Мне нужны были также и туфли, и я выбрала те, что были на самых высоких каблуках: хотела казаться повыше ростом.

— Туда нужно положить стельки, да потолще, не то туфли будут сваливаться у вас с ног, — заметила продавщица, едва скрывая неодобрение.

Тетя Ирен отвела меня также в парикмахерскую госпожи Видаль.

— Сохрани свою челку, она тебе очень идет.

А когда увидела мою короткую стрижку, только прикрывающую уши, она воскликнула:

— До чего ж ты мила! Вылитая Луиза Брукс!

— А кто она такая?

— Известная киноактриса, но ты ее на экране уже не видела.

Меня это не слишком заинтересовало. Ведь я думала тогда только о Пиаф, которую я всего дважды видела на экране.

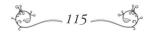

— Думаю, что на этот раз у тебя очень хорошие шансы! — сказал мне господин Коломб после полуфинала.

— Бог троицу любит! — подхватил господин Лонге.

Их уверенность окрылила меня. В финале я выступала, стоя на возвышении посреди великолепной площади Папского дворца. За ним виднелась Домская скала, которую я так любила в детстве. Погода стояла чудесная. Мистраль, как по волшебству, утих. На площади негде было яблоку упасть. И вдруг я ощутила необычайную тишину, меня слушали чуть ли не с благоговением.

> Когда меня он обнимает,
> Душа, как роза, расцветает!..

...И вдруг неожиданный взрыв, шквал аплодисментов, мне почудилось, будто я воспарила над землей... Никогда я еще не испытывала ничего подобного.

— Господи боже! Господи боже! Сделай так, чтобы это повторилось!

Я плакала. Папа плакал. Мама плакала. Бабуля плакала. Матита плакала. Плакала вся семья, кроме крошки Беатрисы: проплакав до этого целый день, она теперь безмятежно улыбалась! Решение было объявлено: на сей раз я выиграла «Турнир»! Вспышки магния, беготня фотографов... Беднягу Мишеля затолкали журналисты, мои подружки, жители нашего квартала. Футбольные навыки ему мало помогли: поднявшаяся сутолока походила, скорее, на регби!

Должна признаться: целый час, даже несколько часов подряд, я полагала, что мой жизненный путь окончательно определен. Разве я не победила на конкурсе? Разве моя фотография не появилась на первой полосе газеты «Провансаль» 29 июня 1964 года? Но жизнь взяла свое: наутро я уже катила на велосипеде по дороге, ведущей на фабрику.

— Хозяин наверняка поднесет тебе стаканчик... — напутствовал меня папа.

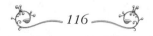

Хозяин и в самом деле поднес мне стаканчик, но дальше все сложилось совсем не так, как я ожидала. Он пожелал всяческих успехов «маленькой Мими»... а вслед за тем со взволнованным видом сообщил нам, что это был «прощальный» стаканчик. Он вынужден закрыть фабрику. Таким образом, уже давно ходившие слухи о его скором банкротстве оказались верными. Госпожа Жанна плакала. Ее муж, не скрывавший огорчения, стоял, не поднимая глаз. Мастер-эльзасец был мрачнее обычного. Смятение хозяина явно читалось на его лице. Такими мне запомнились те, с кем я работала на фабрике.

Париж, кто победит: я или ты?

— Так что ж мы теперь станем делать? — спросила Матита по пути домой.

— Теперь, когда я стала певицей... нечего беспокоиться! Я всегда заработаю на жизнь...

Увы, все оказалось не так просто. Господин Коломб мне это объяснил. Он верил, что я могу стать певицей, и отправил в Париж, в солидную фирму, выпускавшую пластинки, магнитную ленту, на которой были записаны песни моего еще скромного репертуара. Однако ожидать скорого ответа не приходилось, тем более что наступило уже время отпусков и каникул.

Каникулы... И вдруг меня точно осенило. Через несколько дней я сообщила Франсуазе новость:

— Чтобы заработать немного денег, я поступила на работу в летний лагерь «Стрекозы».

— Как это тебе удалось?

— Прежде всего, я сама у них не раз отдыхала, затем я самая старшая в многодетной семье, а ко всему еще у меня хорошие рекомендации! Вот здорово! Я буду учить детей пению!

В отличие от фабрики по изготовлению конвертов Касса семейных пособий располагала нужными средствами. Лучшее тому подтверждение: в том году открыли новый летний лагерь

в Рошфор-дю-Гар. Там-то я и встретилась со своими маленькими «извергами».

В то лето я еще не слишком подросла, и некоторые из моих подопечных были на голову выше меня ростом. За ними за всеми укоренилась репутация трудновоспитуемых. Но я хорошо понимала, почему они были такими. Они росли в неблагополучных семьях. Их беды были теми же, что и у обитателей «Чикаго»: нужда в деньгах, безработица, пьянство, жившие в разводе родители, нелады в семье — словом, все передряги, которые (кроме постоянной нехватки денег) обошли стороной нашу семью, где всегда царила любовь. У нас все имели равное право выражать свое мнение — и родители, и дети. Мне следовало придерживаться той же тактики, если я хотела завоевать доверие ребят и добиться, чтобы они были со мной откровенны. У Матиты все сложилось проще: она поступила воспитательницей в младшую группу детского сада. Мне же приходилось иметь дело с девочками и мальчиками 10—12 лет. Их называли грозой школы. Возможно, я бы с ними не справилась, если б меня не окружал некий ореол победительницы «Песенного турнира». Разумеется, они не желали соблюдать «тихий час», утверждая, что это годится только для малышей. Мы посвящали это время пению. Я разучивала с ними «каноны».

У меня было 30 воспитанников. Из них можно было составить недурной хор. Лед был сломан, установились добрые отношения. Мне даже доводилось выслушивать их откровенные, порой драматические рассказы: то грубиян отец измывался над женой; то мать, бросив детей, уезжала с другим человеком; то в семье кто-то тяжело болел и даже умирал... А иные с отчаянием признавались, что не понимают, для чего стоит жить. У меня было немногим больше житейского опыта, чем у них. Но я могла, по крайней мере, убедить их в том, что счастье существует. А пока я учила их петь...

Много лет спустя, выступая в Мексике на телевидении, я встретилась там с француженкой-гримершей; ее звали Мари-Жозе.

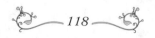

Продюсер Джонни Старк разглядел в девятнадцатилетней Мирей Матье огромный талант

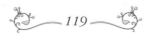

Она спросила меня:

— Вы меня не помните? Я отдыхала в летнем лагере «Стрекозы»...

Это была одна из моих прежних воспитанниц. Она приехала к своему

дяде, который обосновался в Мексике и сделал там карьеру. Всякий раз, когда я опять оказываюсь в Мексике и снова попадаю на телевидение, то без страха отдаю себя в ее руки: она превосходная гримерша.

Разумеется, в начале своей карьеры я гримировалась сама. Я испытываю истинное удовольствие, «работая» над своим лицом. Говорят, что монахов узнают по клобукам; поначалу мне казалось, что артистов узнают по гриму. С тех пор я свое мнение изменила. Видимо, моя приверженность к гриму в юности была своеобразным ребяческим протестом против запрета отца, упорно не позволявшего нам красить губы и румяниться. Теперь он молчал, понимая, что я гримируюсь «для сцены». Его неосуществленная мечта стать певцом воплощалась во мне.

Осень 1964 года тянулась для меня как долгая зима. Господин Коломб предложил мне принять участие в нескольких гала-концертах в различных местах. Папа не возражал.

— Это поможет тебе быть в голосе. Нельзя допускать, чтобы он слабел!

При одной мысли, что мой голос может зазвучать хуже, меня охватывал ужас. Папа объяснил мне, что над голосом надо постоянно работать, его надо беречь и лелеять. И я твердо решила делать все, чтобы мой голос ничуть не ухудшился.

Перед моим выступлением на «Турнире» тетя Ирен дала мне свои румяна и тени для глаз. Теперь для «моих» гала-концертов я уже сама покупала себе косметику в магазине «Дам де Франс». Тут у меня просто разбегались глаза. Я колебалась, что выбрать: ярко-красные или бледно-розовые румяна, голубые или ультрамариновые тени; я без конца прибегала к советам полной белокурой продавщицы, которая вполне могла слу-

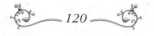

жить витриной магазина: лицо ее было раскрашено во все цвета радуги. Она была яростной поклонницей «Песенного турнира», и потому я стала ее излюбленной клиенткой: она даже обращалась ко мне на «ты». Теперь, когда я возвращалась домой с целым набором косметики, папа не делал мне ни малейшего замечания: никто в семье не сомневался в успехе моей удачно начавшейся карьеры.

Однако на втором этаже мэрии, куда я чуть ли не каждый день наведывалась за новостями, начинали уже беспокоиться. Господин Коломб звонил по телефону Роже Ланзаку, стремясь добиться моего участия в «Теле-Диманш»[1] — это была самая популярная передача, в которой участвовали самодеятельные певцы со всех концов Франции.

— Эта девочка, Мирей Матье, одержала блестящую победу на нашем городском конкурсе; она вполне могла бы достойно выступить и в общенациональном конкурсе.

— А он что говорит?

— Говорит, что им деваться некуда от желающих принять участие в конкурсе. Так что раньше 1966 года попасть туда нет никакой надежды.

Когда же господин Коломб вторично позвонил Роже Ланзаку, тот вышел из себя:

— Я же вам сказал — до 66-го года ничего не получится!

Ждать еще почти два года... Да это же целая вечность! Безрадостная пустая жизнь, унылая, как высохшее русло реки. А ко всему еще рассеялись и последние смутные надежды, когда пришел ответ из фирмы, выпускавшей пластинки, куда мы тоже обращались. К сожалению, ответ был отрицательный.

— А что они пишут, господин Коломб?

— Им, видишь ли, нужно нечто незаурядное.

Стало быть, по их мнению, я заурядная? От этой мысли у меня долго щемило сердце.

---

[1] «Воскресная телепередача» (фр.).

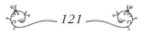

— Побольше терпения, милая моя Мими, — уговаривал меня господин Коломб. — А пока ты будешь петь в парке, где устраивают выставки.

Я извлекла на свет божий свое черное платье и туфли на высоких каблуках. Косметику я приносила на концерты в школьном портфеле. Госпожа Кольер раскладывала ноты и усаживалась за пианино. На концерты ходила главным образом молодежь. В первом ряду устраивалось семейство Матье в полном составе, сплоченное, как болельщики любимой футбольной команды. Неизменно присутствовал и мой болельщик Мишель.

— Никак он не отстанет! — сердилась Матита. — Он тебе нравится?

— Он довольно мил.

У Мишеля был громкий голос. Он всегда первый кричал: «Браво, Ми-рей!», заражал своим восторгом публику, которая в большинстве своем увлекалась поп-музыкой.

— Что оно представляет собой, это йе-йе? — возмущался отец. — Всего лишь дань моде. Всякая мода проходит. А ты, ты поешь песни не-пре-хо-дя-щи-е!

Однажды за кулисы пришла очень высокая девушка, звали ее Морисетта. Я не видала ее после окончания школы, где она была капитаном нашей баскетбольной команды.

— Морисетта, милая! Кажется, ты еще подросла!

— Дело не в том, Мими!.. Ведь теперь-то мяч в корзинку забросила ты!

Баскетбольная корзинка... Сколько я о ней в свое время мечтала! Я приходила в отчаяние от того, что так мала ростом, и от того, что постоянно слышала одни и те же слова: «Как она медленно растет, ваша девочка! Она у вас ничем не больна?» — «Да нет же, какие глупости, — сердилась мама. — Поглядите на меня, мы с ней из одного теста!» — «Ну, нет! Вы гораздо выше, госпожа Матье!» — «Но я уже перестала расти, а она еще нет!» Не раз Морисетта меня утешала: «Знаешь, ведь это даже хорошо быть маленького роста! Когда нас в школе фотографируют, ты всегда в первом ряду! А во время игры в баскетбол тебе ни-

чего не стоит проскользнуть вперед, схватить мяч, перекинуть его мне, а уж я заброшу его в корзинку!»

Этот прием действовал безотказно. И я даже примирилась с тем, что мала ростом. Папа, наслушавшись в тот вечер неумеренных восторгов Морисетты, не уставал повторять:

— Это про мою дочку сказано: мал золотник, да дорог!

Как могла я сомневаться в своем будущем, когда все вокруг верили в меня?!

Господин Коломб вручил мне 200 франков, и Матита, округлив от изумления глаза, воскликнула:

— Представляешь! Двести франков за четыре песни! Столько же, сколько ты зарабатывала на фабрике за две недели!

— Да, это верно.

— Тогда почему у тебя такой озабоченный вид?

— Но если я буду давать всего два концерта... я заработаю за год меньше, чем получала в месяц, делая конверты!

К счастью, господин Коломб уже через две недели пригласил меня участвовать еще в одном гала-концерте. И, как всегда, в первом ряду сидели мои верные слушатели — вся семья Матье, а позади, стараясь казаться незаметным, пристроился Мишель.

Я по-прежнему не хотела, чтобы он приходил ко мне за кулисы. Чем это объяснить? Там было очень тесно, всюду стояли и лежали инструменты, взад и вперед сновали люди. Я из-за своего небольшого роста не привлекала к себе внимания, была, как говорится, застегнута на все пуговицы, тщательно причесана и загримирована — так мне, по крайней мере, казалось — и готовилась выйти на сцену с неподвижным, как у манекена, лицом, пытаясь скрыть владевшие мною волнение и страх. Для того чтобы их победить — я чувствовала, я знала это, — мне нельзя было даже оглянуться, нужно было оставаться предельно собранной, не позволяя себе ни на миг расслабиться. Приход Мишеля, желавшего меня подбодрить, быть может, даже дружески обнять, напротив, лишил бы меня присутствия духа, твердости, неуязвимости. Но как ему все это объяснить, не по-

казавшись капризной гордячкой? Поэтому я просто сказала, что за кулисы он приходить не должен. После концерта меня тесным кольцом окружали и всецело завладевали мною члены семьи, так что бедняге Мишелю оставалось только издали выражать бурной жестикуляцией свой восторг. Должна признаться, что я различала его голос, когда он — правда, вместе не с сотнями, а всего лишь с двумя десятками приятелей — громко кричал: «Браво, Мими!»

Однажды в конце февраля я, как обычно, поднялась на второй этаж мэрии и узнала там потрясающую новость.

— Мими! Полный порядок, все удалось! Ты едешь в Париж! Примешь участие в «Теле-Диманш»! В рубрике «Игра фортуны»!

— Когда это будет?

— Тебя решили прослушать на предварительном отборе самодеятельных певцов 18 марта. Так что выедешь поездом 16 марта.

Легко сказать, поездом! Я еще ни разу в жизни не ездила по железной дороге. В летние лагеря на каникулах нас отвозили автобусами. Господин Коломб объяснил мне, что билет купит мэрия.

— А как с билетом для тети Ирен (мама нянчила Беатрису, которой было всего десять месяцев)?

— На второй билет у нас нет денег, но кто-нибудь из авиньонцев наверняка поедет в столицу тем же поездом, что и ты.

И действительно, моим спутником оказался отставной полковник: он отправлялся на съезд кавалеров ордена Почетного Легиона. Все в нем было на редкость «респектабельно»: седые усы, заметное брюшко, трость и, разумеется, орденская ленточка. Кстати сказать, он входил в состав нашего комитета по проведению празднеств.

— В поезде не разговаривай ни с кем, кроме полковника Крюзеля... и то, если он сам с тобой заговорит! — наставляла меня мама.

— Для того чтобы не заблудиться, возьмешь такси, прямо на Лионском вокзале! — посоветовал отец.

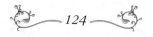

— Не потеряй пятьсот франков, которые дал тебе господин Коломб, — шепнула Матита. — Ты их надежно упрятала под лифчик?

— Позвонишь нам от Магали, как только доберешься до нее.

Магали Вио, молодая женщина из Куртезона, расположенного вблизи Авиньона, работала в Париже в рекламном агентстве. Ее мать была пианистка, и мама заранее предупредила ее о моем приезде; Магали обещала меня приютить в своей двухкомнатной квартире. У меня было с собой немного вещей: черное платье, набор косметики, ноты четырех песен и туфли на высоких каблуках. Увидев меня на вокзале с большим чемоданом — в нашем семействе пользовались им при переезде на другую квартиру, — полковник спросил: «Вы едете надолго?» — «Я и сама не знаю».

Ведь я ехала петь, и, как знать, быть может, со мной подпишут контракт. На перроне — поезд отходил в 13 часов 13 минут, что показалось мне счастливым предзнаменованием, — мама, Матита, Кристиана и все остальные плакали так горько, словно не надеялись меня никогда больше увидеть. Полковник поднял мой чемодан, чтобы положить его в сетку для багажа, и воскликнул:

— Господи, до чего же он легкий! У вас там внутри не густо!

— Если мне что понадобится, я куплю в Париже!

Я еще не думала, что мое имя будет венчать афишу, как выражается Азнавур, но мне уже казалось, что моя жизнь «развернется, как прекрасный веер». Папа поднялся в вагон и крепко, очень крепко обнял меня.

— Ты им там покажи в Париже, как поют у нас в Авиньоне!

— Господин Матье, вам придется приобрести для себя билет! — пошутил полковник.

Отец вихрем выскочил из вагона, и тут я увидела на перроне Мишеля. Он не решился подойти к нам... но пришел проводить меня вместе с Морисеттой и моими подружками с фабрики вместе со своими мамашами. Были тут Франсуаза Видаль и ее мать, которая меня так хорошо причесывала. Пришли даже

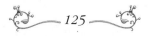

приятели моих братьев. Из рук в руки передавали букет цветов, который, в конце концов, просунули мне в окно вагона.

У поезда оказался и репортер, освещавший наш «Турнир». «Ну как, сильно волнуетесь?» — спросил он. Поезд уже трогался, и я только успела ему крикнуть: «Честное слово, нет!»

Это была сущая правда. Будь у меня даже время, я бы ничего больше сказать не могла! В мечтах я уносилась навстречу великому счастью, мерный стук колес меня убаюкивал, а мелькавший за окном пейзаж приводил в восторг... Малыши, которые с детства ездят в поезде, так привыкают к этому, что, выросши, не испытывают ничего похожего на опьянение, овладевшее мной.

Итак, впервые в жизни я была одна, была свободна. Мне еще даже не исполнилось 19 лет.

Конечная станция... Париж. Полковник сказал мне: «До свидания, крошка Матье, и всяческой удачи!» — и тут же исчез, окруженный однополчанами. Я осталась одна, предоставленная самой себе, и присоединилась к очереди ожидавших такси на площади Лионского вокзала, который показался мне таким же огромным, как Папский дворец. Я не решалась оглядываться по сторонам, боясь привлечь к себе внимание. С непринужденным видом знатока я назвала таксисту адрес: «Улица Абукир» и с удивлением услышала в ответ: «А вы ведь нездешняя!»

Папа настойчиво советовал мне не разговаривать с незнакомыми людьми, но к шоферу такси это не могло относиться, и я спросила: «Как вы об этом догадались?» — «Это немудрено — по акценту!» — «Вы тоже говорите с акцентом!» — «Я? Ничего подобного! Я родился в Париже!»

Я не стала с ним спорить, вспомнив, что папа не велел мне ни с кем вступать в разговоры. Но меня не покидала мысль о том, что парижане — люди не слишком приветливые. И от этого мне стало не по себе. Я старалась не показывать виду, как меня удивляет все, что открывалось моим глазам. Вдоль берегов Сены было полным-полно букинистов. Там, где у нас торговали бы дынями, парижане продавали книги! Стало быть, они

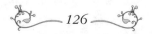

Ведущий популярной телепередачи «Теле-Диманш» Роже Ланзак
представляет Мирей Матье 21 ноября 1965 г.

много читают и очень образованные? Хорошо же я буду выглядеть среди них со своим убогим школьным аттестатом! Мне стало совсем тоскливо, когда мы приехали на улицу Абукир. Сама не знаю, почему я ожидала, что увижу широкий проспект. На самом же деле я очутилась на узкой улице перед громадным зданием; шофер пояснил: «Здесь помещается большая газета... — и взял мой чемодан. — В нем, видать, не слишком много вещей! Зачем вам понадобился такой сундук?» — «Именно для того... чтобы набить его доверху!»

Не знаю, что на меня нашло, но за словом я в карман не полезла.

Коридор, тянувшийся от входа, показался мне мрачным. Я поднялась на четвертый этаж. Признаюсь, я немного трусила... К счастью, у Магали, которую я никогда не видала, оказалось очень славное лицо. Ей было 23 года, но мне почудилось, что разница в возрасте между нами гораздо больше. У нее уже была своя жизнь, своя работа и друзья, была у нее и собственная квартира, любимые книги и шкафы со всякой всячиной. А главное, она понимала, как надо жить в Париже, была для этого достаточно вооружена! А у меня — всего лишь голос и громоздкий чемодан, в котором сиротливо лежали платье, бюстгальтер, трусики да зубная щетка.

Следующий день был воскресным, и я, естественно, захотела пойти послушать мессу. Ближайшая церковь, Нотр-Дам-де-Виктуар, находилась сразу за перекрестком, там начиналась улочка, служившая продолжением улицы Абукир; ее название — улица Май — напомнило мне о Юге, она упиралась в небольшую площадь, которых так много в провинции; почти всю эту площадь занимала большая церковь, а прямо напротив прилепилась булочная-кондитерская, куда, совсем как у нас в Авиньоне, можно было зайти после мессы за сдобной булочкой.

Внутри храма я так и застыла, разинув рот. Слева от нефа тянулась небольшая галерея, увешанная дарами прихожан. Я никогда не видела такого количества приношений... можно

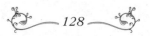

было подумать, что у парижан еще больше трудностей, чем у нас! Сколько благодарственных надписей за исцеление, за услышанную мольбу и просто слов признательности, обращенных к Деве Марии! Неподалеку от алтаря я увидела статую моей любимицы — святой Риты. У меня были при себе деньги для того, чтобы доехать на такси до концертного зала... но я рискнула выкроить небольшую сумму, чтобы приобрести восковую свечу. Я с волнением зажгла ее. Ничего не поделаешь: придется отказаться от парижской сдобной булочки.

В нашем доме мы так привыкли смотреть «Теле-Диманш», что ее ведущий Роже Ланзак стал казаться нам членом семьи. Иногда мы говорили: «Смотри-ка, у него усталый вид...» В другой раз, напротив, радовались: «Ну, сегодня он выглядит просто великолепно!» Мы замечали все: мешки у него под глазами, то, как звучит его голос, хорошо ли сидит костюм, какой на нем галстук... А потому я без тени боязни подошла к нему и совершенно естественным тоном сказала:

— Добрый день, господин Ланзак! — Я — Мирей Матье из Авиньона.

А он мне в ответ:

— Да у вас, оказывается, заметный акцент!

Я это и сама хорошо знаю, но, когда мне об этом говорят, у меня сразу портится настроение и волной накатывает робость. Красивая белокурая дама приветливо попросила у меня ноты...

— Опять Пиаф! — выразительно произносит пианист.

Белокурая дама подводит меня к микрофону. В зале публики нет, и потому обе мои песни — «Жизнь в розовом свете» и «Гимн любви» — гулко падают в пугающую меня тишину. Неизвестно откуда доносится голос:

— Спасибо, мадемуазель. Вам напишут.

Я обескуражена. Пианист возвращает мне ноты. И тут я решаюсь спросить у белокурой дамы: «Но... куда мне напишут?» — «Куда? Конечно, в Авиньон. Ведь вы по-прежнему там живете?» — «А когда это будет?»

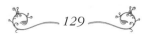

Дама в ответ только пожимает плечами. Ведь в отборе принимают участие так много желающих... Все уже заполнено до 1966 года...

Я им не понравилась. Совершенно очевидно, что я им не понравилась. В противном случае они предложили бы мне остаться. Магали старается меня утешить. Раз уж господин Коломб дал мне 500 франков, она предлагает походить по магазинам. На сей раз — никакого такси. Мы спускаемся в метро. У тех, кто им пользуется, вид, право, невеселый! Их легко понять: воздух там застоявшийся, затхлый, стены серые, а людей — как муравьев в муравейнике!.. Мы проходим по нижним этажам магазинов «Прэнтан» и «Галери Лафайет». Они, пожалуй, величиной побольше Папского дворца! Но ничто не радует мой взгляд, потому что я толком ни на что не смотрю. Магали пытается уговорить меня купить серый свитер.

— Он хорошо сидит на тебе и очень подходит к твоему черному платью...

— У меня такое чувство, что я никогда больше не надену это платье.

— Ладно, перестань, — обрывает меня Магали. — Бьюсь об заклад, что в скором времени ты опять появишься на улице Абукир!

Я ведь приехала поездом, отправлявшимся в 13 часов 13 минут, и свечу святой Рите поставила... Почему же все так плохо сложилось? При возвращении в Авиньон чемодан казался мне гораздо тяжелее, чем при отъезде, быть может, оттого, что на сердце было так тяжело.

Папа встретил меня как героиню. Мама пришла в восторг от красочной открытки с изображением Эйфелевой башни. Я выбрала такой недорогой подарок потому, что только он и был мне по карману. Врученные мне господином Коломбом 500 франков я вернула полностью, сказав при этом:

— Ничего не вышло. По-моему, в Париже я не пришлась им по вкусу...

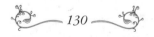

Я все еще была под впечатлением провала. Господин Коломб — человек проницательный, и от него не ускользнуло, что я едва удерживаюсь от слез.

— Послушай, Мирей... Они там, в Париже, все малость тронутые! Сами не знают, на каком они свете. Но в один прекрасный день они спохватятся... и тогда ты снова отправишься к Магали. А до тех пор сохрани эти пятьсот франков и побереги свой голос: он тебе понадобится для гала-концертов. И продолжай брать уроки — лето не за горами.

Жизнь у нас дома шла своим чередом. Чтобы не огорчать меня, никто не заговаривал о Париже. А я сама — тем более. Лишь однажды сказала Франсуазе: «Никто разыскивать меня тут не станет!»

Бывшая моя одноклассница Лина Мариани, встретив меня на улице, нашла, что я сама на себя не похожа: «Помнишь, какая ты была веселая!.. Стоило тебе только рассмеяться — и мы все уже хохотали!»

Именно этот заразительный смех сдружил в свое время дочь предпринимателя и дочку скромного каменотеса. Желая поднять мое настроение, она стала уговаривать меня поразвлечься... Но взгляды отца не изменились — он не считал, что восемнадцатилетняя девочка, побывав один раз в столице, вправе менять свой образ жизни. Старшая дочь должна служить примером для других, а потому — никаких танцев, никаких поздних отлучек. Тем более что в доме всегда найдутся дела: трехлетний Филипп носится повсюду, как угорелый; близнецы, которым исполнилось уже 13 лет, постоянно придумывают дурацкие шутки и затевают немыслимую возню; самый спокойный из всех — Реми, но ему надо помогать готовить уроки; шестилетняя Софи — сущий бесенок: кто придумал обмакнуть хвост собаки в папину банку с краской и действовать им как кистью?!

Нет, в моей жизни ничего не изменилось... И по-прежнему постоянно дул мистраль. Однажды, когда я ехала на велосипеде, мистраль налетел с такой силой, что я опрокинулась и оказа-

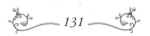

лась поверх кучи цветной капусты. Странно, почему все эти кочаны были собраны в кучу прямо посреди поля, им ведь тут не место! В нескольких шагах стоял крестьянский дом, я рискнула и постучала в дверь: «Простите, мадам, почему здесь свалена цветная капуста?» «Она уже подпорчена. Потому ее и выбросили». — «А могу я ее унести, мадам? Она у нас пойдет в дело!»

Поднимаю на ноги сестер. Мы приходим сюда с мешками. И уносим с поля всю эту цветную капусту. Дома мы ее тщательно перебираем и очищаем, ее хватило на то, чтобы приготовить три различных блюда для всей семьи. Мама была очень довольна, потому что, ведя домашнее хозяйство, она постоянно сталкивалась с трудностями. Небрежное отношение к еде она считала преступлением. Садясь за стол, мы не возносили молитву, как это принято в особо благочестивых семьях, но хлеб мы осеняли крестом, и мама часто повторяла: «Благодарите Бога за то, что он посылает вам хлеб насущный, в то время как столько людей на свете голодает». Никогда в жизни я не забуду этот случай с цветной капустой...

А господин Коломб со своей стороны не забыл о маленькой Мирей. Когда было объявлено, что в июле в помещении передвижного цирка состоится под эгидой Комитета по празднествам гала-концерт с участием Энрико Масиаса, господин Коломб обратился к устроителю концерта с просьбой дать возможность выступить в первом отделении любимице города, которая одержала победу на конкурсе «В моем квартале поют». Согласие было получено без особого труда. Я вновь надела свое черное платье и туфли на высоком каблуке, с привычным уже удовольствием тщательно наложила тонкий слой грима на лицо: оно ведь теперь принадлежало не только мне, но и публике! Райские врата моей мечты, которые было приоткрылись передо мной и тут же захлопнулись, теперь внезапно вновь отворились... Моя прерванная карьера продолжалась. Я была вне себя от радости. Слух об этом концерте распространился не только в нашем квартале, но и за его пределами.

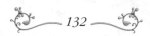

— Мими? Она будет петь вместе с Энрико Масиасом... — сообщала мама не без гордости.

Можно, конечно, сказать «вместе с ним», но вернее было бы сказать — «раньше его». А если уж совсем точно — «гораздо раньше», так что я даже не слишком надеялась увидеть Энрико! Я выступаю в самом начале концерта. Разумеется, знакомые авиньонцы и все семейство Матье провожают меня аплодисментами. Возвращаюсь за кулисы, которые кажутся мне самым чудесным местом на свете, — всюду кабели, пыль, всеобщее возбуждение, возгласы: «Черт побери! Дайте свет! Какого дьявола!..» И надо всем царит яркий свет прожекторов, доносятся дежурные любезности, которыми обмениваются актеры и актрисы: «Как дела, дорогуша?» или «Милый, ты сегодня неподражаем!..» Начинается антракт. Я по-прежнему в оцепенении. Устроитель концерта встречает появляющегося из зала высокого человека и горячо благодарит его за приезд, тот говорит, что не видит в этом ничего особенного: обещал, вот и приехал... Он пришел приветствовать артистов. И тут ему на глаза попадаюсь я. Два шага, и он уже рядом со мной: «Так вы и есть поющая девочка из Авиньона?.. Ну что ж, голос у вас неплохой, но вам нужно над ним много работать». — «Я это знаю, мсье». — «И вы действительно мечтаете стать певицей?» — «Это мечта всей моей жизни!»

Он с улыбкой смотрит на меня, а мне приходится высоко задрать голову, чтобы встретиться со взглядом его синих глаз.

— Отлично... Меня зовут Джонни Старк. Ждите письма.

Ну, эта песня мне уже знакома! Но ему я почему-то верю. Я так потрясена, что забываю даже поглядеть на Энрико Масиаса. Возвратившись домой, я пересказываю разговор отцу.

— Как ты сказала его зовут? Джонни Старк?

— Да, именно так.

— Должно быть, он американец.

— Наверняка, он и похож на американца.

— И он сказал, что тебе напишет? Остается терпеливо ждать.

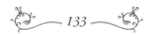

Каждый день я подстерегаю почтальона, ожидая письма из Нью-Йорка, но оно все не приходит. Нет письма и от «Теле-Диманш». Путеводная нить, что вела в царство моих грез, вновь оборвалась. И действительность предстает передо мной во всей своей неприглядности: заболевает дедушка. Очень тяжело. Его разбил паралич. Он обречен на неподвижность и лишился речи. Вот что он успел сказать мне напоследок: «Когда ты будешь выступать на телевидении, я куплю тебе новое платье!» Теперь он походит на тех святых, которых прежде высекал из камня. Но только их лица выражали блаженство, а у него — лицо мученика. <...>

Первые триумфальные успехи Мирей разделяла вся ее семья.
После выступления в Париже

Я покоряю мир

От Темзы до Рейна

Начало 1967 года было озарено для меня общением с Морисом Шевалье. Слова эти могут показаться несколько странными, ибо речь идет о человеке преклонных лет, о котором в наших краях сказали бы: «Он уже ближе к полуночи, чем к полудню». Когда я приехала на его виллу, он просто сиял, потому что Пьер Деланоэ (он пишет тексты песен для Беко и Юга Офрея) принес ему песню, которая привела Мориса в восторг.

— Я приберегу ее к моему восьмидесятилетию, оно будет отмечаться 12 сентября будущего года. В конце своего сольного концерта в театре на Елисейских полях, когда публика будет думать, что я уже все сказал, я вновь появлюсь на сцене, поклонюсь зрителям и запою:

> Когда я проживу сто лет, сто лет, сто лет
> И призовет меня Господь держать ответ,
> Скажу я: «Подожди! О подожди!
> Ведь я влюблен — и счастье впереди!»

Какая превосходная мысль! Я буду иметь бешеный успех! А кстати, знаете, что произошло, милая Мирей? Меня приглашают выступать в июле с песенной программой на Всемирной выставке в Монреале. В огромном зале, рассчитанном на двадцать пять тысяч зрителей, будут показывать двадцать дней подряд грандиозный спектакль со множеством сногсшибательных номеров; и внезапно во время этого необычайного пред-

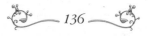

ставления я появлюсь на сцене в лучах прожекторов, а за роялем будет сидеть мой постоянный аккомпаниатор Фред, которому почти столько же лет, сколько мне! И я подумал: «Все идет на лад, Морис, тебя еще не считают маразматиком! Держи и впредь хвост трубой!»

Я обожаю Мориса Шевалье («Зовите меня просто Морис, — сказал он мне, — иначе я буду чувствовать себя восьмидесятилетним стариком!»). Я чувствую, что он искренне хочет мне помочь. Он подходит к платяному шкафу, роется в нем и достает костюм бродяги, в котором снимался в фильме «Мое яблоко» 17 лет тому назад; костюм этот поможет мне войти в роль, когда я буду исполнять его песню в программе «Искры из глаз», которую готовит Жан Ноэн.

— Главное, не следует выходить на сцену одетым как настоящий бродяжка! Это произведет унылое впечатление. Нужна, скорее, пародия: заплаты на брюках, шнурок вместо галстука, спадающие с ног башмаки... И, самое важное — не злоупотребляйте гримом!

— Ах, господин Шевалье! Если бы вы могли напоминать ей об этом каждый день, — говорит Джонни. — Пристрастие к косметике — это ее мания!

— Обещаю вам, господин Шевалье.

— А она, видать, упрямица?

Начинаем репетировать. Морис находит, что я добилась немалого успеха по сравнению с моим выступлением в Нью-Йорке. Мой дуэт с Дэнни Кэем показывали в «Теле-Диманш», и Морис смотрел ее. Он считает, что я гораздо удачнее исполнила семь песен в прямой передаче из Парижа. Джонни объясняет ему, в чем дело, подробно рассказывая о моем сумасбродном поведении в китайской кухне.

— Ах, Мими, Мими! Да послужит это для вас хорошим уроком! У нас ведь ужасная профессия: мы не вправе нарушать режим. Разве вы не заметили, как поступает Дэнни. Он, можно сказать, совсем не ест и только делает вид, что пьет!

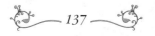

Поскольку Морис будет в Иоганнесбурге в день, когда покажут представление «Искры из глаз», нас с ним объединят. Потому-то он и заставляет меня столько репетировать. Снова, снова и снова. Затем он спрашивает, нравится ли мне участвовать в такой программе.

— Это моя мечта! Я обожаю наряжаться! Менять свой облик! Сперва разыгрывать скетч с Роже Пьером, а затем вальсировать с Шазо! Какое чудо танцевать вальс Штрауса в балетной юбке и бархатном корсаже! И это после исполнения роли бродяжки. Я бы танцевала и танцевала до упаду, ведь это так весело!.. Как бы это вам лучше объяснить: в жизни я очень застенчива, но когда выхожу на сцену, мне все доступно! Вы меня понимаете, господин Шевалье?

— Прекрасно понимаю. Это доказывает, что вы прирожденная актриса. И я подтверждаю то, что уже говорил прежде: вы по натуре комик!

Это я-то комик!.. Ведь я плачу по любому поводу и без всякого повода, даже любуясь красивым закатом. Потому что мне хочется, чтобы он длился дольше.

Джонни верен себе: он включает в представление «Искры из глаз» мою песню «Внезапно сердце запоет», которую я должна исполнять по-английски. Это вызывает у меня тревогу. Лина Рено — она тоже принимает участие в этой передаче — сжалилась надо мной, и мы вместе старательно репетируем фразу за фразой.

— Наши песни приносят больше пользы Франции, чем речи политических деятелей! Всегда помни об этом, Мими. И ты будешь черпать в этом поддержку. Продолжим:

All of a sudden my heart sings
When I remember little things...»[1]

---

[1] Внезапно сердце запоет,
   Едва тот миг в уме всплывет... *(англ.).*

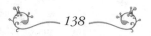

Песни, как и книги, имеют порой свою судьбу. Эта песня была написана Жамбланом. Затем, после войны, Шарль Трене сочинил для нее новые слова. Их-то и перевели на английский язык, на котором я надеюсь с успехом исполнить песню «Внезапно сердце запоет».

Представление «Искры из глаз» обслуживают те же рабочие сцены, что обслуживали «Теле-Диманш». Они очень хорошо ко мне относятся, словно я их амулет. После концерта они подносят мне шампанское. Все вокруг довольны: мой дуэт с Морисом Шевалье имел успех. Жан Ноэн был просто растроган. Пьют за здоровье каждого из участников. Я знаю, что тетя Ирен и Джонни не спускают с меня глаз. А в ушах все еще звучат слова Мориса: «Мы не вправе нарушать режим». И я, широко улыбаясь и желая всем доброго здоровья, только делаю вид, будто пью, а это гораздо лучше, чем пить, теряя достойный вид!

До сих пор Джонни вел мои дела, не делясь со мной своими планами. Но после «кризиса» в Лос-Анджелесе он заметно сблизился с тетей Ирен и теперь обсуждает с ней все, что связано с намеченными контрактами и другими проблемами. Он настаивает, чтобы и я присутствовала при этом:

— Речь идет о твоей карьере, Мими. Надо, чтобы ты была в курсе дела!

— Да, но я... мне скучны все эти разговоры о деньгах.

— Однако тратить их тебе не скучно.

— Ну, когда они есть...

— Если ты и впредь будешь так рассуждать, то в один прекрасный день у тебя их совсем не станет. Ты должна знать, Мими, сколько мы вкладываем денег, зачем и во что мы их вкладываем, в какую сумму, к примеру, обошлись нам поездки в Америку... В этом месяце мы отправимся в Лондон...

И он подробно нам все объясняет, говоря, что если я, как он надеется, успешно выступлю там в телевизионных шоу, это поможет мне потом выступить и в Америке, потому что все эти передачи транслируются за океан.

Он исподволь подготавливает эту поездку уже с сентября, когда повидался с одним из своих друзей Лесли Грейдом, который ведает в Англии каналом «Независимое телевидение»; Лесли — брат лорда Бернарда Делфонда, широко известного продюсера, отвечающего за программу «Royal Performance»[1]. Лесли, у которого своя вилла в Сент-Максиме, часто проводит дни отдыха во Франции, и потому видел почти все мои выступления по телевидению. Он находит, что у меня wonderful[2] голос, и хочет, чтобы во время моего первого посещения Лондона я приняла участие в передаче «Sunday Night at the Palladium[3].

Это очень популярная передача. Она ведется из театра, который вполне можно сравнить с нашей «Олимпией». Английский закон запрещает играть спектакли по воскресеньям, британское телевидение не преминуло этим воспользоваться, и публика, которой в воскресные дни недоступны иные развлечения, естественно, проводит время у телевизора. Другими словами, смотрит программу «Sunday Night...».

— Ставка тебе теперь известна. Остается хорошо сыграть свою роль!

Лондон. Мне безумно хочется взобраться на империал красного автобуса, прокатиться на катере по Темзе, полюбоваться вблизи на гвардейцев в меховых шапках, поглядеть на громадный колокол, погулять в парке, рассмотреть фотографии артистов у входа в театры на Пиккадилли... Но в субботу всюду очереди. А вот и уличные музыканты... Какие у них необычные наряды! На костюме столько перламутровых пуговиц, что они образуют причудливый узор. Дядя Джо объясняет мне, что кокни, обитатели бедных кварталов Лондона, решили подобным способом бросить вызов унылой буржуазной моде конца прошлого века. А мюзик-холл взял эту причуду на вооружение. Я бы с удовольствием спела какую-нибудь песню в подобном наряде!

---

[1] «Королевское представление» *(англ.).*
[2] Чудесный *(англ.).*
[3] «Воскресный вечер в «Палладиуме» *(англ.).*

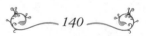

— Ты действительно обожаешь побрякушки! — неодобрительно замечает Джонни.

Приходится признать, что мне и в самом деле нравятся блестки, перья на шляпе и, как теперь выяснилось, перламутровые пуговицы! Сама понимаю... не станешь же петь в платье с такими пуговицами «Мой символ веры». Но ведь можно приобрести их хотя бы как сувенир? Но на это нет времени! Мы ведь не развлекаться сюда приехали. Если я удачно выступлю по телевидению, мы еще попадем в Англию... Но пока что мы попали в транспортную пробку. Со всех сторон нас окружают неповоротливые такси на высоких колесах, они медленно ползут, как громадные черные жуки; дядя Джо с раздражением похлопывает по стеклу своих ручных часов, указывая на стрелки водителю нашего лимузина. Невозмутимый британец что-то бормочет.

— Что он сказал?

— Насколько я понимаю, он мне советует, если я так тороплюсь, пуститься в путь на своих двоих... и не упустил при этом случая обозвать нас лягушатниками. Здесь любят так именовать французов.

Я всегда принимаю слова Джонни за чистую монету. Заглядываю в свой франко-английский разговорник: нахожу там перевод слова «лягушка», а заодно и слова «застенчивая». И первому журналисту, которого я встречаю за кулисами театра «Палладиум», выпаливаю с извинительной улыбкой:

— I am a shy frog[1].

И неожиданно обнаруживаю, что англичанин способен заглушить своим смехом хор дюжины лягушек.

— Что он мне сказал?

— Что ты по натуре комик!

Я уже где-то слыхала эти слова...

Существуют театры, которые мне нравятся, едва я переступаю их порог. Особенно старинные театры. Им свойствен особый дух. Таков и «Палладиум», чей фасад достоин оперного те-

---

[1] Я застенчивая лягушка *(англ.)*.

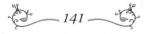

атра, с его колоннами и балконами. Зрительный зал тоже достойный. Королевская ложа... и 2 300 мест. Здесь и проводится «Royal Performance», знаменитый гала-концерт в пользу ветеранов сцены. На нем присутствует королевская семья. Знаю, Джонни мечтает, чтобы я выступила в одном из таких концертов. Это и в самом деле большая честь для артиста, ибо никто не смеет навязать ту или иную программу королеве... В прошлом году ее звездами были Сэмми Дэвис-младший и Джерри Льюис... выступали Жюльетт Греко и Жильбер Беко; английскую песню представлял Томми Стил, который благодаря своим шоу уже десять лет является звездой.

> All of a sudden ту heart sings
> When J remember little things
> The wind and air up on your face...[1]

— Я толком не понимаю, что ты поешь... но звучит это очень красиво, — говорит мне тетя Ирен.

А Лесли Грейд восклицает: «Lovely! Lovely! Lovely!»[2]

Должно быть, я буду участвовать в передаче «Sunday at the Palladium». Но когда? Ведь наш график и без того уже напряженный! Джонни листает записную книжку: вскоре мы отправимся в Монако для участия в телевизионном фестивале по личной просьбе княгини Грейс, которая уверяет, что у них во дворце возник целый клуб поклонников Мирей Матье... А затем присоединимся к Морису Шевалье в Гстааде. Нет, отнюдь не для отдыха, а для выступления в гала-концерте!

— Джонни! Нельзя ли будет хотя бы дня на два задержаться там на горнолыжной станции? Я бы хоть раз в жизни покаталась на лыжах!

---

[1] Внезапно сердце запоет,
Едва тот миг в уме всплывет.
Повеял ветер вам в лицо... *(англ.).*
[2] «Прекрасно! Прекрасно! Прекрасно!» *(англ.)*

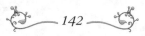

Встреча с патриархом французского шансона Морисом Шевалье
для Мирей Матье стала судьбоносной

— И сломала бы себе ногу! После чего пришлось бы отказаться от поездки в Монреаль! И в Нью-Йорк, где ты должна выступить в представлении «Апрель в Париже»!

Лесли, однако, настаивает. Лорд Делфонд, судя по всему, в восторге от меня. Я должна непременно приехать в Лондон еще два или три раза и выступить в телепередаче «Sunday at the Palladium», и тогда королева, которая обожает Францию и французскую песню, почти наверняка пригласит Мирей Матье.

— «Royal Performance»! Вы понимаете, Джонни? — спрашивает Лесли. — Все артисты мечтают выступить в этом концерте!

Джонни отлично все понимает. Я уверена, что решение им давно уже принято. Но дядю Джо не переделаешь. Как говорят в наших краях: «Священник решает, а служка только подпевает!»

— Успокойтесь, Лесли. Мы выкроим одно воскресенье, быть может, еще до отъезда в Монреаль, если Мирей успеет хорошо подготовить свои песни. А другое воскресенье найдем после возвращения из Советского Союза.

— Давно ли вам пришла в голову мысль проповедовать Евангелие русским?

— В ту самую пору, когда вы стакнулись с ними, чтобы разделить шкуру Наполеона!

После этого они выпивают по бокалу вина, а я... лишь делаю вид, что пью. Мне так хочется снова побывать в Лондоне... Ведь я в нем ничего почти не видела.

— Алло, Мими! Это я, папа. Мы подыскали себе дом!

— Правда? О, как я рада! А где он находится? Какой он? Кто же его подыскал?

— Погоди! Не говори так быстро, я не успеваю тебе отвечать! Мне предлагали чуть ли не замки! И ссылались при этом на то, что я отец Мирей Матье! Но я отвечал всем таким «доброхотам», что это не резон! Каждый сверчок — знай свой шесток. Быть владельцем замка мне не по вкусу. Я был и остаюсь каменотесом, а потому хочу жить недалеко от кладбища...

— Ну и что же?

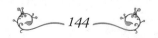

— А то, что произошло чудо! Может, все дело в том, что ты не скупилась на свечи святой Рите...

Тут до меня доносится мамин голос: «Да нет, Роже! О доме молят Деву Марию. Мирей это хорошо знает». Отец продолжает:

— Короче говоря, помнишь улицу Эспри-Реквием?

— Помню. Она возле церкви.

— Так вот, по правую руку там стоит большой белый дом...

— Большой белый дом? Представляю его себе, хорошо представляю! Это ведь совсем недалеко от нашего прежнего дома с островерхой крышей.

— Вот именно.

— О, это очень приятно. Вы останетесь в привычном месте!

— Одно только будет непривычно: в новом доме одиннадцать комнат!

— Для нашей семьи это в самый раз! Отлично!

— Там большой балкон, а вокруг — сад... Юки будет, где разгуляться... Ты сумеешь приехать и осмотреть его? Потому что ведь это «твой дом».

— Это очень трудно. Мы должны съездить в Германию, вернуться в Лондон, а затем отправиться в Нью-Йорк для участия в программе «Апрель в Париже». И все за один месяц... Папа, насчет денег ты не тревожься. Я могу, уверена, что могу заплатить за него. Сколько он стоит?

— Я все еще путаюсь с этими новыми франками... Словом, двадцать два миллиона старых франков. Это не слишком дорого?

— Нет-нет, не слишком. Придется еще немного потрудиться, ведь сейчас дела мои пошли на лад. Я даже сделала успехи в английском языке. Беру уроки у одного шотландца...

— Стало быть, у него шотландский акцент?

— Это не имеет значения, для меня английский — все равно что китайская грамота.

— Он ходит в юбке?

— Нет. Во всяком случае, в Париже не ходит. Может, когда живет у себя на родине... Я спрошу у него. Завтра позвоню

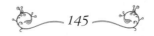

тебе из конторы дяди Джо, скажу о нотариусе и обо всем прочем. Подумать только: четырнадцатый ребенок в нашей семье родится уже в новом доме! До чего я рада!

— Нет! Я пойду в родильный дом, — говорит мама, беря телефонную трубку. — Я уж так привыкла. А потом мы уже вдвоем с младенцем заявимся на улицу Эспри-Реквием!

За несколько часов до отъезда в Баден-Баден я узнаю новость: мама только что родила прелестного мальчика, он весит три килограмма восемьсот граммов. Папа говорит, что она и крошка Венсан чувствуют себя хорошо. Я вешаю трубку не без грусти: мне бы так хотелось быть дома, как при рождении Беатрисы... Тот день кажется мне таким далеким... Когда ж это было? 10 мая 1964 года... Не прошло еще и трех лет, а у меня такое чувство, будто я прожила все десять...

В самолете по пути в Карлсруэ я пытаюсь представить себе Венсана... У него, как у всякого младенца, шелковистая кожа, крошечные пальчики цепляются за ваш указательный палец, как птичьи лапки хватаются за насест; я, увы, не услышу его первый лепет, не увижу пока еще незрячий взгляд человеческого детеныша, как бы еще пребывающего в ночи, взгляд, который малопомалу становится осмысленным по мере того, как он начинает осознавать, что находится в добром к нему мире... вспоминаю, как все это поразило меня, когда появился на свет Роже... Будет ли он таким живым, как Жан-Пьер, или таким кротким, как Реми? Чувствую, что мне чего-то не хватает. Не хватает его.

— Дядя Джо, госпожа Коломб будет крестной матерью Венсана. Не согласитесь ли вы стать его крестным отцом?

— Охотно, Мирей.

— Я бы хотела положить на его имя деньги в сберегательной кассе. Могу я это сделать?

— Разумеется, Мирей. Твой счет в банке позволяет это сделать.

— ...Но если я положу деньги только на его имя, это будет, пожалуй, несправедливо по отношению к другим? Могу я положить деньги также для Матиты, Кристианы, Мари-Франс...

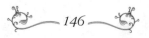

— Не перечисляй мне весь список, он мне и так известен. Да, можешь... Однако не замахивайся на миллионы... Обсуди этот вопрос с тетей Ирен. Она знает твои возможности. — И Джонни прибавляет с чуть лукавым видом, который неизменно вызывает у меня смех. — Надеюсь, теперь, когда ты уже зарабатываешь себе на жизнь, твой отец немного умерит прыть?

— До чего славная страна, эта Германия!

Дядя Джо находит мой восторг недостаточно обоснованным: судить о Германии по Баден-Бадену — все равно что судить о Франции по курортному городку Эвиану. Но меня тут все приводит в восторг: свежий воздух, живописные горы, которые вас приветливо окружают, не подавляя при этом, многочисленные кондитерские («Осторожно, Мирей, не слишком налегай на пирожные!»), набережные реки Оос, ведущие к центру города. Наша машина проезжает мимо павильона, где толпятся больные, привлеченные сюда целебными источниками, и великолепного обширного парка, где расположен музыкальный киоск. К сожалению, чуть ли не все встречные скрючены или бредут, опираясь на палку...

— Мне тоже скоро придется пожаловать сюда, чтобы лечиться от ревматизма и подагры! — восклицает дядя Джо.

— Но ведь у вас этих болезней нет!

— Чувствую, что скоро будут... из-за всех тех хлопот, какие ты мне приносишь! Смотри-ка... а вот и казино.

— И в нем театр?

— В нем есть все: театр, ресторан, игорный зал, несколько танцевальных залов и даже концертный зал...

— Я бы с удовольствием там спела!

— В другой раз. Сейчас ты должна выступить по телевидению. Это куда важнее. Тебя увидит вся Германия.

Конечно же, он прав. Но мне больше по душе концертные залы. Я тоскую по отсутствующей публике не меньше, чем по моим младшим братьям.

Наша гостиница находится на Лихтенталер-аллее; это красивый бульвар, обсаженный прекрасными деревьями, он тянется вдоль реки Оос...

— А ну-ка, повтори название нашей улицы, — говорит Джонни.

— Лихтенталер-аллее...

— Ты хорошо произносишь... Можно сказать, что немецкий язык дается тебе гораздо легче, чем английский...

— А он и в самом деле легче. Ведь все слоги произносятся!

У дяди Джо довольный вид. Он говорит, что по возвращении домой найдет для меня учителя немецкого языка.

— Ох! Да я стану путать немецкие слова с английскими!

— Не бойся, не станешь. Будешь по-прежнему брать уроки английского у Гарри. Мне придется только пополнить запас виски!

Наш шотландец и вправду большой любитель спиртного. Иногда я спрашиваю себя: он так охотно приходит учить меня потому, что хорошо ко мне относится, или потому, что после каждого урока (но никогда до начала занятий!) Джонни вручает ему бутылку виски? Гарри рекомендовала нам Лина Рено, которую он тоже учил английскому языку. Время от времени он говорит со вздохом:

— Ах, Лина! Лина!.. She is terrific!..[1]

Я понимаю, что мне до нее далеко. Потом он прибавляет:

— You'll have your V-Day too![2]

Участник последней войны, Гарри сохранил священную память о Дне победы... И он желает мне победы в моих скромных занятиях.

А пока дядя Джо купил мне франко-немецкий разговорник и с удивлением наблюдает, как смело я «кидаюсь в воду» — обращаюсь по-немецки к официантам, горничной, заведующему постановочной частью, рабочим сцены...

---

[1] Она великолепна!.. *(англ.)*

[2] У нас также будет свой День победы! *(англ.)*

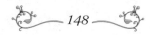

— Признайтесь, Ирен, у вас ненароком не было прабабушки, которая заглядывалась на немца-кавалериста? А может, какой-нибудь из ваших предков, старый служака, соблазнил некую белокурую Гретхен?

— Как вам не совестно говорить такие вещи! — негодует возмущенная тетушка.

— Не сердитесь, пожалуйста. Такие вещи случаются. К тому же я шучу. Но согласитесь сами: странно видеть, как Мирей, которая с трудом выговаривает английское слово, лихо лопочет по-немецки! Впрочем, тем лучше. Она сумеет записать пластинку на языке Гете, который дается ей гораздо легче, чем язык Шекспира!

— Послушайте, дядя Джо: прочесть и произнести слово «Гете» очень просто, в нем на два слога — всего четыре буквы! А вот в слове «Шекспир» на те же два слога — целых семь букв!

По приезде в Дюссельдорф Джонни тотчас же замечает:

— Барклей недурно поработал. Видишь? Твои пластинки тут, как и в Баден-Бадене, в витринах всех магазинов, где продают диски.

Рейн здесь так же широк, как наша Рона... Человек, встречающий нас в аэропорту, видимо, очень доволен тем, что я нахожу его город красивым.

— Вам надо непременно сюда вернуться! Вы увидите, как живописны берега Рейна летом! Вас проводят на широкую площадь над рекой. На ней танцуют и устраивают концерты под открытым небом. А обедать вы будете в самом старинном ресторане нашего города «Zum Schiften»[1], он существует с 1628 года! А еще надо...

Но как я сумею все это осмотреть, если после репетиций и концерта я валюсь с ног от усталости?!

— Алло! Это ты, мама?

— Мими! Откуда ты звонишь? Я совсем запуталась, куда ты уезжаешь и откуда возвращаешься.

---

[1] «На корабле» (нем.).

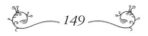

— Я в Гамбурге! Знаешь, это необыкновенный город! Джонни называет его город-театр... И это верно, чувствуешь себя так, будто ты в зрительном зале.

— Он был сильно разрушен?

— Да, но сейчас уже полностью восстановлен.

— А живете вы в хорошей гостинице?

— Что за вопрос! Ты ведь знаешь Джонни! Отель называется «Vier Jahrezeiten», что по-нашему значит «Четыре времени года». Он очень красив, а из окон открывается вид на бассейны.

— На бассейны? Такие, как в Тюильри?

— Нет! Тут огромные бассейны, точно озера, представляешь? По ним плавают суденышки, их полным-полно, а по берегам стоят прекрасные дома. Просто загляденье! В одном павильоне открыт ресторан и все время играет музыка... А уж порт в Гамбурге потрясающий. Там стоят большие корабли, их разрешают осматривать. Ты ведь помнишь, я в свое время побывала на крейсере «Ришелье» и потому хорошо представляю себе, что такое большой корабль. К тому же у меня времени нет на осмотр.

— А ты хорошо ешь?

— Ты когда-нибудь слыхала слово «гамбургер»? Оно означает «рубленый шницель». Я раньше думала, что это американское блюдо. А оно, оказывается, из Гамбурга! Здесь едят много рыбы... особенно любят суп из угря... А еще тут любят гороховый суп со свиными головами и ножками. Поешь его и с трудом встаешь из-за стола! Но у них есть и тефтели из телятины в мясном соусе и с манной крупой... Мне все очень нравится.

— Я спокойна, потому что с тобой тетя Ирен. Она измерила тебе давление перед отъездом?

— Да. Не беспокойся. А как ты? Как малыш?

— Все хорошо. Он прибавляет в весе столько, сколько надо.

— Я привезу вам отсюда кекс с засахаренными фруктами, такой вкусный, что просто пальчики оближешь. А для папы — бутылку тминной водки, тут ее называют «доппелькюммель»...

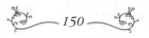

Невероятный успех не вскружил голову юной Мирей

— Но у тебя не хватит времени сделать все эти покупки, бедная моя девочка!

— Не беспокойся, мама. Возле гостиницы и даже в ней самой множество лавочек...

Зал Берлинской филармонии совершенно не похож на Гамбургский театр, который помещается в очень красивом деревянном здании. Берлинская филармония была торжественно открыта четыре года тому назад. Здание для нее, чем-то напоминающее громадную восьмерку, построено совсем недавно. Расположено оно неподалеку от памятника русскому солдату. Возле него постоянно несут караульную службу советские воины. Это поражает, ибо ты находишься на Западе... И возле самой Берлинской стены.

В зале Филармонии звук свободно уносится ввысь. Петь здесь — одно удовольствие. Телевизионный канал «Европа-1» осуществляет прямую трансляцию моего первого сольного концерта. Когда я ухожу со сцены, тетя Ирен укутывает мне плечи шалью, а дядя Джо говорит, что я еще никогда так хорошо не исполняла песню «Вернешься ли ты снова...».

Вернешься ли ты снова
И скажешь о своей любви?
Вернешься ли ты снова?
Как прежде приходил?..

У меня не идет из головы Берлинская стена. Даже вечером, когда, выйдя из гостиницы «Кемпински», я вижу вокруг море огней, разноцветную световую рекламу, буйно веселящуюся молодежь, так что невольно начинает казаться, будто идешь по Пиккадилли или Бродвею...

Как странно очутиться затем в атмосфере шумного бала «Апрель в Париже»: он проходит в Нью-Йорке в «Уолдорф Астории». Обстановка более чем светская. Размеренные жесты. Роскошные платья. Настоящие драгоценности. Громкие титу-

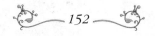

лы. Что ни имя — то знаменитость. Я с удовольствием вдыхаю аромат цветов и изысканные запахи духов... Но все еще вспоминаю о Берлине.

— Как это объяснить, тетя? Америка выиграла войну, Германия ее проиграла. Берлин разделен надвое, а между тем веселятся там гораздо больше!

— Я и сама не знаю, — отвечает тетя Ирен. — Быть может, когда город, который чуть не стерли с лица земли, возрождается, он походит на человека, который был при смерти, но выздоровел. И тогда все веселятся и радуются.

Я же думаю, что дело не только в этом: ведь немцы сейчас живут в мире, а американцы — в состоянии войны. Однажды утром молоденькая горничная, которая принесла нам дополнительные плечики для одежды, внезапно разрыдалась: во Вьетнаме погиб ее брат.

Германия вдруг снова напоминает о себе. Как только мы возвращаемся в Париж, нам наносят визит два Мориса — Жарр и Вида лен. Жарр сочинил музыку к фильму Литвака «Ночь генералов». Вида лену она так понравилась, что он написал к ней слова, и оба хотят, чтобы я исполнила получившуюся песню «Ночь, прощай...».

> Ты идешь, ты понуро идешь
> По пустыне без миража...
> Но однажды придется сказать:
> «Ночь, прощай навсегда!»
> И мне брести довелось
> По бесславным дорогам,
> Пить из ручьев пересохших,
> И все ж я надеюсь...

— Как ты находишь песню? — спрашивает меня Джонни.

Он знает, что когда мне песня не нравится, я заучиваю ее с трудом.

— Очень нравится...

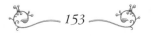

Мелодия хороша, и слова, по крайней мере, некоторые, запоминаются легко. Бывало, в юности, когда мне становилось грустно на душе и ничего не хотелось делать, я ставила на проигрыватель пластинку с песней «Милорд» и принималась за работу.

Посмотрев фильм, я убеждаюсь, что песня с ним мало связана, впрочем, Морис Жарр меня об этом предупреждал. Это мрачный детектив, навеянный войной.

Вскоре становятся известны результаты опроса общественного мнения: я набрала 39 процентов голосов, от меня заметно отстали Шейла, Петула Кларк и Далида.

Я спрашиваю дядю Джо, доволен ли он.

— ...Да, ты обогнала всех, но знаешь, итоги опроса напоминают температурный лист... температура то повышается, то падает. Сейчас у тебя тридцать девять, и ты дала им жару! Но никогда не забывай, что скатиться вниз очень легко.

Какой ужас!

— Но что ж тогда делать? Постоянно быть в напряжении? И так всю жизнь!

Я говорю упавшим голосом, и он понимает, что я устала.

— Когда устаешь, поступай, как пловец: ложись на спину. А отдохнув немного, снова плыви стилем баттерфляй!

В тот же вечер тетя Ирен подает мне сверток, который только что принес рассыльный. Он перевязан красивой лентой и прислан из магазина «Фошон»... Взвешиваю его на руке: коробка не очень тяжелая. Стало быть, это не шампанское и не фрукты — их присылают в корзинке. Ох! Внутри коробки другая, чуть поменьше... и тоже перевязанная лентой. Может, засахаренные каштаны? Но теперь не то время года. Тогда конфеты? Шоколад? В этой коробке еще одна, разумеется, меньшего размера. Гусиная печенка? Ох! Внутри совсем маленькая коробка! Развязываю ленточку... и покатываюсь со смеху. Немного шпината и записка: «Выше голову, крошка!»

Джонни любит говорить, что за 20 лет я нарушила всего три контракта, и это совсем немного.

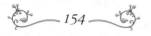

Первый случай произошел в Инсбруке. В Германии я записывала пластинки для фирмы «Ариола». Ее владелец Монти Луфтнер родом из Австрии и очень привязан к этой стране.

Он пригласил меня выступить в Инсбруке в очень популярной игровой телепередаче; на репетиции были отведены три или четыре дня.

Работа шла очень успешно, быстрее, чем мы предполагали, так что накануне прямой передачи чудом выдался свободный день. И Монти решил повезти нас в горы, где в восьми километрах от города расположена небольшая гостиница... мечта каждого австрийца! Вокруг — необыкновенно романтичный пейзаж, а в гостинице обстановка самая простая; содержит ее тучная матрона весом не менее ста килограммов, оказывается, она — моя страстная поклонница.

— Господи, Мирей Матье!.. Хозяйка будет сама нас обслуживать.

Воспоминание о последовавшей трапезе сохранилось у меня в голове и в желудке гурмана Джонни, который обожает хорошую кухню. Говядина, приправленная ясменником — душистой альпийской травкой, фрикадельки из телячьей и куриной печенки... а на десерт — пресловутый австрийский омлет с ванильным соусом. Чудесный обед! Такой надолго запоминается.

Три года спустя я была приглашена для участия в гала-концерте. И вот с утра — у меня неладно с голосом. Болит горло, сиплю... должно быть, простудилась.

— Надо послать за доктором, — говорит Джонни.

— Да нет, все пройдет... Пополощу горло синтолом...

— Мирей, дело обстоит очень серьезно! Передача транслируется в тридцать городов Германии, к тому же тебе надо записать здесь несколько пластинок...

Появляется врач. Глотка у меня действительно вся красная.

— Вы ставите под удар ее будущее! — говорит доктор, обращаясь к Джонни, который рассказал ему о предстоящей мне программе. — Ей необходимы два дня полного покоя.

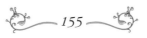

Он выписывает медицинское свидетельство. Джонни приглашает другого врача... Тот ставит такой же диагноз и составляет второе медицинское заключение. Мое участие в гала-концерте отменяется. Это, понятно, приводит в отчаяние устроителей концерта, потому что зал снят заранее и все билеты проданы. Я усердно полощу горло, пью свои отвары, глотаю мед. Голос звучит, конечно, не слишком хорошо, но выступить, пожалуй, было бы можно.

— Славно придумала: петь с двумя медицинскими свидетельствами в руках! — усмехается Джонни. А немного погодя спрашивает:

— Может, ты хорошо закутаешься, и мы съездим пообедать в ту маленькую гостиницу?

Я так никогда и не узнала, о чем он больше заботился: о моем здоровье или о своем желудке. Так или иначе, но мы отправились к моей страстной поклоннице — толстухе, которая встретила наше появление в гостинице радостными возгласами:

— Мирей! Джонни! Я угощу вас таким же обедом, как в тот раз.

— Да-да, — ответил просиявший Джонни. — Нам другого и не надо!

На следующий день я уже пела в Линце, расположенном в ста километрах от Инсбрука, а затем — в Граце. Местные газеты писали о моем замечательном голосе». С тех пор мы больше ни разу не возвращались в Инсбрук!

Несмотря на мой южный акцент, в Германии, как ни странно, меня считают немецкой звездой... Подобно тому, как Роми Шнайдер, которую любили во Франции, считают французской звездой. Германия почти сразу и безоговорочно приняла меня, и я выступаю там особенно часто.

С этой страной у меня связаны особые воспоминания. Когда в 1968 году мы были в Штутгарте, генерал де Голль посетил Баден-Баден. А в день его смерти мы находились в Гамбурге.

В нашей семье все перед ним преклонялись, его кончина потрясла меня, будто я потеряла кого-то из близких. Только

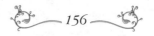

позднее я осознала: люди, которые выражали мне соболезнование, — приходя за кулисы, встречая меня в холле гостиницы или на улице, — были немцами...

В течение девяти лет мы сотрудничали в Германии с одним и тем же антрепренером, талантливым композитором Христианом Бруном; в трудную пору моей жизни он помог мне записать на пластинку песню «Прощай, голубка». С его помощью с большим успехом распродавались многие мои пластинки: «Прощай, Акрополь», «Пресвятая дева морей», «Тысяча голубок»... Но первым толчком для моей успешной карьеры в Германии послужили два ловких хода, на которые отважился Джонни.

В начале 1969 года в Германии продавалась лишь одна моя долгоиграющая пластинка, на ней были записаны песни «Последний вальс» и «Как она хороша» в оркестровке Мишеля Леграна. От пластинки пришел в восторг Франц Бурда. Этот меценат и политический деятель стоял во главе крупнейшей издательской фирмы. Джонни познакомился с ним, когда был импресарио Холлидея и задумал отправить своего подопечного служить в Германию... По примеру Элвиса Пресли! (Так Холлидей и получил сержантские лычки.)

На сей раз Франц Бурда устроил в Мюнхене грандиозное зрелище — костюмированный бал. В нем должны были принять участие такие знаменитые артисты, как Элла Фитцджеральд и Том Джонс, а также... юная Матье. Ко всеобщему изумлению, Джонни настаивал на том, чтобы я выступала последней. Поль Мориа, приехавший со своим оркестром из 25 музыкантов, пришел в ужас:

— Ты просто спятил!

Джонни ответил, что так оно и есть, но он твердо решил, что я выступлю в конце представления и исполню две песни — «Мой символ веры» и «Париж во гневе». Поль ужаснулся еще сильнее:

— Да ты сознаешь, что делаешь?! Исполнять в Германии «Париж во гневе»! Песню Сопротивления! Песню из фильма «Горит ли Париж?»!

Джонни не меняет своего решения. Первыми выступают знаменитости, и выступают с большим успехом. В зале много молодежи, дамы в роскошных вечерних туалетах. Элла добивается триумфа. А мой друг Том Джонс, мой единомышленник в Лондоне, голос эпохи, — супертриумфа. Я вижу, как Мориа меняется в лице. По правде говоря, меняется в лице и Джонни. Особенно после того, как зал встречает совершенно равнодушно песню «Мой символ веры», хотя ведущий концерт конферансье, которого немецкая публика обожает, весьма любезно представил меня как вновь открытую французскую звезду. Продолжаю борьбу:

Когда свободе угрожают,
Париж испытывает гнев,
Он в ярости рычит как лев,
И парижане в бой вступают...

Мертвая тишина.

А затем — взрыв аплодисментов. Сидящие во всех трех ярусах молодые люди срывают с декораций цветы и бросают их на сцену. В зале стоит шум, несколько ветеранов вермахта выкрикивают: «Это провокация!», но их голоса тонут в громе аплодисментов.

Когда я ухожу со сцены, Джонни говорит мне: «Ты чуть не разнесла балаган!» Я с ним согласна, но думаю, что немалую роль в моем успехе сыграла сама песня.

Кто же появляется на следующий день на первой полосе газет? Не знаменитые артисты, а юная Мирей, «победительница костюмированного бала». Никто не упрекает меня за то, что я исполнила песню «Париж во гневе», напротив, все сходятся на том, что эта песня зовет к согласию и к миру.

Франц Бурда очень доволен. Я сразу становлюсь кандидатом на получение «олененка Бэмби» — приза, который он учредил, чтобы наградить им лучшего эстрадного артиста (или артистку) года.

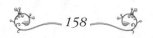

С самого первого выступления Мирей Матье в «Олимпии» Далида восторгалась ее талантом. Они даже выступали вместе

Через несколько месяцев я выступала с песнями по Берлинскому телевидению. Джонни вновь применил уже однажды испытанный прием:

— Она будет петь в конце... или не будет петь вовсе!

Первую песню я исполняла по-немецки. Название ее можно перевести «За кулисами Парижа», но написана она в чисто немецком духе: слушая ее, так и подмывает бить в ладоши и стучать ногами. Мне пришлось исполнить ее «на бис». А наутро мои пластинки рвали из рук, как... кружки с пивом!

Вечер закончился в очень славном кабачке, где нам подавали колбаски с квашеной капустой. Далида, которая тоже выступала в телевизионной передаче, была вместе с нами. Хорошо помню, что она пылко говорила мне: «Ты прекрасно пела! Какой превосходный финал! Просто потрясающе!»

С самого моего первого выступления в «Олимпии», когда Далида взобралась на четвертый этаж и вошла в мою маленькую артистическую уборную дебютантки, чтобы поздравить меня, она всегда была верна себе: ни одного завистливого взгляда, ни одной мелочной мысли, ни одной недоброй фразы (редчайший случай в «театральных джунглях»)! Дали всегда шла своим путем — прекрасная, неповторимая... Ее уход поверг меня в глубокую печаль. Мы, увы, редко говорили ей, как она нам дорога. Мы охотно поем о любви, но у нас всегда не хватает времени сказать о ней тем, кого мы любим... Казалось, она спит в своем белоснежном платье и ждет, чтобы ее разбудили. Мне бы так этого хотелось...

Я открываю для себя СССР

Все сильно взволнованны. Нам предстоит поездка в СССР. Звонит телефон. Это мама. Она очень гордится, что у нее в новом доме есть теперь свой телефон.

— Знаешь, бакалейщица из квартала Круа-дез-Уазо скучает с тех пор, как ты перестала туда звонить. Я на днях зашла и ку-

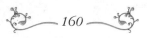

пила у нее какую-то мелочь, чтобы не порывать связь. Она мне сказала, что прежде, благодаря тебе, она вроде бы путешествовала... Могла разговаривать даже с Нью-Йорком! Ее беспокоит, что ты едешь в Москву. Она заявляет, что такой верующей девушке, как ты, опасно оказаться в стране большевиков!

— Какая чепуха, мама! Ты ей передай, что революция там совершилась давным-давно. И лучшее тому доказательство — сейчас ее пятидесятилетие! И еще скажи, что едет туда не одна девушка, а две!

— То есть, как это — две?

Я объясняю. Джонни спросил, доставит ли мне удовольствие взять с собой в Советский Союз кого-либо из членов семьи. Сама понимаешь, я ответила утвердительно. Но на ком остановиться? Когда я в затруднении, то всегда полагаюсь на судьбу. Написала на листочках имена сестер и бумажки положила в шляпу: Маткта, Кристиана, Мари-Франс, Режана. Остальные еще слишком малы. Жребий выпал Кристиане. Послышались возгласы изумления, радостные крики. Надо быстро получить ее паспорт. Но как это сделать? Как?

— Мама, я передаю трубку тете Ирен. Она тебе все объяснит.

— Но нужно взять с собой теплые вещи. Там, должно быть, морозы?

— Да что ты, мама, сейчас в Москве тоже весна.

— Ты мне будешь оттуда звонить?

— Конечно, как всегда.

Тетушка замечает, что я, пожалуй, немного тороплюсь. Бруно Кокатрикс, который устраивает наши гастроли, просто выходит из себя от досады, когда безуспешно пытается связаться по телефону с Госконцертом (эта организация ведает всем, что относится к музыке, эстраде и цирку). Надо сказать, что дядюшка Бруно не в первый раз имеет дело с русскими. Я до сих пор помню его слова: «Мюзик-холл не знает границ. Это еще один довод для того, чтобы их преодолевать!» Кокатрикс побывал во многих странах, особенно в странах Востока, где немало зрелищ, которых мы никогда не видели. Джонни рассказывал мне

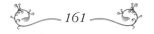

о международном фестивале 1957 года, когда в «Олимпии» наряду с таиландскими боксерами и индийскими танцорами выступали силачи и акробаты из Восточной Европы. Как бы мне хотелось на нем побывать, но я тогда была слишком мала.

В конечном счете, под названием «Французский мюзик-холл» едет труппа из 85 человек. Среди них — Поль (Мориа) со своим оркестром из 35 музыкантов, Артур Пласшер и его 18 танцоров (поддавшись соблазну, я тоже буду танцевать вальс с Жаком Шазо), Жерар Мажакс и — в качестве «американской звезды» — Мишель Дельпеш. Всем нашим «инвентарем» ведает, разумеется, Малыш. Нам предстоит за 26 дней преодолеть 13 000 километров. Все это впечатляет. И такая перспектива всем очень нравится. Мы вылетаем на арендованной для нас «Каравелле». Все в приподнятом настроении. Стюардессы «Эр Франс» разносят шампанское. Мажакс развлекает нас карточными фокусами, а я, конечно, репетирую «мои песни».

Прибытие оказывается куда менее веселым, чем отъезд. Мы испытываем такое же разочарование, как все, кто прилетают в Москву с Запада: здешний аэропорт не выдерживает сравнения с парижским. И мы тут же оказываемся в очереди... длинной очереди к пункту проверки паспортов. Бруно и Джонни (особенно Джонни, он выше ростом и поэтому видит дальше) ищут глазами Головина из Госконцерта.

— Госконцерт! Госконцерт! — громко взывают они.

В ответ — молчание. И мы беспомощно топчемся на месте, словно 85 эмигрантов, среди которых только два или три человека говорят на русском языке, но таком ломаном, что их никто не понимает. Лишь одно очевидно, безусловно и непререкаемо: мы покорно стоим в общей очереди и пытаемся получить свой громоздкий багаж.

Джонни выходит из себя:

— До чего же невоспитанные люди!

— Успокойтесь, Джонни... — останавливает его тетя, которая не любит привлекать внимание посторонних.

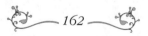

Внезапно Джонни радостно восклицает:

— Ах, Ник! How are you!

Ник — американец из Лас-Вегаса. Недавно, он открыл там необычайное казино под названием «Как в цирке»: посетители толпятся у игральных автоматов, а в это время над их головами воздушные гимнасты показывают свое искусство. Он приехал поближе познакомиться с прославленным Московским цирком. Взаимные приветствия.

— А вы что тут делаете?

Джонни отвечает, что ждем, когда за нами приедут из Госконцерта. Ник, судя по всему, находится в привилегированном положении: у входа его ожидает лимузин, в котором сидит переводчица.

— Поехали со мной!

— Но ведь нас тут восемьдесят пять человек!

— Ну, восемьдесят придется оставить в аэропорту!

И вот мы впятером с помощью переводчицы Ника, прикомандированной к нему как к важному лицу, легко проходим через контрольный пункт и втискиваемся — тетушка, Кристиана, дядюшка Бруно, Джонни и я — в черную машину, достойную главы государства; а наша злополучная труппа остается под наблюдением Жан-Мишеля Бори, племянника Кокатрикса, о сохранности багажа должен позаботиться бедный Малыш, который не сводит глаз с нашего «драгоценного» имущества.

Мы уже целый час находимся в холле гостиницы «Советская», которая считается одной из самых лучших в столице; она построена лет десять назад неподалеку от стадиона «Динамо». Если аэропорт нас разочаровал, то гостиница поражает своими колоннами и обилием мрамора.

Бруно Кокатрикс говорит: «Это напоминает метро!»

Московское метро заслуживает того, чтобы в нем поездить; каждая станция отделана по-своему и весьма пышно.

Уже полтора часа мы ожидаем приезда труппы...

Начинаем даже тревожиться. С господином Головиным созвониться не удалось: работа в его учреждении давно закончилась! Хорошо еще, что номера в гостинице для нас оставлены.

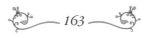

Наконец наши спутники появляются! Их автобус, должно быть, сохранился со времен революции: так сильно в нем трясет. Вновь прибывшие разделились на две группы: тех, кто недоволен, и тех, кто относится к происходящему терпимо. Каждый уже составил собственное мнение о «советском рае». С нас не сводит беспокойного взгляда переводчица, дама из Госконцерта, — она опоздала в аэропорт, потому что самолет прилетел раньше времени!

Приготовленные для нас комнаты отнюдь не дурны. Кристиана, прожившая многие годы в квартале Круа-дез-Уазо, находит их даже прекрасными. Как обычно, не обходится без сюрпризов. Например, почему ванны без пробок? Нам объясняют: когда проектировали санитарные узлы, о пробках забыли. Придется ждать очередного ремонта. А он предполагается, как сообщили нам по секрету... года через четыре.

Обед ожидает нас в отдельном зале. Вернее сказать, мы ожидаем его там. Надо привыкать. Страна эта славится терпением. Бруно своим, как всегда, мягким и ровным голосом старается разрядить обстановку.

— Не забывайте, — говорит он, — что если бы двадцать миллионов русских не погибли во время войны, нас бы всех не было на свете...

Наступает короткое молчание, и тут подают водку. Она быстро сглаживает первое, не совсем приятное впечатление. Бруно по-прежнему продолжает разряжать обстановку:

— У москвичей много юмора. Они и сами посмеиваются над собой. Хотите, я расскажу вам анекдот, который услышал от одного здешнего жителя, когда в последний раз приезжал сюда? Маленький мальчик спрашивает свою мать: «Скажи, мама, что такое коммунизм?» — «Когда у всех есть всё необходимое. И больше не стоят в очереди за мясом». — «Мама, а что такое мясо?»

Входят очень приветливые официантки, они ставят на стол икру и осетрину-гриль. Один из музыкантов интересуется, обычное ли это меню. Нет. Эта гостиница для иностранцев, то есть для людей привилегированных.

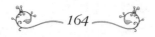

— Ну, как? Нравится тебе «чечевица из Морбиана»? — шутливо спрашивает Джонни.

И объясняет тем, кто не понимает смысла этой фразы, что не так давно он едва уговорил меня отведать икры, назвав ее «чечевицей».

«Око Москвы» — так Джонни сразу же окрестил нашу переводчицу — просит извинить господина Головина, который задержался на работе. Дядя Джо, пребывающий в дурном расположении духа, осведомляется: разве работа господина Головина не состоит именно в том, чтобы нас встретить? Разве мы не представляем здесь Французский мюзик-холл? Бедняжка опускает свои красивые зеленые глаза и краснеет до ушей. На помощь ей приходит Мажакс: он заставляет мгновенно исчезать и вновь появляться рюмку с водкой. Когда в очередной раз неизвестно откуда появляется полная до краев рюмка, он, следуя русской традиции, произносит очередной тост.

На следующее утро Бруно и Джонни встречаются с господином Головиным. Малыш устанавливает нужную аппаратуру в очень популярном в городе недавно открытом Театре эстрады — этой московской «Олимпии». Танцоры начинают работать «у станка»; в порядке исключения Артур будет заниматься со мной во второй половине дня, и я получаю возможность осмотреть город вместе с Кристианой и тетей Ирен. Нас сопровождает второе «око Москвы» — некая Галина, очаровательная молодая женщина; у нее чуть певучее прекрасное произношение, и с трудом верится, что она не училась во Франции. Но нет... она только мечтает побывать вашей стране, и надеется попасть туда вместе с ансамблем Советской Армии, когда он поедет в Париж. Париж — волшебное слово... навстречу ему распахиваются сердца и освещаются лица... Это замечаешь даже на лице, когда прохожие узнают, что мы — французы.

— Если мадемуазель Матье должна быть в театре к часу дня, то времени у нас немного. Поэтому давайте прежде всего осмотрим Соборную площадь.

Я и представить себе не могла, что на свете может существовать такая площадь.

— Мы — в самом сердце Кремля... Вы не видели оперу «Борис Годунов»? Все русские испытывают волнение, когда эта площадь предстает перед ними на сцене!..

Площадь и вправду напоминает театральную декорацию: булыжная мостовая, поодаль блестит Москва-река, а справа, слева, позади нас — дворцы и соборы. Господи! Как запомнить все эти названия, когда я их сейчас путаю!

— Нет, мне ни за что не удержать их в памяти! — восклицает Кристиана.

— Не это главное... Самое важное, что это — удивительное зрелище, — замечает тетя Ирен. — Но я никак не возьму в толк, почему у них было столько соборов.

— И церквей! Просто непостижимо! А ты видела, как на меня смотрела Галина? Я только и делала, что крестилась!..

— А ведь все эти церкви были не для народа, а только для царского двора! — замечает Кристиана.

— Как видно, им приходилось отмаливать много грехов! — говорит тетя Ирен.

— Ох, тетушка!.. Ты, кажется, меняешь свои взгляды? Не станешь ли ты коммунисткой?

— Не забывай, что твой дедушка был коммунист! Да, непростая эта семья Матье...

Тем временем возвращается Галина с входными билетами в руках. У нее ушло на это шесть минут.

— Вы не стояли в очереди?

— Разумеется. Вы проходите вне очереди! Ведь вы — иностранные гости. Люди «привилегированные».

Положительно, все везде меняется...

Приехав в театр, я замечаю, что почти все наши артисты охрипли — кто больше, кто меньше. Для одних душ оказался слишком холодным, другие не могли принять ванну (потому что отсутствовали пресловутые пробки); одним не хватило рогаликов, другие опоздали на автобус. Я с утра пила чай. До чего

Вот такой певицу Мирей Матье впервые увидел Советский Союз
в 1967 году, когда она приехала в Москву в составе
французского Мюзик-холла

он вкусен, русский чай! После салата с капустой мне подали незнакомое питье — стакан кефира, он такой вкусный и так приятно холодит нёбо в этот весенний день.

Мою костюмершу Тамару все называют бабушкой. Это дородная дама, как и многие здешние женщины. Дело в том, что они употребляют очень сытную пищу: едят много картофеля, хлеба и других мучных изделий. А также сладостей. Редко кто из них придерживается диеты.

Внезапно доносится громкий голос Джонни:

— Малыш! Малыш! Что они там делают, шут их побери! Да они перепортят нам все динамики!

— Понимаете, сударь...

— Они, видно, спятили! Остановите их!

— Дело в том, сударь... они хотят проверить, что там внутри!

— Что они надеются там обнаружить! Бомбы? Листовки? Микрофоны? Может, это в их духе, но не в нашем! Соедините меня с Головиным! Я с ним сам поговорю!

Жаль, что здесь нет тети Ирен! Вчера вечером она мне сказала: с такими рассуждениями, как у Джонни, недолго и в ГУЛАГ попасть! Я пытаюсь его успокоить. Он советует мне лучше заняться моим голосом и помнить, что я не туристка, а артистка и мне пора уже с помощью Артура репетировать вальс. Дело пока не ладится. Не ладится...

Все наладилось, отлично наладилось!

Мое первое выступление проходит в атмосфере, с какой я до сих пор никогда не сталкивалась.

Когда я, готовясь выйти из-за кулис, перекрестилась, глаза у Галины округлились от удивления. И вот я на сцене; полная тишина, царящая в зале, поражает меня... А впереди — неподвижная масса людей. Живы ли они? Отчего же так застыли? Никто даже не шевельнется... И тут я бросаю им прямо в лицо первые слова песни: «Да, я верю!..»

Поначалу мне кажется, что пение мое подобно «гласу вопиющего в пустыне»... Но внезапно, едва я кончаю петь, раздается гром аплодисментов, и 2000 зрителей ритмично хлопают в

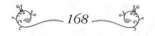

ладоши. А потом из зала направляются к сцене один, два, пять, десять человек; они поднимаются по ступенькам и, поклонившись, кладут к моим ногам букеты цветов. В их глазах светится радость. Публика не ломала кресел, не вопила, но впервые в жизни я ощутила себя ее кумиром.

Французское телевидение направило Кристиана Бренкура с группой помощников для съемок на Красной площади. И вот что удивительно: площадь была перед этим «очищена» от прохожих, которые стояли поодаль. В положенное время произошла смена караула у мавзолея Ленина: солдаты шли, четко печатая шаг. Галина сказала, что я непременно должна побывать в мавзолее. Весь день вдоль Кремлевской стены медленно движется длинная очередь людей, которые хотят увидеть Ленина. Приходят сюда и новобрачные — такова традиция. В очереди соседствуют голубоглазые блондины и брюнеты с узкими глазами.

— Мы большая страна, — говорит мне Галина. — Вот почему вы видите рядом и славянина, и уроженца Азии...

— Понимаю. Моя мама родилась на Севере Франции, а замуж вышла за южанина.

Должна же и я хоть немного пропагандировать наши порядки! Галина напоминает о своем предложении. Но Бренкур еще собирается нас снимать. А так как снимать мавзолей не положено... Когда же кончились съемки, кончилась и очередь, но, увы, завершился и доступ в мавзолей. По другую сторону площади расположен ГУМ — здешние «Галери Лафайет». Это весьма своеобразное здание. В нем на трех этажах разместились личные киоски, между рядами которых переброшены мостики, а все здание увенчано стеклянной крышей. Галина объясняет мне, что зимой это очень удобно: можно делать покупки, не страдая от холода. У прилавков, где торгуют предметами первой необходимости, стоят плотные очереди, и вдруг я замечаю открытую витрину: здесь продают значки. Русские очень любят всевозможные значки. Особенно много значков с изображением Ленина, и это вполне понятно, ведь в стране готовятся отметить пятидесятилетие революции. У меня просто глаза раз-

бегаются: есть тут значки из разных республик, на них изображены люди, памятники, пейзажи, и на всех — надписи, которых я, конечно, не понимаю. Эти маленькие эмалированные брошки стоят несколько копеек, я покупаю их дюжинами, чем привожу в восторг продавщицу; три значка тотчас же прикалываю к своему жакету.

— Красивый... Спасиба.

Джонни смотрит на меня с некоторым раздражением:

— Подумать только, у тебя есть брошь от Ван Клифа, а ты ее не носишь! И, кажется, ты уже говоришь по-русски?

— Я попросила Галину научить меня нескольким словам.

— Берешь платные уроки английского языка, но в голове у тебя ничего не удерживается. А здесь, даже не зная русского алфавита!..

— Это совсем другое дело, я запоминаю слова на слух!

Надин привезла из Парижа важную новость. Собравшись в Венеции, критики из 15 стран учредили приз «Европремия», его присуждают за выступления по телевидению. Приз этот получили Элизабет Шварцкопф — за исполнение камерных произведений, Нуриев — за балетные номера и я — как эстрадная певица. Здесь об этом, понятно, ничего не знают. Какое несчастье — все эти надуманные границы... Было бы гораздо проще, если бы все жили на единой планете. Я благодарна своей судьбе. Ведь я могу преодолеть «железный занавес», а возможно, и пресловутую «стену» и все другие стены, сколько их есть... Я все время говорю тете Ирен, что мечтаю не столько петь «повсюду» в мире, сколько петь «для всего» мира.

— У меня замечательная профессия, правда, тетя? Пусть даже слушатели не знают языка, на котором звучит песня, она доходит до их сердец. В этом — тайная власть музыки. Я не знаю сольфеджио, не играю ни на одном музыкальном инструменте, инструментом мне служит голос. Он открывает мне путь в любую страну. Хочу тебе еще вот в чем признаться. В поездках я чувствую себя прекрасно. Джонни — другое дело, ему недостает домашнего уюта. А для меня это не имеет значения...

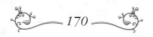

— Да... я бы никогда не поверила, но ты по натуре просто бродячий акробат...

— В какой-то мере... Я люблю возвращаться домой... но ведь для того, чтобы возвратиться, надо прежде куда-то уехать! И еще одно: я люблю путешествовать, но ездить бы одна не могла. Мне необходим мой «фургон». Вот Кристиана завтра уезжает... и знаешь, мне от этого так грустно...

Да! Завтра в Париж возвращаются несколько человек из нашей труппы, и не без удовольствия: Джонни говорит, что у него там много неотложных дел, Бруно скучает по своей «Олимпии», а Эдди хочет сам проследить за тем, будут ли вовремя выпущены нужные пластинки.

Я завожу на ночь будильник, чтобы рано утром проститься с Кристианой. Она везет домой большой чемодан: мы привезли сюда в нем целый запас снадобий и отваров из лечебных трав — теперь он доверху набит прелестными деревянными игрушками. Главное место среди них занимают медведи, которые слывут «эмблемой» России. Воображение резчиков по дереву поистине беспредельно: игрушечные медведи сидят на качелях, рубят дрова, играют в шахматы, забавляются с мячом... В роли их партнеров выступают то медвежонок, то волк, то кролик... Эти бесхитростные игрушки очень дешевы, каждая из них стоит рубль или два, но детям они доставляют немало радости. Гуляя по улицам, я заметила, что к детям здесь относятся, как к маленьким принцам. О них заботятся, их холят. Все они очень чисто одеты. Конечно, их наряды не назовешь «шикарными»; здешние дети напоминают мне, какими были мы, маленькие Матье, — мы тоже были всегда аккуратно одеты, и нас все забавляло. Правда, таких красивых игрушек у нас никогда не было. Неподалеку от Кремля находится многоэтажный магазин, где продают только товары для детей. Там всегда полно покупателей.

— Это вполне понятно, — говорит мне Галина. — В нашей стране, где война унесла столько жизней, к детям относятся, как к святыне.

Московские дети необыкновенно милы: в ответ на вашу улыбку они широко улыбаются. Впрочем, так же поступают и взрослые.

Я еще дремлю, как вдруг — стук в дверь, и на пороге появляется... Кристиана!

— Что случилось? Почему ты не уехала?! А где дядя Джо?

— Он-то уехал! Но был вне себя от ярости! В аэропорту он достает наши паспорта и протягивает их Галине для регистрации багажа. Она внезапно бледнеет: «Господин Старк! Кристиана не может улететь: вместо ее паспорта у вас оказался паспорт Мирей!» Ну и сцена была! Джонни заявил, что мы с тобой похожи и все «сойдет благополучно»! Галина возразила, что это невозможно, она рискует лишиться работы. И тогда Джонни гневно обрушился на Надин (к счастью, ее там не было!) за то, что «эта разиня» перепутала наши паспорта. В конечном счете, я осталась по эту сторону барьера, и вот я тут!

Она вне себя от радости, и я тоже. Мне еще предстоит пробыть в Москве целых три дня, и сестра станет «моими глазами»: осмотрит то, что я не успею осмотреть! Кристиана просто замучила Галину: Новодевичий монастырь, Пушкинский музей и даже Большой театр... Подробно описав мне свои впечатления, она скажет:

— Знаешь, тебе непременно нужно будет сюда вернуться.

Сколько раз мне так говорят... Эти слова сопровождают меня всю жизнь.

Льет дождь. В Ленинграде льет дождь. Мы объезжаем в машине город...

Сквозь пелену дождя он представляется мне каким-то призрачным: фасады домов покрыты лепным орнаментом, напоминающим крем, стены украшены каменными кружевами — они кажутся мне фисташками, карамельками, шоколадными конфетками. Все это выглядит так аппетитно, что просится в рот, но город остается недостижимым: быть может, виной тому завеса дождя...

Мы по-прежнему на привилегированном положении, и потому, минуя вереницу туристов, стоящую перед Эрмитажем, входим через особую дверь.

— Эрмитаж — один из богатейших музеев мира, — говорит Галина, — если не самый богатый! Подсчитано, что в нем более двух миллионов произведений искусства! Что бы вы хотели посмотреть?

Я не решаюсь ей признаться, что совершенно не знаю живописи, что не была даже в Лувре, о котором она часто упоминает. Так что же мы будем смотреть? Предметы первобытной культуры? Римское искусство? Греческое? Египетское? Китайское? Японское? Художников итальянской школы? Испанской? Фламандской? Голландской? Немецких художников? Английских? Французских?

— Я бы больше хотела французских (уж лучше начинать со своих!).

— Хорошо. Но какой период вас интересует? Французская живопись занимает у нас сорок три зала?

— Сорок три зала?

— У нас удивительная коллекция импрессионистов.

Галина говорит, что прежде всего нам надо зайти в гардероб, чтобы переобуться. Мы с тетей Ирен растерянно переглядываемся. Там, должно быть, сотни пар обуви ждут своих владельцев... Как мы потом разыщем свои туфли?! Дежурная *бабушка* подает нам большие войлочные туфли... В них может поместиться шесть таких ступней, как моя.

И вот мы пускаемся в путь, скользя по паркету.

— Они придумали прекрасный способ, как бесплатно натирать полы! — шутит тетушка.

К сожалению, мы проходим по залам очень быстро. Я предпочла бы подолгу постоять перед картиной, которая мне нравится, чтобы мысленно «прогуляться» по изображенному пейзажу... скажем, по «Полю маков» Моне или по «Большим бульварам» Писсарро. Первая картина напоминает мне поля моего

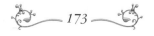

детства, которых мне иногда так не хватает, а глядя на вторую, я думаю о том, что хотела бы жить в то время, когда люди ездили в фиакрах и в моде были платья с турнюром... А вот и полотно Дега! Как жаль, что с нами нет Джонни, он так любит холсты этого художника! На картине изображена не танцовщица, а обнаженная дама, она расчесывает свои волосы...

И тут я вспоминаю, что в шесть вечера в гостинице назначена встреча с журналистами и тете Ирен надо успеть вымыть мне голову.

На сегодня, пожалуй, довольно, ведь вечером я пою! Впрочем, слово «вечером» здесь не совсем уместно. Стоит пора белых ночей! Так что вечеров не бывает, все время длится день, правда, довольно странный — похожий на сумерки.

Очень жаль, что пора белых ночей очень часто сопровождается весенними ливнями. Но все же мы не скучаем. Когда остаемся в гостинице, Мажакс играет с нами в карты, музыканты импровизируют, и все мы много смеемся.

Однако вскоре мне уже не до смеха: я узнаю, что нам предстоит лететь в Казань на самолете марки «Ильюшин».

Казань по-своему прекрасный город, но он, увы, закрыт для туристов. Здесь мы тоже — и даже больше, чем в других местах, — на положении «привилегированных». В аэропорту нас разглядывают как диковинных зверей. Мы находимся в главном городе Татарской Республики.

— Для вас, как для певицы, — говорит Галина, — этот город представляет особый интерес. Здесь родился Шаляпин.

— Шаляпин! Я должна сообщить об этом по телефону папе! Он так восхищается этим великим певцом!

Увы! Если даже в Москве приходилось ожидать заказанного международного разговора, то после нашего приезда в Ленинград добиться такого переговора было практически невозможно. Видимо, это объяснялось тем, что 5 июня началась очередная война между Израилем и арабскими странами[1]. Между-

---

[1] Имеется в виду так называемая «шестидневная война». *(Примеч. авт.)*

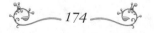

На набережной Невы у крейсера «Аврора».
Мирей Матье в свой первый приезд в Ленинград

народные телефонные разговоры были затруднены. Я так и не сумела позвонить в Авиньон. А уж дозвониться туда из Казани, города, закрытого для туристов, не было никакой надежды.

Внезапно я захворала.

Татары отличаются завидным здоровьем. Днем здесь стоит палящая жара, не менее 40 градусов по Цельсию. А вечером температура опускается до 10–12 градусов тепла. Должно быть, поэтому я, несмотря на все меры предосторожности, заболела ангиной. Температура у меня поднялась до 39 градусов. Отменить мое выступление было просто невозможно: все билеты во Дворец спорта (он даже больше такого же Дворца в Ленинграде и вмещает 8 000 зрителей) проданы. Нужен врач.

— Но кто станет тебя лечить, — беспокоится тетя Ирен, — ведь здесь никогда не бывает туристов?

— В городе есть очень хорошие врачи! — успокаивает ее Галина. — Мы ведь не на краю света!

Приходит доктор с необыкновенно узкими глазами. Тетушка хочет во что бы то ни стало узнать, что за укол он мне собирается сделать.

— Мсье, мсье! Я непременно должна петь сегодня вечером!

— Он говорит, что вы будете петь, — говорит Галина.

Я и вправду пою. Уж не знаю, каким образом звуки вылетают из моего горла, но я пою.

На следующее утро я опять потеряла голос. Чудеса, да и только!

Вновь появляется врач, делает мне такой же укол, как вчера, и к нужному часу голос ко мне возвращается. Когда я выхожу на сцену, у меня уже нет жара. Может, он и есть, но я его не чувствую.

Так продолжается всю неделю до последнего дня нашего пребывания в Казани. До вечера я лежу в постели, и мои спутники изо всех сил стараются меня развлечь. Комната, где я живу, не блещет комфортом, окна ее, как и во всех номерах гостиницы, выходят на сортировочную станцию.

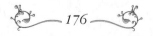

Наш артист-звукоподражатель Жак Перро просто бесподобен: постукивая себя пальцами по горлу, которое у него — в отличие от моего горла — в прекрасном состоянии, он издает самые неожиданные звуки. Жак может имитировать кого и что угодно. Внезапно он отворяет окно и громко свистит, подражая свистку начальника станции. Как видно, такие свистки одинаковы во всех странах, потому что... какой-то состав трогается с места!

Сперва мы думаем, что это всего лишь совпадение. Жак снова свистит, и второй товарный поезд, стоявший на путях, в свою очередь трогается с места! Сомнений не остается: Перро вызвал неразбериху на станции. Железнодорожные служащие бегают по перрону... Жак поспешно захлопывает окно! Мы помираем со смеху. «К счастью, Галина оставила нас без присмотра», — замечает Жан-Мишель Бори. Про себя я думаю, что она не похвалила бы нас за эту неуместную шутку! Тем не менее, этот случай останется одним из самых веселых моих воспоминаний о нашей поездке в Советский Союз.

От триумфа к катастрофе

Как и в прошлом году, день своего рождения я праздную в пути.

За два с половиной месяца гастролей мы побывали в 75 городах. Ни дня передышки. Я немного отдыхаю только тогда, когда у меня несколько сольных концертов в одном городе.

За рулем нашего черного автомобиля, как всегда, шофер Рене. Я устроилась на заднем сиденье и стараюсь вздремнуть. Джонни вынужден напоминать водителю: не ехать быстрее 80 километров в час, иначе меня мутит.

Обидно, но все складывается так, что я не могу попасть в Авиньон 22 июля... Ничего не поделаешь. Я и сама вижу, как трудно все распланировать. Настоящая головоломка! Надо выбирать кратчайшие маршруты, учитывая при этом пожелание муниципалитетов. Если пути наши и других звезд эстрады пе-

ресекаются, надо следить за тем, чтобы дни выступлений не совпадали и даже проходили с некоторым интервалом: ведь кошельки у зрителей не резиновые... С некоторых пор летние гастроли пользуются дурной славой у импресарио, ибо проходят со скрипом. Концерты с участием известных артистов нередко собирают мало публики. Отчего бы это? Иногда нам помехой служат телевизионные передачи, поясняет Джонни. Иногда играют роль финансовые соображения. Мне пока везет. Я таких трудностей еще не испытала. На моих концертах залы всегда полны. Но я понимаю, что все это может внезапно рухнуть. И потому стараюсь быть в самой лучшей форме, чтобы зрители чувствовали, что не зря потратили деньги. Впрочем, концерты доставляют удовольствие и мне самой. Ведь я так люблю выходить на сцену и петь!

22 июля. Мы в курортном городке Пале. Это прелестное местечко. Мне чудится, что из-за поворота вот-вот может появиться императрица Евгения. В гостинице нам с тетей Ирен отвели соседние номера, их окна смотрят на море. Итак, с этого дня я — совершеннолетняя. Но взрослой себя не ощущаю. Тетушка подает мне пакет, присланный из дома. Матита перевязала его красивой ленточкой. Бумага, в которую он завернут, покрыта рисунками моих братьев и сестер. А внутри... праздничный пирог, традиционный сладкий пирог, который мама собственноручно печет для нас: такой же пирог она прислала мне два года назад в летний лагерь!

К нам пришли друзья: два товарища по профессии — Жак Дютрон и Ги Маршан. Пришел и Марсель Сердан, отца которого хорошо знал Джонни. Марсель очень славный молодой человек. Мы веселимся, танцуем... А назавтра я узнаю из местной газеты, что мы с ним — жених и невеста!

— Просто ужас какой-то, — жалуюсь я тетушке. — Стоит мне с кем-нибудь потанцевать, и его тут же объявляют моим суженым!

— Подумаешь! Такое будет происходить с тобой еще не раз! — замечает Джонни. — Ты могла бы досадовать, будь он

уродлив, как Квазимодо, но прослыть невестой Марселя Сердана-младшего вовсе не обидно!

— Что ж теперь делать? Послать в газету опровержение?

— Зачем? О тебе уже складывается легенда. И она будет существовать, независимо от твоей воли.

Мне это не по душе. Не вижу причин, почему у меня должна быть двойная жизнь: та, которой я живу на самом деле, и та, которую мне приписывают.

— Наверное, у артиста всегда двойная жизнь, — говорит тетя Ирен своим тихим и ровным голосом. — А может, у него даже несколько жизней. Каждый по-своему представляет себе жизнь любимого артиста. Так что ты сейчас живешь в воображении тысяч зрителей в разном облике. Не мешай им придумывать твою жизнь, а сама живи собственной жизнью. Не понимаю, почему тебя все это тревожит.

Потому что я не люблю, когда обо мне выдумывают разные небылицы.

— Возможно, журналист искренне думал, что между тобой и Марселем что-то есть... У тебя был такой веселый, такой счастливый вид...

— Но ведь был день моего рождения. Все ко мне так хорошо относились, мы все были довольны и веселы... Слушай, тетя, ведь ты там тоже была! Разве я дала хоть какой-нибудь повод так предполагать?

— Да нет, нет... Но люди часто видят то, что им хочется.

Джонни закуривает сигару. Меня раздражает его спокойствие: ведь как-никак дело идет о том, как освещают мою жизнь.

— Вот так и возникают многие судебные ошибки! — произносит он. — Люди утверждают, что своими глазами видели то, что им только показалось. Не станешь же ты портить себе праздник из-за этой истории. Кстати, у меня есть гораздо более важная новость. Ее мне только что сообщила по телефону Надин. Получена телеграмма от Лесли Грейда. Все улажено, милая. Ты примешь участие в «Королевском представлении»!

— В присутствии самой королевы?

— Да, в присутствии самой королевы. Оно состоится 13 ноября в театре «Палладиум». И Грейд прибавляет, что выступать ты будешь в достойной компании...

— Подумать только! Сама королева! Папе так хотелось увидеть ее коронацию! Но телевизор у нас появился гораздо позже! Он просто с ума сойдет от радости!

— Когда я говорил о достойной компании, я имел в виду не тех, кто будет в зале, а тех, кто на сцене. Одновременно с тобой выступают Том Джонс и Боб Хоуп.

— Том Джонс!

Я его страстная поклонница: покупаю все записанные им пластинки! И к тому же Боб Хоуп... Он принадлежит к числу друзей Джо Пастернака!

— Там-то журналисты вволю пройдутся на твой счет...

Пастернак... мы опять в его конторе на Пеладжио Роуд, в Голливуде. Речь снова заходит о задуманном им фильме «Город гитар». Джонни сильно нервничает, потому что съемки предполагают начать 20 сентября. Он хорошо знает, что, выступая в Советском Союзе, я отнюдь не преуспела в освоении английского языка.

Джо заявляет, что у него есть замечательный преподаватель, который быстро меня обучит. Джонни возражает: нельзя идти на риск, который грозит мне провалом в Соединенных Штатах. Джо отвечает: он берется за это дело, так как уверен, что меня ждет не провал, а успех. И приводит доводы в пользу того, почему я должна преуспеть, — сильный голос, красивое личико, молодость. В ответ Джонни приводит свои доводы, грозящие неудачей: я не говорю по-английски, никогда не играла на сцене. Джо замечает, что если бы я не отправилась на гастроли к русским, а пожила бы годик в Соединенных Штатах, то сумела бы... Джонни говорит, что, выступая непосредственно перед публикой, я совершенствую и голос, и умение держаться на сцене. И тут Джо просит меня высказать свое мнение.

Передо мной встает трудная задача: я очень хорошо отношусь к господину Пастернаку, мне нравится Америка и к тому

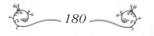

же — какой сумасшедший откажется от долларов?! Как объяснить Джо, не обижая его, что английские слова будто застревают у меня во рту, быть может, из страха перед Голливудом?

Джонни говорит нашему собеседнику, что я вскоре буду выступать перед английской королевой, — это, кажется, немного успокаивает Джо, — а потом приму участие в других концертах в Лондоне: таким образом, я, можно сказать, на практике научусь английскому языку и, когда приеду в Америку, буду чувствовать себя гораздо увереннее...

— Стало быть, вы отказываетесь сниматься в фильме «Город гитар»? Вместе с Джоном Уэйном?!

— Думаю, что этого требует благоразумие...

— Ладно, — говорит Пастернак со вздохом. — Дело не в том, что у нас нет подходящих актрис! Грейсон превосходно справится с этой ролью. Но Мирей... с ее french[1] обаянием... я уверен, прекрасно сыграла бы. Не будем же мы ждать той поры, когда она состарится настолько, чтобы играть мамаш, а я должен буду удалиться от дел! У всех нас, Джонни, только один настоящий враг — Время.

— Но оно тем, не менее, работает на нас, Джо. Мирей с каждым днем совершенствуется. Поверьте мне, через год она гораздо лучше справится с тем, что вы надумаете ей предложить!

Когда мы оказываемся в своем бунгало на Беверли-Хиллз (оно все то же), Джонни говорит мне:

— Знаешь, что я тебе скажу? Ты достигнешь вершины своей карьеры годам к сорока.

Легко сказать! Я спрашиваю себя, продержусь ли я до тех пор.

— Что с тобой? Ты нынче вечером какая-то странная, — говорит тетя Ирен.

Мы попросили принести нам ужин домой, чтобы не выходить на улицу. Я говорю ей, что мы отказались от участия в задуманном фильме, где я должна была бы играть вместе с Джоном Уэйном.

---

[1] Французским *(англ.).*

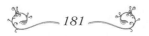

— Какая досада! — восклицает тетушка. — А мне так хотелось с ним познакомиться... Чем же ты теперь займешься?

— Приму участие в фильме о Джеймсе Бонде.

— Сыграешь Джеймса Бонда — girl[1]?

— Нет. Я просто спою песню в начале фильма «Королевское казино».

— Стало быть, ты не увидишь Шона Коннери?

— Нет, тем более что на этот раз роль Бонда исполняет не он.

— Какая досада! Я бы охотно познакомилась с Шоном Коннери!

Тетушка раскрепощается на глазах. Она непринужденно чувствует себя в самом роскошном отеле и разговаривает с любым человеком так же свободно, как с бакалейщицей в Авиньоне. За время наших гастролей художник-декоратор навел лоск в нашей новой квартире, расположенной против американского госпиталя. Она просторнее прежней. Теперь в моем распоряжении большая комната, где я могу репетировать с несколькими музыкантами. И принимать там гостей. Есть у нас теперь и балкон.

— Достаточно ли низко я кланяюсь?

— Слишком низко!

Жак Шазо репетирует со мной «реверанс перед королевой». Этому научиться гораздо труднее, чем танцевать вальс.

— Надень свое платье...

— Оно еще не готово!

— Надень любое другое! Очень важно, чтоб ты училась делать реверанс в длинном платье. Это избавит тебя от резких движений...

Одно дело репетировать реверанс в своей гостиной, и совсем другое — выполнять его в присутствии королевы. Я отлично понимаю, что она такой же человек, как все, как я... но, что ни говори, ее присутствие меня подавляет.

---

[1] Девушку *(англ.)*.

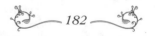

Звезда мирового кино Шон Коннери, неотразимый Джеймс Бонд

Стоя за кулисами, я вижу, как она усаживается в королевской ложе, напоминающей корзину цветов: ложа увита ими снизу доверху. На голове у королевы сверкает диадема, на шее у нее — великолепное ожерелье... И тут я внезапно вспоминаю о гадалке, у которой я была с подружками на другом берегу Роны; она в тот день сказала мне: «Ты повидаешь на своем веку королей и королев...» Я приняла ее за сумасшедшую. Но, оказывается, ясновидящие существуют.

— Присядь-ка, — говорит Джонни, — тебе еще не скоро выступать.

— Я не решаюсь. Боюсь помять платье.

Знает ли она, что я родилась в бедной семье? Наверняка знает. Кстати, среди выступающих сегодня артистов многие выросли в бедных семействах: Том Джонс — сын шахтера, а Боб Хоуп перепробовал множество профессий, прежде чем начал сниматься в Голливуде.

— О чем он говорит?

— Говорит, чтобы ты не боялась. Королева — прелестная женщина.

— Я не боюсь петь в ее присутствии. Напротив. Вы ведь хорошо знаете, Джонни, что всякая премьера меня воодушевляет. А особенно такая!.. Меня тревожит, как получится реверанс.

— Тут уж ничего не поделаешь. Ведь не можешь ты взять и пожать королеве руку!

— А если она мне ее сама протянет?

— Лесли уже говорил тебе: бережно возьмешь ее руку и сделаешь реверанс.

— Уж лучше бы она мне руки не протягивала! Одновременно сделать и то, и другое слишком трудно!.. Вы будете сидеть в зале?

— Что ты, Мирей, как я могу! Ты совсем не разбираешься в обстановке! В зале будут только особо приглашенные.

— А Лесли Грейд попал в их число?

— Он примостится где-нибудь в уголке.

По крайней мере, хотя бы он сумеет сказать мне, как я выступила... Моя очередь выходить на сцену.

Публика в зале «будто неживая», как говорят артисты. Никто не шевелится. Плотной пеленой нависла тишина. Вперед!

Самое трудное — то, что я не знаю, на кого смотреть. На нее?.. На это я не решаюсь, хотя ведь пою именно для нее. Я наугад выбираю какую-то даму в голубом платье (чье лицо я не различаю), представляю себе, будто на ее месте сидит тетя Ирен, которой я и дарю свою песню. Надо сказать, что при свете прожекторов я вообще смутно различаю лица сидящих в зале, так что никого узнать не могу. Публика для меня сливается в некое чудище со множеством глаз. И всякий раз оно иное. Поначалу это занятно. Даже чарует. И вместе с тем страшит. Порой мне кажется, что в эти минуты мы ощущаем себя как тореадор перед быком. Для тех, кто выходит на арену, это — «минута откровения». Для нас — тоже.

> Любви нет в сердце моем,
> Но вальс так дивно звучит,
> Что мы, танцуя, поем:
> Ля, ля-ля, ля-ля...

Так заканчивается моя вторая песня, и я ухожу за кулисы. И почти тотчас возвращаюсь на сцену. Теперь предстоит самое трудное — реверанс.

— Когда королева бурно аплодирует, все в порядке! — говорит мне Боб Хоуп.

Я с ним согласна. Публика в зале смотрит на королеву, следует ее примеру и тоже бурно аплодирует.

Когда я возвращаюсь за кулисы, то вижу, что тетя Ирен плачет. Джонни не плачет никогда, но я знаю: когда он сильно взволнован, то морщит нос, чтобы сдержать слезинку. Теперь уже ни он, ни она не увидят того, что вскоре произойдет. Одних только артистов представляют королеве, они стоят, как бравые солдаты в строю, а она обходит их с любезной улыбкой и гово-

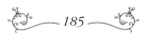

рит каждому несколько приветливых слов. В ответ нужно снова сделать реверанс. Но теперь это уже не так страшно, ведь первый реверанс сошел удачно. Меня гораздо больше беспокоит, что именно она мне скажет. А главное — пойму ли я ее.

Она приближается. Вблизи она гораздо миловиднее, чем издали. И меньше ростом, чем я думала. А улыбка у нее совсем не высокомерная. Она улыбается как зрительница, которая хорошо провела вечер и не жалеет, что потратилась на билет! Она смотрит мне прямо в лицо. Глядя на ее точеный нос и красиво очерченный рот, я понимаю, что она привыкла к тонким духам и к изысканным блюдам. Она окончательно покоряет меня, когда обращается ко мне по-французски! После обычных комплиментов, она говорит:

— Прекрасное выступление... Давно ли вы начали петь?

— С самого раннего детства! (Я забываю прибавить «Ваше величество»!)

— Надеюсь, вы еще долго будете радовать людей своим пением и непременно опять приедете в Лондон!

Когда королева в сопровождении свиты удаляется, первым меня крепко обнимает лорд Делфонд:

— Да, вы непременно приедете! Мой брат все устроит!

Он говорит о Лесли Грейде. А Лесли тут как тут. Дрожа от нетерпения, он посвящает меня в свои уже созревшие планы:

— Мы несколько раз покажем по телевидению «Шоу Мирей Матье», — говорит он.

На следующий день Джонни не приходится даже разворачивать «Таймс», чтобы узнать, что думает о моем выступлении эта весьма солидная газета: ни Боб Хоуп, ни Том Джонс не сфотографированы рядом с королевой, такой чести удостоилась только я, и снимок — редкий случай в практике этого издания — помещен на первой полосе. Впервые так отметила мой успех парижская газета «Франс-суар», но там подобным вещам не удивляются. Теперь «Франс-суар» написала, что я «выиграла свою битву за Англию».

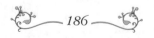

Джонни долго смотрит на первую полосу «Тайме», будто не веря собственным глазам.

— Чудеса, да и только!.. — произносит он. Я смеюсь. Никогда еще не видела его таким.

— Чудо, говорю я тебе... Ты даже не представляешь себе, что означает твой успех. Победить Лондон — это победить также Канаду и Америку.

— Знаю. Это мне уже объясняли.

— Но я не думал, что тебе это удастся...

Несколько дней спустя в Париж прибывает из Москвы Ансамбль песни и пляски Советской Армии; он будет выступать во Дворце спорта. И в день премьеры я — в некотором роде участница культурных обменов между нашими двумя странами — неожиданно для публики выступлю вместе с хором этого ансамбля как солистка с песней «Товарищи, когда придет рассвет?». У этой песни целая история.

В издательстве Робера Лаффона вышла в свет книга об Октябрьской революции. Ее автор — Жан-Поль Оливье, а предисловие к ней написал его друг Гастон Бонэр. Красивое имя... И оно мне хорошо знакомо! Я чуть ли не каждый день сталкиваюсь с ним: Джонни, который знает, как я люблю историю, подарил мне в прошлом году книгу Бонэра «Кто разбил вазу в Суассоне?». До чего она мне нравится! Я полюбила ее, как только взяла в руки и увидела обложку (на ней изображена трехцветная карта Франции, которую школьник, совсем малыш, несет на плече, — сердце какого патриота останется к этому равнодушным!); а затем книга стала мне близким другом. Я могу открыть ее на любой странице и всегда обнаружу для себя что-нибудь интересное: стихотворение или написанный прозой отрывок, принадлежащий перу великого писателя. Этот сборник — настоящее сокровище для меня, которая так мало знает. Он как бы распахивает передо мной двери в незнакомый мир, а если порой я наталкиваюсь на то, что мне уже известно, то испытываю радость узнавания.

Наш Гастон Бонэр, который любит на досуге сочинять песни, написав предисловие к книге Оливье, почувствовал, что тема захватила его. «Какую прекрасную песню можно было написать на этот сюжет!» — подумал он. А потом возникла цепочка: издатель книги Робер Лаффон поддержал эту идею, заинтересовался этой мыслью и Эдди Барклей, он сказал, что запишет песню на пластинку; посоветовались также и с Джонни. Мориа в свою очередь вдохновился и написал музыку на слова Гастона Бонэра; была покорена песней и я.

Так вот и родилась эта песня. Но если бы мне сказали, что я буду исполнять ее на сцене Дворца спорта в окружении двухсот бравых молодцов в мундирах воинов Красной Армии, которые славятся своими прекрасными голосами... я бы, наверное, испугалась больше, чем перед «Королевским представлением»!

Слушать певцов этого ансамбля — одно удовольствие. Их мастерство таково, что они играючи справляются с любыми трудностями и легко переходят от песни «Время ландышей» к арии из «Фауста». Их танцоры также изумительны. Артисты ансамбля доносят до нас красочную природу России и черты ее народа: мы слышим, как ветер свистит над степью, как в березовой роще звучит балалайка, видим, как под тенью ели девушка ждет своего милого, ощущаем суровую красоту пейзажа и человеческой души; перед нашим мысленным взором предстают разнообразные картины, хотя на сцене перед нами — только люди в мундирах на фоне серого полотнища... И тут, к удивлению публики, на сцене появляюсь я — крошечная, в туфельках 33-го размера — и начинаю петь, а хор, каждый участник которого смело мог бы стать солистом, подхватывает песню.

Мы репетировали три дня подряд. Не жалея усилий, они выучили ее французский текст. Им перевели содержание, и оно глубоко тронуло их. Слушая их прекрасные голоса, понимаешь, с каким глубоким чувством они исполняют эту песню. Для них она воплощает не только образ Октябрьской революции. Она напоминает им о событиях более поздних — о мужественной защите Москвы и стольких других городов во время последней войны.

Товарищи, когда придет рассвет?
Упрямо кулаки
Они сжимали,
С улыбкою
Гавроша вспоминали...
Сквозь вихри шли они вперед,
Надеясь твердо, что заря взойдет:
Однажды
День настанет —
Жизнь лучше станет!..
Товарищи, когда придет рассвет?
В моих ушах вопрос звучит
Тот самый, что они решали,
Когда из пушек выстрел дали —
С крейсера, что на Неве стоит...

В наших краях говорят: «Давши слово, держи его крепко, как собаку на поводке». Когда я познакомилась в Кремле с полковником Александровым, то пригласила его к себе в гости и, разумеется, сдержала свое слово. И вот он у меня дома, конечно, не со всем своим ансамблем — 200 человек не поместились бы в квартире, — а с десятком своих солистов. Они принесли с собой водку, а Джонни купил на закуску икру и семгу. Тетя Ирен со вчерашнего дня не отходит от плиты, готовит кушанья для гостей; по ее словам, она «очень довольна, что может наконец-то принять столько людей!». (В Авиньоне у нас по праздникам нередко собиралось человек 30, хотя мяса, строго говоря, было только на десятерых).

— Ни катите ли паесть?

— О чем ты спросила полковника? — задает мне вопрос Джонни.

— Не голоден ли он.

С некоторым раздражением дядя Джо тихо говорит:

— А ты могла бы сказать это по-английски?

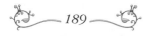

— I am angry[1].

— Чепуху городишь! Надо сказать: «Hungry!»[2] Произносишь неверно и тем самым искажаешь смысл.

— Теперь вы сами видите, почему русский язык легче. Там я не думаю об орфографии!

График выступлений у меня очень жесткий. Из Марселя мы ненадолго приезжаем в Авиньон на крестины Венсана, которому исполнилось семь месяцев.

Я видела его всего один раз, и то наспех, когда он только-только родился.

— Сколько времени я тебя уже не видела?

— С прошлого воскресенья, мама, когда я выступала по телевидению!

— Да... знаю. Но я не это имею в виду.

Она собирается укладывать младенца спать. Я прижимаю его к груди. Он такой хрупкий, такой тепленький, такой красивый... совсем как Реми в его возрасте. И как я купала Реми, так купаю и его.

Из Канады я привезла чудесное мыло для малышей. Замечаю, что у Венсана все тельце в крошечных волдырях.

— Это от комаров! Их в этом году видимо-невидимо...

— Как глупо, что я этого не знала. В Канаде есть замечательное средство от комаров!

— Остается надеяться на снадобье бабули...

Я даже не могу дождаться, пока Венсан заснет. Надо снова отправляться в дорогу. Успеваю только погладить Юки: бедный пес так радостно встретил меня! Но зайти в мастерскую отца я уже не успеваю.

— Сейчас я тружусь над камином для нашего дома. К зиме его закончу. Увидишь — просто залюбуешься, на изразцах будет герб Авиньона: три ключа и два кречета, — говорит отец.

---

[1] Я сердита *(англ.)*.
[2] Я голодна! *(англ.)*

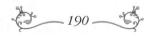

Мирей Матье выступает в сопровождении духового оркестра
французской армии

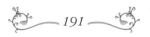

— Если бы он теперь вместо детей стал делать камины, — шутит мама, — мне жилось бы куда легче!

Когда камин был уже закончен, я долго не могла выбраться, чтобы посмотреть на него. Шли репетиции: я готовилась к новому выступлению в «Олимпии». Предыдущее состоялось год назад, и ставка теперь была гораздо серьезнее.

— На сей раз ты либо останешься в «Олимпии» на годы, либо вообще не будешь там выступать, — говорит мне Джонни.

Но я забываю обо всем этом на несколько часов.

Родители решили, чтобы крестины прошли скромно — без лишнего шума, без суматохи, без фотографов. Осуществить это в Авиньоне было бы очень трудно. И потому церемония происходит в церквушке на горе Ванту. Никто посторонний сюда не придет! С этой горы открывается великолепный вид на всю округу. В ясную погоду виден даже Марсель. А уж гор и горушек окрест — не сосчитать. Папа может назвать их все «по именам»... но сегодня нас занимает только одно имя — Венсан. Малыш Венсан, которого держит на руках его крестная мать — госпожа Коломб (а крестный отец у него — Джонни). Все мы молим Бога, чтобы ребенок вырос таким же благородным, как его святой патрон, и был бы счастлив, как всякий добрый христианин. Эта церквушка с поэтичным названием «Часовня на Светлой горе» особенная: сюда приходят молиться и католики, и протестанты. Затерянная в горах «вселенская» церквушка располагает к духовной сосредоточенности, побуждает благодарить Бога за все те блага, что он нам ниспосылает.

Вдохнув полной грудью необычайно чистый воздух Воклюза, унося в сердце нежность к родному краю и сохраняя в памяти неповторимую красоту его природы, я бесстрашно выхожу на сцену «Олимпии». В очередной раз.

Холлидей зашел ко мне в артистическую уборную, чтобы обнять меня: он уезжает из Парижа на гастроли. В зале присутствуют мои надежные приверженцы, те, в чьей любви я не сомневаюсь: Азнавур, Саша Дистель, Лина Рено, Далида и, конечно, Морис Шевалье. Для него я пою «Яблоко», песню, которую

неожиданно для всех включила в свой репертуар. Шарль Трене сидит в первом ряду, он пришел послушать, как я исполню его песню «Я слышу сердца гулкий стук». Собрались все друзья «Олимпии» — от адмирала Тулуз-Лотрека до Грегуара (из мира автомобилей), здесь и спортивные звезды — Кики Карон и Жак Анкетиль... За четверть часа до моего выступления заведующий постановочной частью вручает изумленному Джонни телеграмму. Тот читает: «Милому моему дяде Джо, которому я всем обязана. Сегодня вечером я буду сражаться за Вас! Мими».

Я знаю, как важен этот концерт и для него. Я должна разрушить в умах некоторых людей искаженное представление обо мне как о «марионетке Джонни Старка». Довольно устойчивое представление!

— Вы видели газету «Монд»? — спрашивает Надин. — Какой крутой поворот!

И она читает вслух:

«На этот раз мы должны признать: певица наконец-то обрела свой образ, не слишком резкий, но и не расплывчатый; осанка хороша, жесты естественны. Новый облик, который Джонни Старку удалось придать своей подопечной, нуждается разве что в легкой ретуши, и тогда он станет совершенным».

— Они не пишут, какую ретушь имеют в виду?

— Нет.

— Жаль...

— А вот что пишет «Кура»! — продолжает Надин:

«Я сдаюсь. Признаю, что Мирей Матье, к которой я относился весьма сдержанно, сегодня меня покорила... Пиаф была забыта. На сцене, где Мирей Матье совсем недавно дебютировала, нам предстала — в платье цвета заходящего солнца — хрупкая певица с удивительно сильным голосом».

Я довольна. Впервые чувствую, что меня признали без всяких оговорок.

68-й год начинается для меня хорошо.

В технике грамзаписи произошел некий переворот, и Эдди Барклей оказался, как всегда, на высоте. «Последний вальс» —

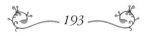

первая пластинка «на 45 оборотов, моно», которая появилась в продаже. Она имела бешеный успех. До сих пор пластинки «на 45 оборотов» выпускались с записью четырех произведений и стоили они десять франков. На пластинке нового образца записаны только два произведения, но стоит она шесть с половиной франков. Молодежь накинулась на нее.

Вместе с Эдди Барклеем мы отправляемся в Канн для участия в передаче «Говорит Юг». Сюда съехались певцы из 36 стран. Францию представляем Адамо и я. Каждый из нас получает приз. Эдди и Джонни втихомолку приготовили мне «классный» сюрприз. В ресторане «Мажестик» я нахожу в своей тарелке, покрытой салфеткой, листок со словами «Олимпийского гимна»; он прозвучит в фильме Лелуша и Рейшенбаха, который посвящен Олимпийским играм. Таким образом, едва закончив выступать в «Олимпии», я тут же начну гастроли по городам Франции; их самый важный этап — Гренобль!

— Вы довольны, Джонни?

— А ты, Мими?

— Еще бы... Я с успехом выступала в Англии, в Советском Союзе, в Германии и... в Париже. Впервые у меня такое чувство, что я твердо встала на рельсы. Остается только катить по ним. Впереди у нас — Соединенные Штаты. Вот увидите, в марте я удачно выдержу «экзамен» у Пастернака... Я уже без всякого акцента исполняю по-английски песню «The look for love»[1]. Что мне может помешать?

— Катастрофа на рельсах.

— О, Джонни, вечно вы шутите!

— Ты ведь хорошо знаешь, тетя Ирен, что Джонни обожает игру слов!

— Это вовсе не игра слов. Катастрофа всегда возможна. Увы...

Остается только катить, как сказала я, и мы катим. Но едем мы не в поезде, а в машине — по дороге в Лион. За рулем, как всегда, Рене. Я люблю такие огромные залы, как в Зимнем теат-

---

[1] «Взгляд любви» (англ.).

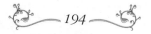

ре Лиона. Шесть лет тому назад он сгорел, но через год его отстроили, и самые известные певцы выступают тут во многом потому, что их связывает дружба с его директором Роже Ламуром. Я должна петь в субботу и в воскресенье вечером. А в воскресенье днем мне предстоит участвовать в «Теле-Диманш» в Гренобле. Там я впервые буду петь «Олимпийский гимн». Ехать недалеко, всего сто километров.

Утром тетя Ирен говорит Надин:

— Если тебе это доставит удовольствие, поезжай в Гренобль вместо меня. Я побуду в гостинице и посмотрю по телевизору, как будет выступать Мими.

И вот мы катим по дороге. То и дело попадаем в заторы, так как в это воскресенье — 18 февраля — закрываются Олимпийские игры.

Тем не менее, мы приезжаем вовремя. Надин помогает мне одеться, и вот я, в парадном платье (положение обязывает!), пою «Олимпийский гимн» и еще одну новую песню, «У меня есть только ты». Телезрители звонят даже из Парижа и просят спеть ее «на бис». Олимпийские чемпионки — Анни Формоз, Мариелла Гойтшел, Изабелла Мир — восторженно приветствуют меня. На концерте царит удивительная атмосфера, положительно «Теле-Диманш», как я сказала Роже Ланзаку, приносит мне удачу. Я бы охотно задержалась в обществе милой Нану Таддей, Раймона Марсийака и всей нашей «команды», но Джонни призывает меня к порядку, напоминая, что вечером я пою в Лионе. Мы пускаемся в обратный путь в половине шестого.

— Не торопитесь, Рене. Мирей выступает только в десять вечера...

— Как обычно, господин Старк, я еду не быстрее восьмидесяти километров в час...

Джонни сидит рядом с водителем, а мы втроем — на заднем сиденье: Надин устроилась между мной и Бернаром Лелу, фотографом из «Салю ле Копэн», который готовит репортаж. Все в машине подремывают. И вдруг — как в жутком кошма-

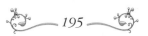

ре — наш «Ситроен-ПС» отрывается от земли, несколько раз переворачивается в воздухе и с адским грохотом разбивается.

Сама не знаю как, я оказываюсь на утрамбованной земле. До меня доносятся крики Надин. Уж не придавило ли ее чем-нибудь? А может, машина загорелась? Перед моим мысленным взором стремительно проносятся лица Рене-Луи Лафорга, Франсуазы Дорлеак, Николь Берже, которые несколько месяцев назад погибли в дорожных катастрофах. Я приподнимаюсь: наша машина превратилась в груду железа, нет больше ни крыши, ни дверец. Все, кто в ней сидел, вылетели наружу. Хорошо еще, что не разбились насмерть.

Бернар лежит на земле, держась за руку, Джонни прихрамывает, удрученный Рене то и дело повторяет:

— Ничего не могу понять...

Оторопевший Джонни произносит:

— Пальто мое в полном порядке, но пуловер весь в грязи...

В результате шока, вызванного аварией, все мы ведем себя странно, я, например, кричу:

— Мои платья! Что с ними? Ведь вечером я должна петь!

К счастью, в одной из машин, ехавших вслед за нами, находится кузен Старка, он же и его врач; он приезжал в Лион повидаться с нами, а затем, как истинный любитель спорта, отправился на закрытие Олимпийских игр. Он первым оказывается на месте аварии и сразу замечает, что Надин в крови: она пострадала больше всех. Другие автомобилисты также выходят из своих машин, чтобы оказать нам помощь. Я бегаю от одного к другому, крича:

— Благодарение Богу, мы все остались живы! Я цела и невредима, но вечером я должна петь! Пусть кто-нибудь отвезет меня в Лион! Вечером я должна петь!

Довольно быстро появляется машина «скорой помощи». Доктор усаживает в нее Надин и Бернара: он сам решил ехать с ними в больницу имени Эдуарда Эррио в Лионе. Джонни и меня доставляют к врачу в соседнее селение. Тот делает перевязку Джонни, у которого повреждена надбровная дуга, и обра-

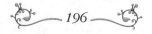

батывает порезы на моих руках и ногах. Он наспех выслушивает и осматривает нас: переломов нет, но мы перенесли шок... и отсюда головная боль и боли в спине.

Нас отвозят в лионскую гостиницу «Руаяль». В этот вечер я петь не буду. Концерт отменен. Ночью я сплю очень плохо. У меня болят ребра и поясница. Доктор настаивает на рентгеновском снимке позвоночника, кисти и левого колена. Меня уже собираются везти в больницу... но тут появляется Джонни, сильно прихрамывая. Я не могу удержаться от смеха: подвыпивший ковбой выходит из кабачка! Но это не проходит мне даром — ощущаю острую боль в спине. Что касается Джонни, то ему не до смеха.

— Надин чувствует себя очень плохо, — говорит он. — Сегодня рано утром ей удалили селезенку. Кроме того, обнаружили у нее перелом в трех местах: один — в области таза и два — в области грудной клетки, а ко всему еще у нее повреждена левая почка.

— Боже мой! Ее жизнь в опасности?

— Ничего определенного они не говорят.

Эта новость очень сильно меня огорчает. С первого дня знакомства Надин была для меня не просто нашим секретарем, но подругой, в которой я очень нуждалась. Приехав в больницу, я сразу же хочу ее повидать, но меня ведут на рентген. Там обнаруживается, что у меня сломаны два позвонка: 12-й спинной и первый поясничный. У Джонни, который жалуется на сильную головную боль, слегка повреждены, как выясняется, шейные позвонки. Он тоже должен оставаться под наблюдением врачей; один из них настаивает на том, чтобы нас переправили в Париж. Я и слышать не хочу о поездке в автомобиле; вечером мы уедем экспрессом «Мистраль». Мне не удается повидать ни Бернара — его оперировали накануне вечером, и он спит, ни Надин — она еще не очнулась после операции.

Из Авиньона приехали папа и мама в сопровождении Реми, все они очень испуганы и встревожены.

— Не плачь, мама, подумай: ведь я же могла погибнуть. Всем нам очень повезло. Ничего страшного не произошло. Через месяц я снова буду петь!

— И все-таки... я говорю себе: останься ты простой авиньонской девушкой, такой беды с тобой бы не приключилось!

Я смотрю на их расстроенные лица, полные нежности ко мне. До чего они славные все трое: хорошо одетые, такие ласковые... Их вид вознаграждает меня за все!

— Судьба оказалась ко мне благосклонной... Вы скоро сами убедитесь — мои дела опять пойдут на лад! Единственно, чего я хочу, — чтобы судьба была благосклонна и к Надин...

Вместе с тетей Ирен мы прибываем на Лионский вокзал, я сижу в кресле на колесах, прижимая к себе свой талисман — белую плюшевую собачку. Рядом шагает Джонни, опираясь на палку.

— Ты чуть было не осталась прелестной вдовой! — говорит он Николь, которая нас встречает. Вокруг теснятся фотографы и просто любопытные. Но все это кажется мне каким-то наваждением: дело в том, что доктор дал мне сильное успокоительное средство.

Катастрофа... Она действительно может произойти в любую минуту, принять самую неожиданную, самую невероятную форму, и никогда нельзя забывать об этом.

— Но каким образом все это произошло?

Такой вопрос задают друзья, которые приходят меня навестить.

— Я и сама не знаю. Наш шофер Рене — человек собранный, не был уставшим, автомобиль куплен всего десять месяцев назад, на этих шинах мы проделали всего полторы тысячи километров... Быть может, дело в том, что у края дороги был насыпан мелкий гравий. Думаю, машину занесло, накренившись, она проехала метров пять или шесть, а потом перевернулась... Вот и все. Автомобиль опломбировали и отправили на экспертизу...

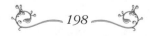

198

Тетя Ирен со вчерашнего дня не отходит от плиты, готовит кушанья для гостей; по ее словам, она очень довольна, что может наконец-то принять столько людей! (В Авиньоне у нас по праздникам нередко собиралось человек тридцать, хотя мяса, строго говоря, было только на десятерых.)

Я прикована к постели, не могу даже пошевелиться, по 14 часов в сутки лежу на доске. И так будет продолжаться целый месяц.

Морис Шевалье, недавно вернувшийся из гастрольной поездки в Англию, навещает меня; в руках у него цветы и недавно записанная им пластинка «Мне 80 лет»; на ней дарственная надпись: «С нежностью и преклонением».

— То, что с тобой случилось, Мими, — это испытание, которое преподносит жизнь, из него человек выходит, повзрослев и окрепнув. Самое главное — не падать духом. Когда я сидел в лагере, то использовал это время для того, чтобы изучить английский язык! Ты тоже должна использовать свою вынужденную неподвижность, чтобы учиться. И прежде всего — читать.

— Я уже начала читать «Сказки кота-мурлыки»...

Морис еще несколько раз приходит повидать меня, он пишет мне письма, и они неизменно начинаются словами: «Моя юная невеста»...

Мой вынужденный отдых продолжается не 30 дней, а все 60! Пришлось отменить не только гастроли, но и намеченную поездку в Америку, где меня ожидал Джо Пастернак с заманчивыми предложениями.

После двух лет беспокойной жизни, когда я неслась вперед, будто на крыльях ветра, долгая неподвижность порой пугает меня.

— Как бы меня не забыли...

А может быть, это — необходимая пауза, которую мне уготовила моя «звездная» судьба? Время, чтобы многое осмыслить.

Мама снова в больнице. Нет, не для того, чтобы произвести на свет 15-го ребенка, а для того, чтобы оперировать ногу. В ее отсутствие, как и раньше, старшие дети опекают малышей. Если бы мое дальнейшее движение вперед остановилось, для них бы это обернулось возвратом к прошлому. Дом, вероятно, пришлось бы продать. Вот почему я каждый день исступленно

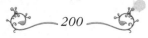

распеваю вокализы и упорно тренируюсь. Тороплю дядю Джо. Надо еще месяц лечиться? Но я уже снова могу петь. Я уже иду на поправку!

Наступает день, когда он мне сообщает, что подписал контракт на поездку в Абиджан и что мы восстановим связи с Лондоном, Берлином и 14-ю другими городами Германии. И тут я вспоминаю слова бабули.

Она никогда не сказала бы на модном ныне франко-английском жаргоне: «Это моя cup of tea!»[1], но всегда говорила: «Это мой эликсир!»

Я обретаю Лондон и теряю Голливуд

Очень часто, в кошмарном сне, я вновь вижу картину дорожной аварии. Мне кажется, с тех пор я не постарела, но, пожалуй, немного повзрослела. Совсем немного. В 20 лет я уже познала цену успеха и усвоила уроки неудачи. Неудача — это моя несостоявшаяся американская карьера, на которую так рассчитывал Джонни. Блестящая могла быть карьера! Не просто сольный концерт или телевизионная передача, но такие выступления, которые укореняют ваше имя на американской земле столь прочно, что вы становитесь звездой с пометкою «made in US»[2]. А ведь я прилагала усилия, которые при моих возможностях (а они не так уж велики!) казались мне чрезмерными. С тех пор как Морис Шевалье посетил меня, когда я была прикована к постели, я, следуя его совету, усердно занимаюсь английским языком. Милый мой учитель Гарри говорил:

— Мими, возьми в рот горячую картофелину и у тебя будет прекрасное английское произношение!

Горячая картофелина... И это говорилось человеку, страдающему косноязычием! Я даже с трудом произношу имя «Том

---

[1] Чашка чаю *(англ.)*.
[2] Сделано в США *(англ.)*.

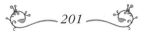

Джонс». Как ни стараюсь, все время путаю буквы «м» и «н»! Дядя Джо в ярости.

Том Джонс, как и Джулия Эндрюс, регулярно выступает со своим шоу по «Независимому телевидению». Мы познакомились с ним во время «Королевского представления», и — с благословения нашего патрона Лесли Грейда — я стала постоянной партнершей Тома. Мы подготовили номер, имевший успех: он пел по-английски «I am coming home»[1], а я вторила ему по-французски. И была в полном восторге от этого дуэта. Джонни — гораздо меньше.

— Я знаю, что по-французски ты петь умеешь! Но меня интересует твой английский язык. Английский!

Я все больше привыкаю к башенным часам «Big Ben»[2]. Грейд, как было условлено, три или четыре раза показал по телевидению «Шоу Мирей Матье», в котором участвовали и приглашенные мной артисты. Естественно, Том Джонс, а также Клифф Ричард, выдающийся певец, который мне особенно нравился, потому что он с огромным успехом дебютировал уже в семнадцать лет. Участвовал в шоу и комический актер Гарри Сикем (он также выступал в «Королевском представлении») — я нахожу, что внешне он похож на Рэда Скелтона.

Мы выкроили время, чтобы посмотреть на живого Рэда Скелтона. Он выступал в театре «Друри-Лейн». Помнится, я там громко хохотала... и с удивлением заметила: когда в Париже я смеялась во все горло, соседи оглядывались на меня; англичане же, видимо, считали, что это в порядке вещей. Ведь они и сами, если смеются, то оглушительно! Я, правда, уже научилась умерять свой смех. Но, во-первых, это дается мне с трудом, а к тому же я думаю, что артистам нравится, когда зрители не сдерживают смеха.

Самыми приятными из приглашенных артистов были для меня «Битлз», ведь я их страстная поклонница. В одной из сво-

---

[1] «Я еду домой» (англ.).
[2] «Большой Бен» (англ.).

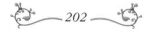

их передач я даже отважилась исполнить попурри из их песен — до такой степени я их люблю.

Но когда выступаешь вместе с иностранными артистами, надо разговаривать на их — пусть даже ломаном — языке. В Лондоне, как и в Париже, для подобных телепередач текст скетчей получаешь лишь за день или за два до записи! Поэтому Джонни решил, что мы должны поселиться в Лондоне, чтобы меня ничто не отвлекало. Точнее, не в самом городе, а в его окрестностях, так как студии Элстри расположены в 40 километрах от столицы. Агентство по найму жилья подобрало для нас замечательный коттедж. Его можно было бы назвать даже усадьбой. Я была в восторге при мысли, что проживу целое лето в таком чудесном месте. Большой парк вокруг дома — просто мечта! Есть даже конюшня с верховыми лошадьми, на них можно покататься, разумеется, если сумеешь удержаться в седле. Но я, увы, никогда не брала уроков верховой езды, а без этого никуда не поскачешь!

День начинался со звонка будильника в шесть часов утра. В студии нас ждали уже к восьми. Мне нередко приходилось наряжаться в разные костюмы, когда я, тая от восторга, выступала вместе с Анри Сальвадором. Но теперь я спрашиваю себя, не будут ли англичане шокированы, увидя меня в роли самой Елизаветы Английской! Я просто обожала ее наряд, брыжжи и необыкновенную прическу. Королева Елизавета с авиньонским акцентом напутствовала в дорогу Христофора Колумба, который уходил в плавание на трех небольших каравеллах, чтобы открыть Америку. Правда, Колумб жил на целый век раньше, чем Елизавета, но эта историческая неточность никого не смущала. Все в зале помирали со смеху!

Не менее парадоксальной выглядела сцена, которую я разыгрывала с Роже Пьером для Карпантье несколько лет спустя: Роже исполнял роль учителя музыки, который принуждает юного Моцарта (эту роль исполняла я) играть на клавесине мелодию «Ча-ча-ча». Как только он поворачивался ко мне спиной, я говорила;

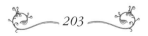

— Не по душе мне эта музыка. Я люблю сочинять маленькие сонаты... или, к примеру, такую вот пьеску — я назвал ее «Турецкий марш». Это — забавная штучка. Со временем ее оценят!

В Лондоне я очень много работаю, но успеваю и поразвлечься. Запись продолжается с девяти утра до пяти вечера, но предусмотрен «break»[1], чтобы поесть и выпить чаю. Земля может расколоться, но англичанин все равно допьет свою чашку чая!

Мне нравился этот перерыв. Tea-time»[2] помогло мне обрести немало друзей среди артистов английской эстрады (которые, кстати сказать, отличаются завидным здоровьем). Среди них был «мой» Христофор Колумб — артист Рич Литл, он пользовался широкой известностью. Я выступала вместе и с Дэзом О'Коннором, актером-певцом — признанной звездой театра «Палладиум». Я смеялась до упаду, едва завидя забавную голову Кена Додда — у него была лохматая шевелюра, зубы как у кролика и глаза, точно бусинки. Встречалась я там и с Дэнни Ларю, пожалуй, самым удивительным из актеров, исполняющих роли с переодеванием. Дэнни походил на очень красивую даму, он носил платье с плюмажем с таким изяществом, которое мне даже и не снилось! Поражая своей женской осанкой, он время от времени начинал вдруг говорить басом, достигая этим необычайного комического эффекта. Он никогда не отступал от своего амплуа. И потому за несколько месяцев вперед договаривался с дирекцией театра «Палладиум» о том, что будет там выступать с новогодним представлением, которое приходили смотреть целыми семьями — при этом родители забавлялись не меньше, чем их дети. Надо сказать, что у него было два репертуара: один предназначался для всех, а другой — весьма «соленый» — он исполнял в своем излюбленном кабаре, куда я благоразумно ни разу не ступала ногой. Впрочем, с моим более чем скромным знанием английского языка я бы все равно ничего не поняла.

---

[1] Чаепитие *(англ.)*.

[2] Перерыв *(англ.)*.

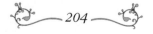

Этот удивительный мастер сцены, исполнив свой комический номер, стирал грим с лица, удалял приклеенные ресницы и надевал мужской костюм; этот элегантный костюм с накладными кармашками, белоснежная сорочка и «дипломат» в руках (он никогда с ним не расставался, потому что все время сочинял для себя новые скетчи) придавали ему вид важного господина. И всякий, кто видел, как он садится в собственный «Роллс-Ройс», принял бы его за лорда или банкира.

В числе моих новых знакомых и конферансье Джон Дэвидсон, очень красивый молодой человек. Естественно, в газетах нас вскоре превратили в жениха и невесту. Работать с ним — одно удовольствие: он настоящий профессионал и умеет буквально все — петь, танцевать, играть на нескольких инструментах, вступать в диалог со зрителями, очаровывая их своим остроумием. Раз в неделю мы выступали вместе с ним; таких шоу было 13, их показывали и в Америке.

Когда в пять часов вечера заканчивалась работа в студии, я торопилась домой, чтобы успеть подготовить завтрашнюю программу.

В нашем просторном трехэтажном доме хозяйство ведет тетя Ирен, ей помогает опытная кухарка, чье жалованье включено в арендную плату за жилье (к сожалению, женщина эта сильно пьет, и нередко рано утром ее находят на лестнице в окружении целой батареи пивных бутылок). Живут здесь также Матита, дирижер оркестра Жильбер Руссель, Надин и молоденькая учительница английского языка, которая так никогда и не узнала, что я прозвала ее «Miss Potatoes»[1], вспомнив совет Гарри о горячей картофелине во рту!

Есть в коттедже и седьмая комната, она предназначена для Джонни, который время от времени навещает нас, чтобы проверить, как мы себя ведем. Венсанс еще слишком мала, и ее с собой не взяли. Поэтому дядя Джо уезжает на уик-энд к себе домой, а мы наслаждаемся жизнью в своем уютном доме, где

---

[1] «Мисс картошка» *(англ.)*.

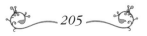

окна в мелких переплетах. По воскресеньям я немного работаю в розарии, фруктовом саду и огороде, что приносит мне немало удовольствия. Это может показаться странным, но собирать овощи — крупные, свежие, покрытые росой — мне так же приятно, как собирать цветы.

И все же воскресные дни в Англии кажутся мне не слишком веселыми. Впрочем, как и в Париже. Я вообще скучаю в воскресенье. Только на гастролях я мирюсь с этим днем, так как всегда нахожу для себя какое-нибудь дело. А в Париже я всегда прошу Джонни проводить запись пластинок именно в воскресенье. На студии в этот день гораздо спокойнее, чем в будни, музыканты всегда в хорошем настроении (им платят за сверхурочную работу!), а я избавляюсь от тягостного ощущения даром потерянного дня. Когда же записывать пластинки не нужно, я приглашаю музыкантов к себе, репетирую песни, словом — тружусь. Сознаю, что нарушаю Божью заповедь, но надеюсь, что Бог меня простит, ибо всякий день — где бы я ни находилась — я начинаю с мыслей о Нем.

В нашем лондонском доме в воскресенье надо готовиться к понедельнику — рабочему дню. И потому я рано ложилась спать, что напоминало мне образ жизни в Круа-дез-Уазо... Конечно, мы были совсем небогаты, но у нас были свои радости: я до сих пор помню воскресные прогулки, когда мы всей семьей отправлялись к Домской скале и по дороге пели!.. Но сейчас я могу быть довольна судьбой: мне удалось построить для родных швейцарский домик на склоне горы Ванту, он прекрасно вписался в местный пейзаж. Теперь все мои братья и сестры могут заниматься зимними видами спорта. Они это вполне заслужили: близнецы трудятся сейчас вместе с отцом, Кристиана стала медицинской сестрой, а Режана — продавщицей. Остальные еще слишком малы. Они ходят в школу. Я прошу их не следовать моему «дурному» примеру, а хорошо и усердно учиться, чтобы приобрести прочные знания. Тогда они не попадут в такое же трудное положение, в каком оказалась я после окончания школы.

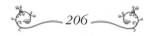

Встреча с королевой Елизаветой II

В 1978 году я по приглашению королевы в третий раз приехала в Лондон, чтобы принять участие в «Королевском представлении» на сцене театра «Палладиум».

— Алло, Реми! Хорошо ли ты занимаешься в школе? Учись получше, мой милый. Ты даже не представляешь, до чего глупым чувствует себя человек, когда он не понимает, о чем говорят другие. Он ощущает себя просто калекой!

В Лондоне я узнала о рождении Виржини (она весила три килограмма!) — дочки моей сестры Мари-Франс. Я присутствовала на ее свадьбе в начале зимы, заехала ненадолго, потому что в тот же вечер выступала в другом месте. Бракосочетание совершал наш славный священник Гонтар в небольшой церкви Лурдской богоматери. А затем на площади перед мэрией собралось около 3 000 горожан, чтобы поглядеть на новобрачных и на свояченицу молодого меховщика, который женился «на сестре Мирей Матье».

Я думаю о своих близких поздно вечером, посмотрев перед тем короткую телепередачу (на слух я лучше запоминаю английское произношение... и в этом я нахожу оправдание потраченному времени)! Назавтра день начинается, как всегда, в шесть часов утра.

Огудии Элстри образуют целый городок со своими улицами, перекрестками, павильонами для телевизионных и кинематографических съемок. Тут снимают и полнометражные фильмы, для этого оборудованы специальные помещения: в одних монтируют, в других просматривают уже готовые фильмы; немало здесь и различных контор.

Однажды мы не стали обедать в столовой для артистов, где вкусно кормят и всегда бывает весело, а отправились в ближайший ресторан, потому что нас приехал навестить Поль Мориа... И кого же мы увидели за соседним столиком? Лиз Тейлор и Ричарда Бёртона! Находившийся в нашей компании сотрудник студии представил нас. У меня перехватило дыхание. До чего же красива эта женщина! У нее фиалковые глаза, изумительная кожа и такой цвет лица... А он, Бёртон!.. Я вновь встретилась с ним много лет спустя, за два месяца до его кончины, когда мы оба выступали в Женеве, где давался гала-концерт в пользу ЮНИСЕФ. Как же он к тому времени переменился...

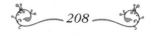

На меня произвело незабываемое впечатление знакомство с четой самых известных киноактеров, но последний эпизод этого обеда был весьма забавным. Мы заказали лангустины. Официант забыл принести майонез. Он извинился, ненадолго отлучился и вскоре вернулся с внушительным сосудом. Зацепился ногой за ковер, и струя майонеза ударила, точно ядро, в сторону нашего столика; я успела нагнуть голову, и весь заряд угодил в физиономию Поля Мориа. Комический номер, достойный самих братьев Маркс! Бедный Поль старательно вытирал салфеткой свой забрызганный костюм, а я тем временем уставилась на хохотавшую во все горло Лиз Тейлор и Бёртона, застывшего с раскрытым ртом.

В начале зимы я вновь приехала в Лондон, заключив контракт на выступления в известном кабаре не менее известного отеля «Савой».

Знаменитые артисты из разных стран не только выступают на этой сцене, но нередко сидят и в зале. Я помню, какой приятный сюрприз преподнес мне Дэнни Кэй, когда однажды вечером он зашел меня обнять.

Нас поселили в номерах, в которых, как говорят, останавливался Чарли Чаплин. Он их предпочитал всем другим, потому что отсюда открывается чудесный вид на Темзу. Если в городе протекает река, для меня не существует большего удовольствия, чем любоваться ею. Коровы, кажется, любят смотреть на проходящие мимо поезда, а я не устаю смотреть на бегущую воду. И это может длиться целыми часами.

В «Савойе» шеф-поваром служит француз, чье имя окружено славой.

— Алло, папа! Угадай, кто нам здесь готовит обед? Повар самого генерала де Голля.

Услышав мои слова, отец надолго умолкает! Думаю, хотя и не могу в том поклясться, что в эту минуту он снял свою шляпу.

Узнав о моем преклонении перед генералом, шеф-повар однажды подошел к нашему столику с многозначительной улыбкой и сказал:

— Я приготовил для вас любимое блюдо генерала де Голля!

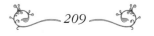

То были телячьи ребрышки с ломтиками жареного картофеля. При этом у повара был такой вид, будто он исполняет «Марсельезу» (так и слышалось «бум-бум, бум-бум!»)...

Наконец появилась пластинка с моей песней на английском языке: «Can a butterfly cry?» («Может ли бабочка плакать?»); этой песней я обязана двум победителям конкурса Евровидения — Филу Колтеру и Биллу Мартину. Я подготовила и другие песни для «Королевского представления». Королева пригласила меня выступить вторично. Было решено, что мне лучше всего спеть по-английски две песни: «Hold me»[1] и «I live for you»[2]. Театр «Палладиум» — в пышном убранстве, все балконы увиты цветами; вместе со мной выступают артисты, с которыми я уже участвовала в телевизионных передачах: Дэз О'Коннор, Дэнни Ларю, Гарри Сикем, Том Джонс... Я ощущаю новый прилив сил, глядя в глаза Джинджер Роджерс, которая исполняет арию из музыкальной комедии «Мейм». Чаще всего в светлоголубых глазах женщин царит безмятежность, ее же глаза все время сверкают как бриллианты.

Королева, любящая французский язык, говорит мне с приветливой улыбкой:

— Я рада вновь встретить вас через два года! Английская публика, как и моя семья, высоко вас ценит. Отныне вы франко-английская звезда. Да здравствует «Сердечное согласие!».

Она упоминает о своей семье не без юмора. В газетной хронике не раз отмечалось, будто принц Чарлз неоднократно слушал мое пение. Разумеется, не обошлось и без намека на романтическую подоплеку этого интереса.

Мне пришлось даже обратиться в «Журналь дю диманш» с письмом: «Не стоит вашей газете сочинять романы с продолжением. По-моему, их и без того достаточно! Ничто — ни единая строчка, ни одно словечко — не позволяет мне воображать, будто бедный принц Чарлз проявляет ко мне особый интерес».

---

[1] «Обними меня» *(англ.)*.
[2] «Я живу для вас» *(англ.)*.

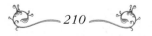

Я постоянно употребляю слова «славный», «бедный», «бедняжка», но в моем произношении слово «бедный» звучит как «бэдный». В полном смятении я обнаружила, что в газете черным по белому так и напечатали: «бэдный принц». Я невольно подумала, что, если в Букингемском дворце читают «Журналь дю диманш», это произведет на них неважное впечатление! Судя по всему, эта история не помешала мне и впредь приезжать в Лондон, а ведь мои выступления там должны были, по расчетам Джонни, широко распахнуть передо мной двери Америки, которые до сих пор были лишь полуоткрыты.

Мне предложили на свой лад принять участие в первом показе в Париже фильма «Битва за Англию».

Грандиозная постановка этого фильма, снятого Гаем Гамилтоном, обошлась продюсеру Гарри Залцману в 80 миллионов франков. В нем участвовали английские кинозвезды Майкл Кэйн, Тревор Хоуард, Лоренс Оливье, Майкл Редгрейв, Сьюзен Йорк. Эта эпопея посвящена Британским военно-воздушным силам, которые противостояли вражескому вторжению в Великобританию в начале войны. Жорж Гравен вновь повторил свой опыт проведения празднества, который он так удачно применил при показе фильма «Самый длинный день». На этот раз в первом ярусе Эйфелевой башни — на фоне английского и французского флагов — стояла маленькая Матье. Для того чтобы попасть на площадь, надо было миновать шесть или семь полицейских кордонов... Я заранее знала программу вечера, потому что год назад присутствовала на таком же празднестве: гости Залцмана смотрели фильм в большом зале Дворца Шайо. Потом выходили в фойе, где был приготовлен ужин. Каждый находил в своей тарелке на сей раз мою пластинку с прекрасной песней Мориса Видалена «Друг, небо гибелью грозит...»; он написал ее, вдохновившись содержанием и музыкальной темой фильма.

Итак, стоя в первом ярусе Башни в длинном красном платье, я, пока приглашенные сидели за десертом, пела эту песню

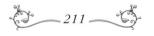

вслед за исполнением гимнов: «God save the Queen»[1] и «Марсельеза». Я ничего не видела вокруг: лучи прожекторов (которые, по моему выражению, «обшаривают небо») слепили меня, и перед моими глазами зияла черная дыра. Едва я закончила петь, дыра эта взорвалась фейерверком, столь мощным, что Эйфелева башня, казалось, задрожала, вибрируя своим железным кружевом, и готова была рухнуть. Однако пиротехники — их было девять — невозмутимо продолжали свою работу, сохраняя полное спокойствие.

Оказавшись в облаке порохового дыма, все мы — в том числе механики и электрики — утирали слезы, которые были вызваны отнюдь не фильмом «Битва за Англию». Внизу — в садах Трокадеро — веселилась многочисленная толпа парижан. Я очень удивилась, услышав на фоне аплодисментов не только возгласы «Да здравствует Франция!», «Да здравствует Англия!», но и возглас «Да здравствует Мирей!».

В промежутке между концертами в «Савойе» и на Эйфелевой башне я в том же 69-м году совершила кратковременную поездку в Вашингтон для участия в транслировавшемся по телевидению представлении, приуроченном к съезду республиканцев; там выступил и сам Никсон.

В этой передаче выступали многие известные артисты, среди них такие звезды, как Дайана Росс (правда, в ту пору она еще не была той Дайаной Росс, которая известна сейчас), обладатель самого красивого профиля в Соединенных Штатах Джимми Дьюрент и мой давний партнер Том Джонс. На этот раз со мной не было Джонни, он заболел гриппом во время эпидемии, которая свирепствовала в Париже. Вместо него поехала Надин, открывшая для себя Америку. Чувствовала она себя плохо: уже в самолете выяснилось, что у нее тоже грипп; бедняжку, видимо, заразила при прощании тетушка или наша служанка, которая чихала и кашляла.

---

[1] «Боже, храни королеву» *(англ.)*.

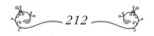

Надо сказать, что с некоторых пор я боюсь самолетов. Никак не могу избавиться от этого безрассудного страха. Чтобы побороть его, мне нужно во время полета с кем-нибудь разговаривать. У Надин поднялась температура, и в собеседницы она не годилась... Тогда я попросила разрешения осмотреть кабину пилотов, что мне охотно позволили. И я принялась болтать с ними. Задавала вопросы, казавшиеся им, должно быть, смешными... Например, такой:

— Скажите... вам не кажется, что мы падаем?

Боязнь эта возникла у меня во время гастролей, когда мы решили, что можно гораздо быстрее — и меньше устав при этом — попасть в нужное место, воспользовавшись не громоздким автомобилем, а небольшим самолетом. Речь шла о том, чтобы добраться из городка Шателайон-Пляж (в окрестностях Ла Рошели), где я выступала накануне вечером, в Кассис, где мне предстояло петь через день. В те годы Джонни состоял в авиационном клубе и мог заказать двухмоторный самолет. Приземлившись в Марселе, я могла бы отдохнуть несколько часов в селении Ла Бедуль, где у Старков был уютный дом с бассейном, сохранивший очарование провансальского жилища. Сначала воздушное путешествие казалось мне очень приятным, но когда мы приблизились к марсельскому аэропорту, все пошло как нельзя хуже. Движение в небе было слишком интенсивным, нам предложили освободить воздушный коридор и совершить посадку на аэродроме в Кастле. Дело принимало для нас невеселый оборот. Ведь Джонни ожидал нас в марсельском аэропорту, и ни о каком выигрыше времени думать не приходилось. Внезапно пилот объявил:

— Черт побери! Мы наткнулись на летние дождевые тучи! А от них хорошего не жди... Пристегните ремни!

Я не люблю, когда во время полета звучат слова вроде «наткнулись» или «падаем»! А особенно, если, подтверждая опасения, дождевые тучи враждебно встречают самолет. И действительно разразилась гроза, да еще с градом. Вокруг стоял адский шум. Это походило на кошмарный сон. Пилот выключил дви-

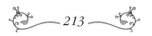

гатель, я не поняла почему, но всех нас это ужасно напугало. Микрофон, висевший над креслом Надин, свалился ей на голову, бедняжка в ужасе завопила. Лицо у тети Ирен позеленело. Я торопливо крестилась. Пилот снова запустил двигатель, и самолет совершил невообразимый скачок. Нам показалось, будто мы неумолимо падаем. При посадке все остались целы и невредимы, но на нас лица не было.

Позднее, когда из Лондона мне предстояло отправиться уж не помню в какой немецкий город с промежуточной посадкой (мы должны были там пересесть с маленького самолета на большой), я громко разрыдалась; Джонни так и не смог меня уговорить. Несмотря на то, что это затруднило соблюдение графика гастролей, мы предпочли автомобиль. Впрочем, после аварии вблизи Гренобля я побаивалась пользоваться и машиной. Но лучше уж дрожать от страха на земле, чем в воздухе!

Вспоминаю я и о том, как однажды, поднявшись в воздух из лондонского аэропорта, нам тут же пришлось совершить посадку: загорелся один из реактивных двигателей. На летном поле нас ожидала многочисленная пожарная команда. Я чувствовала себя совсем разбитой.

Вот почему, хотя я пользуюсь надежными самолетами, в пути я никогда не сплю и, чтобы успокоиться, все время разговариваю. Со стюардессами, с пилотами... Самолет — единственное место, где я употребляю алкоголь. Выпиваю рюмку водки до дна.

В Вашингтоне, несмотря на грипп (как выяснилось, температура у нее поднялась до 40 градусов), Надин сопровождала меня до могилы президента Кеннеди. Но мечтала она только об одном — быстрее добраться до своей постели. Наконец мы очутились в роскошном отеле, где нам отвели двойной номер. Внезапно поздно ночью Надин, испуганная и бледная, разбудила меня: «Кто-то ломится к нам в комнату!»

Я возражаю, что этого не может быть; дрожа от страха, она настаивает. Говорит, что смотрела в глазок и увидела двух субъектов, пытавшихся взломать дверь.

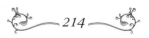

Незабываемый прием в Москве

Мое первое выступление проходит в атмосфере, с какой я до сих пор никогда не сталкивалась. Поначалу мне кажется, что пение мое подобно гласу вопиющего в пустыне... Но внезапно, едва я кончаю петь, раздается гром аплодисментов, и две тысячи зрителей ритмично хлопают в ладоши. А потом из зала направляются к сцене один, два, пять, десять человек; они поднимаются по ступенькам и, поклонившись, кладут к моим ногам букеты цветов... В их глазах светится радость. Публика не ломала кресел, не вопила, но впервые в жизни я ощутила себя ее кумиром.

— Но ведь дверь на цепочке?

— Да. Однако они такие здоровенные.

Я встаю с постели: оказывается, Надин уже придвинула к входной двери столик с телевизором. Что делать? Звонить? От волнения мы никак не можем управиться с телефоном! И поймут ли нас? Надин владеет английским языком не лучше меня, пользуется разговорником. Теперь я тоже слышу шум, доносящийся из коридора, какой-то странный шум, чье-то рычание, неразборчивые слова... Помогаю своей спутнице укрепить нашу оборону: мы воздвигаем баррикаду из кресел и стола... Это удается нам с большим трудом, так как мы обе очень устали: она ослабела от гриппа, а меня сильно утомила передача.

— Мне кажется, это — цветные! — ужасается Надин.

— Как ты могла их разглядеть, Надин, ведь в коридоре темно!

Мы так и не узнали разгадки ночного происшествия. Впрочем, нам кто-то сказал, что телевизионные передачи такого рода часто завершаются обильными возлияниями. И в самых разных местах подбирают мертвецки пьяных конгрессменов.

Джонни до сих пор иногда подшучивает:

— Надин, расскажите-ка нам, как вас чуть было не изнасиловали в Вашингтоне!

Наш милый Джо Пастернак сохраняет верность дружбе и не отказывается от своих замыслов. В конце августа 1968 года я снова сижу в его кабинете на Пеладжио Роуд, а на столе передо мной — новый сценарий. На этот раз речь идет о фильме «Великолепный Лас-Вегас», к участию в котором он хочет привлечь Мастроянни и Чакириса.

— В нем есть роль, будто специально для Мирей! Я жду ее приезда целый год. На сей раз я совершенно уверен, что она превосходно сыграет героиню, и потому даже договорился снять для нее дом, где раньше жила Ким Новак!

— Сыграть-то она, я думаю, сыграет... — говорит Джонни.

— Ага! — с торжеством восклицает Джо.

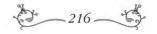

— Но что касается произношения...

— Прибегнем к помощи Сьюзен Уэйт. Она замечательная учительница.

— Гораздо важнее другое — чтобы ученица была замечательная. Я понимаю, что он прав.

Милейший Пьер Грело переводит мои сбивчивые объяснения. Я уже почти не боюсь петь, но как только пытаюсь говорить по-английски, меня охватывает страх. Это может показаться непонятным, нелепым проявлением злой воли... Просто болезнь какая-то...

Пять месяцев спустя меня записывали на телевидении, в соседнем павильоне вел съемки Ли Мэйджорс. Мы нанесли ему дружеский визит. По глазам Джо Пастернака я поняла, что в голове у него уже возник новый план. Возможно, потому, что он заметил, как я очарована Ли Мэйджорсом: я впервые встретила настоящего ковбоя! Он снимался в фильме «Большая долина».

— Мирей будет прелестна в роли юной девушки, которую похищают индейцы! — повторял Джо.

В другой раз он познакомил меня с Зануком, великим Зануком (но ростом он невелик), который курил необыкновенно длинную сигару. И тут снова всплыл на поверхность проект фильма: теперь в нем кроме меня и Джона Уэйна должны были участвовать Роберт Митчем и Дин Мартин. Съемки должны были продолжаться 16 недель... И опять зашла речь о пресловутом контракте на семь лет. Цифра «семь», считала я, приносит счастье, однако...

Когда мы оказались в бунгало на Беверли-Хиллз, где мы останавливались в свой каждый приезд, Джонни спросил меня:

— Ну, так как?

— А что вы об этом думаете, Джонни?

— А что думаешь ты?

— Целых семь лет... не видеть родины...

— Почему же? Ведь бывают отпуска. Кроме того, американцы все чаще снимают теперь фильмы в Европе... особенно в Италии...

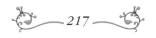

Но я-то хорошо знала, что значит впрячься в работу! Помнила, что, даже находясь в Париже, с большим трудом вырывалась в Авиньон, до которого было всего 700 километров. В ту ночь я почти не спала. Тетя Ирен молчала, не говорила ни «да» ни «нет». Оба они с Джонни ждали моего решения. А я хорошо знала, что не умею ни заниматься двумя делами сразу, ни делать что-либо наполовину.

Наступило утро. За утренним завтраком Джонни, который хорошо меня изучил, понял, что я решила.

— Чувствую, что я не готова. Не готова все бросить ради Америки. Он мягко спросил меня:

— Ты хотя бы понимаешь, что отказываешься от блестящей карьеры в Америке?

Я, смеясь, обняла его:

— Но, дядя Джо... быть может, мне еще представится подобный случай, ведь я же, в конце концов, не так стара, хотя вы меня то и дело называете старушкой!

— Некоторые поезда никогда не проходят дважды...

Тем не менее, такой поезд прошел. И совсем недавно... в этом году. Продюсер Хэл Бартлет приехал в Париж. Он — поклонник моего искусства.

— У меня дома есть все ваши пластинки, — сказал он. — Мои дети, как и остальные члены семьи, от них без ума. Когда у нас бывают гости, мы непременно предлагаем им послушать «Мирей».

Случилось так, что в то время в Париже находились мои немецкие антрепренеры и те, кто пишет для меня песни в Германии, а также мои друзья с мексиканского телевидения. Мы решили пообедать все вместе, пригласив и даму из посольства, которая знакомила меня с китайским языком перед моим отъездом в Пекин. Хэл присоединился к нашей компании. Настоящее сообщество наций! За десертом — как это принято на свадьбах и банкетах — я поднялась, чтобы исполнить песню на языке каждого из присутствующих.

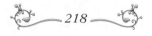

— Сегодня вам повезло, — пошутила я, — будете бесплатно присутствовать на сольном концерте!

Я люблю петь без музыкального сопровождения и знаю, что это обычно производит большое впечатление на слушателей. Для меня это совсем нетрудно — я пою от всей души (когда Жак Ширак принимал в Парижском муниципалитете китайскую делегацию, я — как всегда за десертом — запела к восторгу мэра Пекина популярную в его стране песню «Цветок жасмина», которую я и сама очень люблю). Изумление присутствующих слегка забавляет меня. Вокруг раздаются возгласы: «Как, должно быть, трудно петь без музыки!.. Да еще после обеда! И без подготовки!» Я невольно вспоминаю то время, когда пела для своих подружек. Правда, публика теперь другая. И репертуар тоже.

Моим немецким антрепренерам я посвятила баркаролу из оперы «Сказки Гофмана», а моим мексиканским друзьям — песенку «La muneca fea»[1] (когда я была в Мехико, то исполняла ее в новогодней телевизионной передаче вместе с Пласидо Доминго, причем третьим персонажем была марионетка, которую мексиканские дети любят так, как наши дети любят Полишинеля). В заключение для Хэла я исполнила две песни: «The man I love»[2] и «After you»[3]. Он восхищен и говорит мне:

— Я закажу сценарий для вас, специально для вас!

Это напомнило мне замысел Питера Ханта, снявшего фильм о Джеймсе Бонде «На службе ее величества» (единственный фильм, где «агент 007» женится!). Он задумал картину «Маленький мир больших людей» — некий «сплав» из истории жизни Жозефины Бекер и моей собственной! Рассказ о супружеской чете, которая воспитывала как родных дюжину приемных детей разных рас и национальностей (мне предназначалась роль старшей из них). Приемные родители погибают

---

[1] Здесь: «Кукла-дурнушка» *(исп.).*
[2] «Тот, кого я люблю» *(англ.).*
[3] «После тебя» *(англ.).*

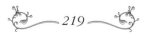

в автомобильной аварии, а я становлюсь певицей, чтобы прокормить детвору. План этот так и остался планом.

Пять лет спустя я выступала по телевидению в Лос-Анджелесе. Только что появился фильм «Челюсти». Но мне довелось там встретиться не со Стивеном Спилбергом, с которым я хотела познакомиться, а с другим прославленным режиссером, Робертом Олдричем, который поставил фильмы «Грязная дюжина», «Апач», «Вера-крус» — называю только те, какие сама видела. Вообще, я посмотрела и до сих пор смотрю много фильмов. Во-первых, для удовольствия: и в этом случае, если развязка фильма несуразная или попросту мне не по душе, я придумываю для себя другой конец. Во-вторых, для дела: тогда я смотрю фильмы недублированные. Всегда с одной целью — усовершенствовать знание языка и произношение. Потому что живую речь я воспринимаю гораздо лучше, чем печатный текст.

— Я предлагаю вам роль, — сказал мне Олдрич, — в которой вам не придется петь, хотя героиня фильма, неприкаянная девчонка, повсюду таскает с собой старую гитару. Она знакомится с двумя молодыми людьми; дядя одного из них скончался в Мексике, спрятав перед смертью свои сокровища. Несмотря на свой ангельский вид, девица очень хитра и коварна. Иногда она удерживает своих приятелей от ложного шага, внушая каждому, будто она любит именно его. Кончается все кровавой развязкой.

Олдричу нравилась моя внешность. Он сказал, что партнером у меня будет Берт Рейнолдс. И спросил, знаю ли я его. Я ответила, что видела Берта только в фильме Вуди Аллена «Всё, что вы всегда хотели знать о сексе...». Конечно, это неожиданное предложение было заманчиво и чудесно, но... у меня веские основания, чтобы отклонить его. Я не могу отменить гастроли в Германии и Японии, куда должна ехать со всей моей труппой. Правда, можно было бы попытаться вступить в переговоры с антрепренерами. Но была еще другая причина, о которой я умалчивала: в себе, как в певице, я была уверена, но актрисой себя не чувствовала. Да, на телевидении я разыгрывала скет-

чи со своими добрыми друзьями — Сальвадором, Роже Пьером и Жак-Марком Тибо, но при одной мысли, что мне придется участвовать в любовной сцене с Бертом Рейнолдсом!.. Я оставила вопрос открытым. Олдрич не настаивал. И сценарий отправился в шкаф, где уже покоилось множество мертворожденных проектов. О Берте Рей-нолдсе Олдрич отнюдь не забыл и снял его в фильме «Город, полный опасностей», где партнершей этого артиста была Катрин Денёв; она сыграла роль «call-girl», любовницы полицейского. Сыграла она эту роль превосходно, и я еще раз убедилась в том, что мое призвание — быть певицей, певицей мне и надлежит оставаться, а не стремиться стать актрисой.

— Но в моем фильме, сценарий которого будет написан специально для вас, вы будете петь, — настаивал Хэл. — Играть тоже, но главное — петь. Там не будет выдуманной героини. Воплощать вы станете себя.

Он заверил меня, что непременно осуществит свой замысел. Я жду...

Помешанные, почитатели, претенденты

Все те, кто соприкоснулся со смертью, проникаются уверенностью: их час еще не настал, но он непременно наступит. Теперь они уже иначе, чем прежде, следят за бегом часовой стрелки. Отныне время для них идет быстрее. Ход его ускорился.

У меня всегда с собой небольшой магнитофон — в машине, в самолете, везде. Надев наушники, я постоянно что-то слушаю: песни, с которыми готовлюсь выступать, те, с которыми только знакомлюсь, те, что исполняют другие певцы; а когда мне хочется отдохнуть и расслабиться, я слушаю оперные арии в исполнении Каллас или Паваротти, либо классическую музыку, главным образом Моцарта и Бетховена. Когда я смотрю фильм и вижу, как к концу кассета пленки движется все быстрее и быстрее, я говорю себе, что так происходит и в жизни. Мой фильм

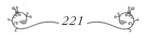

мог оборваться уже 19 лет тому назад на шоссе, в 20 километрах не доезжая Лиона. Я уже многое испытала: безвестность и славу, бедность и богатство, приветливость и враждебность. Последние два слова, пожалуй, не совсем точно передают мою мысль. Я жила в атмосфере пугающего накала страстей, ощущая любовь одних и ненависть других.

О дорожной аварии, которую я только что упомянула, писали в газетах. В это время в нашу контору на авеню Ваграм пришло анонимное письмо, в нем я прочла:

— На этот раз ты уцелела, но в следующий раз ты от нас не уйдешь.

Джонни тут же обратился к своему адвокату. Мы еще находились в Лионе, наша опломбированная машина все еще ждала экспертизы, а в суд уже была направлена жалоба по обвинению неизвестного в попытке покушения на нашу жизнь (факт покушения так никогда и не был установлен). Джонни успокаивал меня, как только мог: по его словам, все артисты получают такие анонимные письма. Пишут их обычно люди ненормальные, которые никогда не приводят в исполнение своих угроз.

Тем не менее, несколько месяцев спустя полиция задержала какого-то юнца, позднее отправленного в сумасшедший дом. Это довольно грустная история. Двадцатилетний Филипп Т. был отчислен из педагогического учебного заведения. В армию его тоже не взяли. За полгода он перепробовал десяток профессий... И однажды — произошло это 18 октября 68-го года — он сел в такси; денег, чтобы расплатиться, у него не оказалось, и шофер отвез его в полицию; там его обыскали и были несказанно удивлены: при нем обнаружили домашние туфли и... пилу.

— Я хотел взломать дверь в квартиру Мирей Матье и улечься в постель в ожидании ее прихода, — заявил он. — А домашние туфли захватил, чтобы не наделать лишнего шума.

По его словам, он решился на это потому, что Мирей Матье многозначительно поглядывала на него, когда выступала на празднике газеты «Юманите».

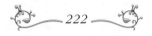

JOURS
DE
FRANCE

LE DERNIER FILM
DE MICHEL LANG
LA DERNIÈRE CHANSON DE
MIREILLE MATHIEU

Диски с записями Мирей Матье разлетались в одночасье

Он показал, что уже два года следует за мной, когда я гастролирую в провинции, что я вдохновляю его и он даже написал для меня несколько песен (в лихорадочном возбуждении он привел некоторые их названия: «Ночной незнакомец», «На улице твоей живет любовь»...), что он добивался аудиенции у Джонни Старка, приезжая на авеню Ваграм, думая, что я там живу, и был сильно разочарован, не застав меня, ибо надеялся, что я расплачусь с таксистом. Психиатр, доктор Лафон, который его обследовал, пришел к заключению, что имеет дело с эротоманом.

В другой раз какой-то мужчина, говоривший с бельгийским акцентом, позвонил маме и сказал, что он хотел бы получить мою фотографию с автографом. (У мамы всегда имелись такие фотографии... она дарила их своим друзьям и владельцам соседних лавок, которым это доставляло удовольствие.) Незнакомец подъехал к ее дому как заправский турист, в машине с бельгийским номером; это был симпатичный на вид мужчина лет 50 с заметными залысинами. Однако, войдя в дом, он внезапно заговорил угрожающим тоном:

— Я вас сейчас прикончу. И тогда Мирей придется возвратиться из Соединенных Штатов. Она обещала выйти за меня замуж!

Мама, проявив хладнокровие, которого я в ней не подозревала, обратила все в шутку, дала ему фотографию, и он ушел. На всякий случай она записала номер его машины. На следующий день он заявился в контору на авеню Ваграм. Я и в самом деле была в Лос-Анджелесе, где вместе с Полом Анкой записывала пластинку.

Он пришел в контору в половине седьмого вечера. Надин перед тем ушла в соседнее почтовое отделение, чтобы отправить корреспонденцию. В помещении находились только Малыш и секретарша Ивонна. Внезапно дверь отворяется, и на пороге возникает человек с револьвером в руках. Начинается вторая серия «детективного фильма»! Неизвестный заставляет

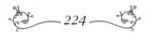

обоих встать лицом к стене и поднять руки вверх. Он требует назвать номер моего телефона в Америке и говорит:

— Если она откажется вернуться, вы станете моими заложниками! И тогда Ивонна обращается к нему кротким голосом... напоминает о разнице во времени, объясняет, что в такой час его со мной не соединят (это была чистая правда: я спала!). Она все говорит, говорит... как с малым ребенком, которого убаюкивают. Он, в самом деле, успокоился и удалился так же незаметно, как пришел. Когда Надин возвратилась в контору, она застала Малыша и Ивонну, которые все еще не могли прийти в себя.

— Мы только что испытали адский страх!..

Разумеется, они сообщили о случившемся в полицию, но мне ничего не рассказали, чтобы не напугать. От журналистов тщательно скрыли дату моего предстоящего возвращения. И, выйдя в аэропорту из самолета, я с изумлением увидела, что меня окружила группа полицейских в штатском!

— Мы охраняем вас, потому что какой-то помешанный угрожает вас убить.

Такое известие способно, по меньшей мере, омрачить радость возвращения домой! Между тем, мне предстояло на протяжении целой недели участвовать в записи новогодней передачи «Капризы Мими». Полицейские, не отставая ни на шаг, провожали меня в студию и обратно. Согласитесь, в подобной атмосфере не слишком приятно петь, даже такие песенки, как «Я безумно люблю тебя!» или «Дождь заливает мне очки» Жака Мартена. Либо танцевать кадриль в наряде пастушки!

Дней через пять этот человек был арестован в окрестностях Льежа. У него нашли целый арсенал: автомат, винтовки, два пистолета... и черновики пламенных посланий, адресованных мне, которые, естественно, мне не передавали. Следствие провели без труда. Полицейский из какого-то небольшого городка вспомнил о том, что владелец местной станции обслуживания автомобилей постоянно хвастался «своим близким знакомством с Мирей Матье». Он продал некоторое время назад свою станцию и сделался фотографом. Пристрастился по-

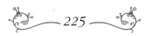

сещать концерты, садился в первом ряду и «обстреливал» из своего фотоаппарата выступавших на сцене артистов. Особенно меня. И, видимо, так вошел во вкус, что надумал обстрелять меня в прямом смысле слова!..

Некоторое время спустя какой-то садовник из Ванса объявил, что несколько раз видел в своей округе инопланетян. Он описал их во всех подробностях: все они были высокие блондины атлетического телосложения, такими он представлял себе архангелов. Они доверительно сообщили ему, что всего их 7 465 000 и они прибыли на своих межпланетных кораблях для того, чтобы обследовать Землю и спасти человечество. По его словам, некоторые люди, к которым он относил, без сомнения, и себя, попали в число «избранных». И однажды он рассказал некоему журналисту: «Я оказался в одной из гостиниц Довиля, а у моих ног очутилась Мирей Матье. Я утверждаю, что таинственный посланец представил нас друг другу и мы вместе с ней сочинили песню во славу Братства. Затем я неоднократно писал Мирей, желая с ней встретиться, но она мне так ничего и не ответила».

Стоит рассказать еще об одном немце из Швейцарии, который писал оперную музыку. Он прислал партитуру в контору господина Старка, и ее показали дирижеру нашего оркестра. Ознакомившись с партитурой, тот сказал мне:

— Нет. Эта музыка не для тебя.

Партитуру вернули автору. С тех пор он преследует меня. Всюду и везде. Однажды я увидела этого человека в Нейи на авеню Виктора Гюго. Он стоял перед моим домом, прячась за деревьями: бежевое пальто, темные брюки, черные очки на бледном изможденном лице.

Когда мы вышли на улицу, он приблизился к нам и сказал:

— Это я... Вы получили партитуру моей оперы...

— Но, сударь... она мне не подходит... Я не оперная певица.

— Я написал эту оперу специально для вас. Ее арии вы сумеете спеть. Я уверен, что сумеете!..

Он дрожал как в лихорадке и походил на помешанного.

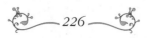

В 1978 году я по приглашению королевы в третий раз приехала в Лондон, чтобы принять участие в «Королевском представлении» на сцене театра «Палладиум». За кулисами стоял телевизор, на экране которого можно было видеть зал, в частности королевскую ложу. И вдруг мне показалось, что я вижу кошмарный сон: он был здесь, сидел в другой ложе, неподалеку от королевской, как всегда, в черных очках, устремив на сцену пристальный взгляд, от которого становилось просто не по себе.

— Смотрите, Джонни! Это он!

— Ты ошибаешься... это невозможно... как мог он проникнуть в зал?.. Впрочем, кажется, ты права...

Дядя Джо обратился к лорду Грейду. Мой преследователь действительно сидел в особой ложе для иностранных гостей. Как он попал туда, мы так и не узнали.

Другой случай произошел в Канаде, где гостиницы тщательно охраняются. Когда мы вернулись после спектакля, нам сообщили:

— Какой-то человек заявил, что вы назначили ему встречу, и он будет вас ждать; вел он себя очень странно, вошел в лифт и просидел там шесть часов, отказываясь выйти!

Я уже все поняла и попросила описать мне внешность незнакомца: черные очки, очень бледное худое лицо, на вид ему лет 40...

— В конце концов, его препроводили в полицию. Там ждут ваших указаний...

Я отправилась туда и заявила, что готова переговорить с ним, но только в присутствии полицейского.

— Прошу вас, мсье, перестаньте меня преследовать, оставьте меня в покое! Я не хочу и не могу исполнять арии из вашей оперы! Ваши песни не для меня!

Он сказал мне просительным, жалобным тоном:

— Но я трачу из-за вас столько денег...

— Мсье... я ведь не прошу вас ездить за мной. Думаю, что вы и впрямь тратите кучу денег. Причем бессмысленно. У меня

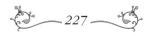

есть свой стиль, свой репертуар. Я не утверждаю, что вы лишены таланта, я не вправе об этом судить! Потому что в оперном искусстве не разбираюсь...

— Я уверен, что мне удастся вас переубедить! Вы можете исполнять мои арии! Вы сами не понимаете своего подлинного призвания! Моя опера создана именно для вас, это вы меня вдохновили!..

Он оставался в полиции два дня, до тех пор, пока я. не уехала из Монреаля.

Следующая встреча состоялась в Рио-де-Жанейро. Каждый раз, когда я попадаю в этот город, то совершаю паломничество туда, где высится Коркова́ду[1].

И вдруг я увидела его. Как он мог знать, что я приду сюда, хотя час тому назад я и сама этого не знала: просто освободилась в театре раньше, чем думала. Видимо, он следовал за мной по пятам. И тут я не на шутку испугалась. Взяла под руку тетю Ирен, и мы торопливо стали спускаться по ступенькам, пробираясь сквозь толпу верующих, чтобы уйти от погони.

Случается, несколько месяцев либо даже год или два я ничего не слышу о нем. И внезапно он вновь возникает на моем пути. Где он пропадал все это время? Может, в психиатрической больнице? Джонни навел справки: выяснилось, что этот человек — сын пастора из Швейцарии; приезжая в Париж, он находит приют у какой-то графини, она живет в Нейи, недалеко от меня. Однажды я не выдержала и позвонила ей по телефону. Трубку взяла какая-то дама. Голос у нее был немолодой.

— Да, я все знаю, — грустно сказала она. — Но прошу вас, повидайте его, поговорите с ним!

— Мадам, я уже с ним говорила... И могу только повторить то, что уже сказала: я не могу и не хочу петь арии из его оперы!.. Пора ему это понять...

---

[1] Большая статуя Христа на вершине горы; простирая руки, он как бы благословляет и охраняет город. Обычное место встречи верующих, а также туристов. (*Примеч. авт.*)

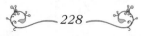

— Я знаю... но вы тоже должны понять его. Ведь он только вами и живет. Среди ночи вскакивает и, впадая в транс, зовет вас...

Я не решилась спросить ее о характере их отношений. То была слишком деликатная тема. Но он мне мешал жить. Все так же неожиданно появлялся на моем пути. Особенно я была травмирована во время Международного фестиваля песни во Франкфурте, когда он в приступе безумия ворвался в нашу гостиницу. Он кричал, что убьет Джонни Старка! Служители гостиницы препроводили его в полицию в очередной раз. Оружия при нем не было.

Довольно долго о нем не было ни слуху ни духу. Но в один прекрасный день он снова объявился. Это случилось в 1986 году в Пекине, когда я гастролировала в Китае. Какой-то человек проник за кулисы, куда посторонним входить не разрешалось. Это опять был он! Какая-то фантасмагория, да и только! С помощью переводчика я объяснила, что не желаю видеть этого субъекта, который меня нагло преследует. Представители службы порядка выставили его из театра. С тех пор я его больше не видела, но постоянно жду, что вот-вот где-нибудь появится этот помешанный с лихорадочно возбужденным лицом, и я снова почувствую его пристальный взгляд, устремленный на меня сквозь черные очки.

Меня уже 20 лет преследуют такого рода безумцы.

Я хорошо помню, что незадолго до автомобильной аварии меня приводили в ужас какие-то люди, подстерегавшие меня в коридорах дома, где я поселилась. Кто они были: сумасшедшие или фанатичные поклонники? Это даже побудило меня переехать в другой дом: в прежнем было столько темных углов и закоулков... Однажды я пригласила своих сестер Матиту и Режану провести отпуск в Париже. Неожиданно из Авиньона позвонил отец. Он получил записку, где было сказано, что если он не положит ночью в таком-то часу и в таком-то месте на берегу Роны 15 000 000 франков, то обеих его дочерей похитят в столице... Бедный папа! У него не было 15 000 000. И откуда они могли бы

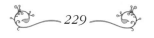

у него взяться! Многие заказчики забывали с ним расплатиться или добивались скидки, говоря: «Зачем вам вообще нужны деньги, у вас ведь дочь миллиардерша!» В указанный час полиция устроила засаду. Папа отправился в назначенное место. Там никого не было. Должно быть, злые шутники в это время немало потешались.

В другой раз кто-то позвонил ему по телефону и сообщил, что с другой моей сестрой — Мари-Франс — произошел несчастный случай. Нетрудно понять, как папа переволновался. На самом же деле она была цела и невредима.

Подобные выходки, отравлявшие жизнь моей семьи, лишали меня покоя. Я начала дурно спать. Несмотря на все доводы тети Ирен и Джонни, я испытывала страх. Я от него практически так и не избавилась. Временами я о нем забываю, но затем возникают новые угрозы, новые попытки шантажа, новые шутки дурного тона, и мной опять овладевает страх.

В 1971 году в мастерской отца трижды выбивали стекла и опустошали его конторку. Мне это казалось и кажется несправедливым. Уж лучше бы донимали меня.

Помимо «свихнувшихся» попадались мне и просто мошенники.

Однажды, возвращаясь домой, я нашла возле двери какой-то странный сверток. Я тотчас же обратилась к привратнику. По его словам, ко мне приходил какой-то мужчина и, не застав никого дома, оставил этот сверток на половике у моего порога. Сперва все это показалось мне забавным, но, вспомнив о письмах с угрозами взорвать мою квартиру, я в очередной раз обратилась в полицию! Сверток развязали и обнаружили в нем какое-то непонятное устройство, в приложенном листке пояснялось, что это «сверхгенератор». Изобретатель утверждал, что с помощью этого пробного образца можно получать горючее из какой-то простейшей смеси, большую часть которой составляет вода. История эта имела продолжение: в один прекрасный день ко мне обратился некий адвокат. По его сведениям, я вложила два с половиной миллиона франков в создание этого при-

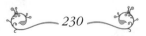

С самых первых выступлений поклонники и друзья заваливали
ее восторженными телеграммами

бора. И он предъявил обязательства, якобы подписанные мной. Я сразу же обнаружила, что моя подпись подделана. «Изобретатель» воспользовался моим именем как приманкой для доверчивых простаков. Больше того: чтобы подтвердить связывающую нас дружбу, он умудрился сфотографировать меня, когда я обнимала какую-то девочку после окончания концерта (дети часто поднимаются на сцену и вручают артистам цветы); он утверждал, что это его дочь по имени Мирей... а я — ее крестная мать! Мне пришлось подать на него в суд по обвинению в подлоге. Уголовное дело было прекращено, так как ответчика признали невменяемым.

Я опускаю другие подобные случаи.

Один крестьянин, которого я никогда не видела, пришел к моей маме. При взгляде на его ручищи она испугалась и мысленно назвала его душителем. Он объявил ей, что мы с ним решили пожениться и назвал не только день, но даже час будущей свадьбы. Он много раз писал в контору Старка, требуя, чтобы были разосланы приглашения на «нашу» свадьбу, и, так как ему, конечно, не отвечали, однажды он сам появился на пороге:

— Вы... вы не умеете себя вести! Вот когда я женюсь на Мирей, вы не то запоете!

По его письмам можно было понять, что он не в своем уме.

В потоке получаемой нами почты встречались душераздирающие послания. Одно из них так потрясло всех, что решили показать его мне: какая-то женщина писала, что у ее ребеночка обнаружили опухоль мозга и ему предстоит операция; до этого она хотела бы совершить паломничество в Лурд, но у нее нет для этого средств. Джонни согласился, что следует помочь этой несчастной женщине: дать ей денег на поездку, а если понадобится, то и на жизнь. Однако он все же решил предварительно навести справки. Оказалось, что никакой опухоли не было, да и ребенка не было. Особа эта сидела без работы, изредка перебиваясь поденщиной, и решила таким способом поправить свои дела.

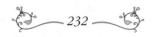

К счастью, приходили письма и от истинных почитателей моего таланта. Некоторые из них стали впоследствии моими друзьями. Однажды компания «Эр Франс» пригласила меня поехать в Бразилию для участия в конкурсе, который она проводила в память о Мольере; там я познакомилась с одним из служащих этой компании, который покупал все мои пластинки и знал наизусть многие песни из моего репертуара. По роду службы он часто бывал в разъездах и нередко встречал меня на Рождество или под Новый год в разных концах света. Он даже прилетал в Китай, чтобы повидать меня.

Моя молоденькая почитательница из Германии, по имени Карин, стала моим секретарем и теперь, в Париже, ведает моей корреспонденцией на немецком языке. Другая немка — Гизела (кстати, она удочерила маленькую кореянку) — старается не пропускать мои сольные концерты во Франции. Еще одна немка — Вини, приезжая в Париж, останавливается у меня. Она прекрасно владеет тремя языками; мне хочется, чтобы она жила у меня подольше, потому что, беседуя с ней, я делаю успехи в английском и немецком языках. Можно было бы упомянуть еще Сильветту, Эдди, Жан-Мишеля... Свои отпуска они проводят, сопровождая меня во время летних гастролей. Их дружеская привязанность трогает. Кроме того, они хорошие судьи, и я часто исполняю им свои новые песни, прежде чем вынести их на суд публики.

Не могу не сказать о молодом моряке с корабля «Жанна д'Арк». Проводя свой отпуск в Париже, он обычно приходил в нашу контору, чтобы получить мой автограф на пластинках. Мама радушно приняла его в Авиньоне, когда он приехал туда, воспользовавшись увольнительной. Он очень любит свой корабль и сожалеет, что я на нем ни разу не побывала. В самом деле, я выступала на кораблях «Клемансо» и «Фош» (с дебютантом Мишелем Сарду), но посетить «Жанну д'Арк» мне так и не довелось.

Все эти почитатели моего таланта, а также те, о которых я не упоминаю только за отсутствием места, — люди очень слав-

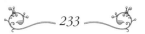

ные; их теплое отношение помогает мне забывать о помешанных, которых я боюсь.

Существует также длинный (мне он кажется нескончаемым) список тех, кого молва называет претендентами на мою руку.

Список этот был начат сразу же после моего первого успеха в Париже. Один молодой авиньонец объявил себя моим «суженым», его примеру последовал второй, затем третий... Между тем, многочасовой труд на фабрике и строгость, в которой отец воспитывал своих дочерей (особенно меня, старшую), исключали даже помыслы о каких-либо интрижках, которые меня, надо сказать, никогда не занимали и не привлекали. Потом пошли разговоры о том, что во время гастролей Мирей обнималась с каким-то танцором или музыкантом... В оправдание журналистов можно заметить, что нас, артистов, нередко фотографируют, когда мы впадаем в эйфорию. Так бывает перед началом или во время концерта, когда мы верим в успех. Бывает это и после выступления, когда все вместе переживаем свою победу или поражение и в наших взглядах отражается связующая нас духовная близость.

Мы, артисты, отличаемся от других людей. Мы не похожи на тех, кто у себя на службе проявляет известную сдержанность. Мы каждый раз переживаем все, что с нами происходит, с непонятной для постороннего наблюдателя фамильярностью, хотя порой не встречаемся друг с другом по нескольку лет. Мы будто созданы для мимолетных встреч, разлук и новых встреч. Вот почему мы и обнимаемся так пылко... но это отнюдь не всегда ведет к постели: только ad libitum![1]

Что до меня, то я вступила в мир песни, как вступают в монастырь. Правда, светский и позолоченный, но все же монастырь. И владела мной истовая вера. И отчаянная надежда провинциальной девочки на манящий успех. А повзрослев (разумеется, относительно), я осознала, что долгожданное чудо свершилось, и я должна делать все, чтобы оно не исчезло.

---

[1] По желанию *(лат.)*.

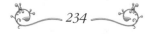

Дело не в том только, что я была бедна, а стала богатой.

Жизнь всей семьи Матье должна была измениться. Я всегда считала и до сих пор считаю, что сама судьба предначертала мой путь, и иного пути у меня быть не может. Разве скаковая лошадь, стремясь к далекому финишу, смотрит по сторонам?!

Чем дальше я продвигалась вперед, тем глубже постигала жизнь. Тем яснее мне становилось, сколь хрупка моя карьера: любой ложный шаг мог стать роковым. Мне помогли это понять — что совсем не просто, когда тебя провожают возгласами «браво», преподносят букеты цветов, хвалят и обнимают после концерта, — те, кто меня окружал и всегда живет в моем сердце: Старк, Кокатрикс, Шевалье, Тино Росси... Они ведь и сами прошли через такое испытание.

Между тем, журналистки — от начинающей до самой маститой (ко мне присылают главным образом женщин, полагая, что им скорее удастся «извлечь меня из раковины») — постоянно задают один и тот же вопрос: «А как насчет любви»?

Да, как поется в песне: «Жить невозможно без любви». Я, однако, обхожусь без любви.

Самой занятной в этом плане была моя встреча с Мени Грегуар, которая слывет знатоком по части сердечных дел. Женщины, которые слушают или читают ее высказывания, поверяют ей такие секреты, говоря о которых обычно краснеют. Вот как было дело со мной.

Она явилась ко мне летом 1969 года, когда я уже больше трех лет вела жизнь певицы... и по распространенному мнению уже должна была познать любовь. Итак, о любви... Мени начала разговор, как заправский специалист по психоанализу:

— Закройте глаза, я буду медленно произносить слова: Любовь... Свобода... Бегство... Успех... Нежность... Усталость... Одиночество... Ребенок...

Отец... Достоинство... Семья... Мужество... Какие из этих слов вы запомнили?

— Отец. Любовь. Нежность. Мужество.

— А знакома ли вам любовь?

— Нет. Легкий флирт бывал, но настоящей любви не было. Ведь моя взрослая жизнь только начинается.

— А ведь вы поете о сильной страсти, которая сметает все преграды.

— Но это как в кинофильме. Актер играет убийцу, а в жизни он никого не убивал.

По-моему, яснее не скажешь. Однако она продолжает «допрос», добиваясь, почему я не назвала слово «одиночество».

— На сцене я себя чувствую в безопасности. Когда со мной публика, я не одинока.

— Представьте себе, что я прилетела с Марса. И спрашиваю: «Кто такая Мирей Матье?»

— Та, что поет... Как пекарь выпекает хлеб. Да, пекарь выпекает хлеб, но у него не спрашивают, спит ли он с кем-нибудь и с кем именно. Артиста же — тем самым выставляя его на всеобщее обозрение — спрашивают. А если он отказывается отвечать, подвергают допросу с пристрастием, без труда находят лжесвидетелей, как на неправом суде, предъявляют улики... фотографии! Фотоаппарат превращается в недреманное око! В ход идут даже снимки с незнакомыми людьми, потому что возле нас, артисток, вечно крутятся «очаровательные» незнакомцы. «Вы позволите (или попросту: «Ты позволишь?»), Мирей? На память!» А некто в это время щелкает фотоаппаратом. И потом я с изумлением обнаруживаю, что в Германии я слыву замужней дамой, а в Бразилии — матерью семейства...

Иногда всплывают уже не анонимные «претенденты».

Приехав в 1968 году в Лондон, я узнаю, что, оказывается, какой-то певец оставил свою профессию и стал учить меня английскому языку. А в Париже, когда я лежала в больнице после автомобильной аварии, со мной будто бы познакомился молодой американец и с тех пор мы с ним неразлучны.

Особенно «урожайным» на подобные выдумки стал 1969 год! Помимо принца Чарлза (о нем я уже упоминала) фи-

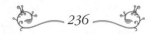

гурировал некий господин: он каждый вечер присылал мне в гостиницу «Савой» охапку красных роз (розы мне действительно присылали!).

В 1970 или 1971 году я с интересом узнала, что веду двойную жизнь, крутя любовь с молодым врачом из очень хорошей семьи. Живет он в Лилле, и я коротаю с ним «часы досуга». Последнее выражение заставило меня расхохотаться. Примерно в это же время я принимала участие в торжественном открытии телевизионного центра в Мехико, и потому, как и следовало ожидать, появились слухи о моих любовных похождениях в этой стране. Фигурировали несколько персонажей — от безвестного студента до важного лица. Я никогда не скрывала своего возраста, и однажды некий доброхот посетовал, что я становлюсь старой девой. Мирей Матье — старая дева? Не может быть! Она, верно, уже давно пустилась во все тяжкие! Видимо, дело не обошлось без Майка Бранта. Недаром же он участвовал в моей передаче «Аист...» — красноречивый намек! Это произошло на празднестве в городе Кольмаре. И вдобавок...

В 1972 году госпожа Солей предсказала, что я встречу красивого иностранца. Их было предостаточно. В том году в городе Бразилия все мои музыканты были наряжены как футболисты. Это было сделано в честь Пеле, который стал потом одним из моих добрых друзей. Мы не раз фотографировались вместе с ним, даже в Париже! Разве это не доказательство?!

А Франсис Лей, с которым мы неразлучны с тех пор, как он написал песню «История любви», — не обо мне ли в ней говорится? А позднее он сочинил другую песню, «Все ныне изменилось под солнцем». И это неспроста! Кстати, отчего это я в этом году зачастила в Италию? В Италии полным-полно красивых молодых людей, и почти все они брюнеты, как и южане из моего окружения, как мексиканцы, как Пеле. Видать, брюнеты в моем вкусе!..

Слыша такие разговоры, я иногда смеялась, но порой выходила из себя.

Джонни и тетя Ирен успокаивали меня.

— Зачем ты обращаешь на это внимание? Пусть себе болтают, — говорили они.

— Почему они не обсуждают любовные похождения какой-нибудь другой певицы?

— Потому что она, «какая-нибудь другая», ни для кого не представляет интереса. Обо всех известных актрисах сплетничают. Ты ведь была в Голливуде. Подпиши ты контракт с Пастернаком, и тебе на следующий же день приписали бы роман с каким-либо красавцем из его «команды»; ты мигом стала бы невестой, потом замужней дамой или даже, чего доброго, брошенной женой. От молвы не уйдешь... Пусть себе болтают.

— Вам легко говорить. Людей-то потом не разубедишь. Кому какое дело, страдаю я по кому-нибудь или не страдаю?

— Людям нравится думать о тебе так, как им хочется, — говорила тетушка.

— Знаю, у всех у них комплексы. А я человек простой.

— И все же, болеть из-за этих пересудов не стоит.

Увы, я не замечала, что больна-то была она сама.

Еще несколько претендентов...

Когда я вернулась в Париж, мне позвонил Ив Мурузи.

Я знала Ива, как его знают все (я имею в виду — в кругу артистов): он никогда не расставался со своим микрофоном и слыл одним из самых блестящих журналистов французского радио. Он принес на радио новый стиль, раскованный, веселый, богатый информацией. До нашей первой встречи я страшилась одной мысли о предстоящем интервью, но прошло оно как нельзя лучше. В отличие от других журналистов он сразу расположил меня к себе. Я чувствовала, что мне не грозит ни ловушка, ни каверзный вопрос. Очевидно, ему нравился мой голос, он этого не скрывал и не старался объяснить «феномен Матье» бог весть какими ухищрениями, а утверждал, что этот феномен

Джонни Старк и Франсис Лей разучивают песню с Мирей

Франсис Лей, с которым мы неразлучны с тех пор, написал песню «История любви», – не обо мне ли в ней говорится?

просто существует... ведь бывает же на свете хорошая погода или ненастье. Мы виделись с ним несколько раз. Он пригласил меня участвовать в его репортаже, который теперь передавался по телевидению.

У него абсолютный музыкальный слух (в студенческие годы он даже дирижировал симфоническим оркестром!). Ив — страстный театрал, и даже сам может поставить спектакль, потому что у его удивительное чувство сцены. Его собственная жизнь — цепь неожиданностей. В раннем детстве он, остался круглым сиротой: его родители погибли в автомобильной катастрофе. И журналистом он стал в результате... землетрясения! Он проводил отпуск в Пиренеях, и вдруг земля стала уходить у него из-под ног; не мешкая, он бросился к телефону, чтобы сообщить французскому радио о катастрофе... и был приглашен туда на работу.

Ежеминутно я узнаю от него что-либо новое для себя. Он наделен редкостной памятью, настоящим хранилищем событий и лиц, изречений и курьезных историй. Я всегда восхищалась тем, как легко и непринужденно он беседует и с государственным деятелем, и с подметальщиком улиц. Его старались уколоть еще чаще, чем меня, и я нередко говорила себе: хорошо бы и мне быть столь же неуязвимой, как он.

— На всякий чих не наздравствуешься! — любит он повторять. — Твоя жизнь принадлежит только тебе и никому другому. Живи, как считаешь нужным.

Мне, конечно, не хватало его уверенности в себе. Но постоянно находясь в его обществе, я мало-помалу обретала силы бороться с терзавшей меня тоской. Потрясение после смерти тетушки привело к тому, что косноязычие мое усилилось... в обществе Ива я запиналась гораздо меньше. Быть может, потому, что мало говорила, а больше слушала.

Разумеется, наша тесная дружба не осталась незамеченной: ведь мы появлялись вместе на различных приемах, на театральных премьерах, на просмотрах кинофильмов... словом, на людях. И у меня появился еще один «жених». Разговоры на этот

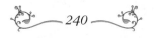

счет нас забавляли и к тому же ограждали от назойливых претендентов на мою руку.

Нас всюду встречали вдвоем. Тьерри Ле Люрон даже написал по этому поводу скетч. Сочинители песенок последовали его примеру (а возможно, и опередили, уж не знаю точно). И мы сами стали подыгрывать им, изображая семейную чету.

— Какое платье ты наденешь вечером, когда пойдем в театр на премьеру?..

— Почему ты спрашиваешь?

— Черт побери, должен же я знать, какой выбрать галстук!

Подобные сценки были рассчитаны на публику. Но я твердо знала, что, если мной овладеет хандра, я могу позвонить Иву в любой час. И он подбадривал меня:

— Голос у тебя не пропал? Вот и отлично! А то ты меня напугала! На все остальное — наплевать!

Однажды он мне сказал:

— У меня есть для тебя хорошая новость. Будешь петь в Большом театре.

Я уже привыкла к его шуточкам и пропустила эти слова мимо ушей.

И напрасно: Ив сказал правду. Когда имеешь дело с ним, не следует ничему удивляться.

По его инициативе французское телевидение решило провести Франко-советскую неделю. В ее программу входило интервью с Брежневым, предусматривалось посещение городка космонавтов, кабинета Гагарина (там находятся часы, остановленные в минуту его гибели), куда непременно приходят те, кто отправляется в космический полет. Была намечена и встреча со спортсменами, которые готовились принять участие в Олимпийских играх. А закончиться должна была эта неделя, по замыслу Ива, концертом в Большом театре с участием балетной школы, известных певцов и танцоров, а также Ансамбля песни и пляски Советской Армии. И впервые на этой величественной сцене выступит артистка французской эстрады (двойная премьера!). Я спросила у Мурузи, не хватил ли он через край.

— Отнюдь! Разве ты хуже оперной хористки?!

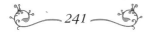

Мы приехали накануне концерта, и меня в тот же день записали на советском телевидении для трех передач. Во время моего выступления в нашем оркестре недоставало двух музыкантов: присланный за ними небольшой автобус оказался слишком тесным для 14 человек с музыкальными инструментами, и эти двое предпочли отправиться пешком, надеясь самостоятельно найти дорогу в Большой театр. Между тем пошел снег, и они заблудились! В это время Ив, сидевший на 20-м этаже гостиницы «Интурист» в своем двухкомнатном номере, предназначенном для связи, выходил из себя: связь была потеряна (вышел из строя радиолокатор).

Как всегда, выступление в новой обстановке таит в себе нечто чудесное. Однажды я призналась, что с удовольствием спела бы на сцене Большого театра. И теперь, очутившись там, испытала подлинное потрясение: громадный зал, огромные хрустальные люстры, отзывчивая публика, хор из 200 человек, занятый в сцене коронования из оперы «Борис Годунов», оркестровая яма, с трудом вмещающая множество музыкантов... от всего этого у меня дух захватило.

В моем репертуаре были две песни, уже знакомые советским слушателям: «Жизнь в розовом свете» и «Марсельеза».

— Не волнуйся! Если ты даже запнешься, зрители тебе подскажут слова! — пошутил Ив.

Этого не потребовалось, но зато они сделали мне замечательный подарок: вместо цветов на сцену принесли большого плюшевого медвежонка, ростом почти с меня. Это было весьма кстати. Уткнувшись лицом в его мех, я незаметно вытерла потекший по щекам грим (сказалось волнение).

Думаю, я одной из первых узнала, что Ив влюбился. Увидев Веронику, я сразу поняла, что она воплощает его идеал женщины: она, как и он, занималась спортом — ездила верхом, на мотоцикле, водила машину; как и он, любила скорость (в отличие от меня!), внимательно следила за модой, интересовалась всем и не боялась ничего на свете. Полная мне противоположность. Вероятно, потому я ее так люблю. Я тут же заявила, что буду

крестной матерью их первого ребенка. В положенный срок на свет появилась малышка Софи. Об их свадьбе писали в газетах, но обряд крещения проходил в узком кругу. Церковь святого Роха охраняли, не было сделано ни одной фотографии. Впервые Ив и я не фигурировали на одном снимке! Остановившись с восковой свечой в руках возле моей крестницы — эта на диво прелестная крошка таращила глазенки с таким видом, будто понимала смысл происходящей церемонии, — я спела для группы собравшихся близких друзей без музыкального сопровождения «Ave Maria». Думаю, я еще никогда не исполняла эту молитву с таким вдохновением.

После женитьбы Ива появилось еще несколько «претендентов». Полагаю, что единственным среди них, кто мог — и не без причины — устоять против чар, которые мне приписывают, был... аббат Галли, священник из Санари. Я познакомилась с ним давно, во время летних гастролей. Кто-то меня спросил тогда:

— Неужели вы не знаете аббата Галли? Он ведь снялся в фильме «Человек с «Испано»!

В фильме участвовала Югетта Дюфло, чье имя мне тоже ничего не говорило; итак, Жоржа Галли я не знала, после нескольких весьма далеких от религии фильмов он неожиданно принял духовный сан. Поэтому у меня осталось лишь воспоминание об уже немолодом священнике с очень кротким, смиренным лицом. Я попросила у него благословения.

После смерти моей дорогой тетушки, которая постоянно воскресала в моем сознании, парижские вечера, проведенные в обществе Ива, не смогли полностью исцелить меня. Мне теперь хотелось петь, но не в передачах столичного телевидения, в которых мне то и дело предлагали принять участие, а где-нибудь далеко-далеко от Парижа. В апреле компания «Эр Франс» открывала новую авиалинию, Париж – Кайенна – Манаус – Лима. По этому случаю должен был состояться большой гала-концерт в знаменитом оперном театре города Манаус. Мы вылетели туда. Меня сопровождала Венсанс.

Стоявшая в тех краях жара не слишком бодрила и не прибавляла сил; когда мы вышли из самолета в Кайенне, там было 35 градусов по Цельсию. В аэропорту было полно солдат Иностранного легиона, я раздала столько автографов, что трудно представить!

Манаус. Город-призрак. Город-мираж. И здесь, в самом сердце Амазонии, находится оперный театр — уменьшенная копия Парижской оперы. Там мне и предстояло петь в зале, где оживала в памяти роскошь былых времен: женщины были в вечерних туалетах, мужчины — в белых костюмах. Я вспомнила о тех временах, когда Сара Бернар выступала тут перед зрителями во фраках.

Я одеваюсь в ее бывшей артистической уборной. Изысканный стиль конца прошлого века, зеркало в резной раме... На сцене — красный занавес; когда он поднимается, взору предстают позолоченные кариатиды и кресла, обтянутые уже слегка потертым бархатом. И никаких кондиционеров. Здание старой постройки. Жарко, как в бане, температура — 45 градусов. Как говорят в наших краях, «по мне струится вода»! Мне легче, чем другим, я в открытом платье. Но бедные мои музыканты в полном изнеможении, и в антракте Джонни им говорит:

— Ладно! Хоть это и гала-концерт, сбросьте пиджаки!

Здание нашей гостиницы даже не наводит на мысль об архитектуре будущего века. И это мне по душе. Ему присуще невыразимое очарование «колониального» стиля начала нашего столетия: окаймленные витым узором балюстрады, веранды прихотливых очертаний... Мы живем в одной комнате с Венсанс. Среди ночи я бужу ее, услышав странный шорох — похоже, будто по потолку бегают какие-то твари. В смежной комнате спит Джонни, Венсанс бежит туда и торопливо будит отца; он входит в наш номер и зажигает свет: в самом деле, над нашими головами бегают саламандры, выходит, не зря я пряталась под простыней!

На следующий день представитель местных властей приглашает нас совершить прогулку на пароходе. Подобного ко-

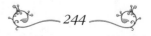

лесного парохода я не видела ни разу в жизни — такие встречаются только в старых фильмах. Мы покидаем порт и плывем по течению реки, которая прячется среди джунглей; нас покоряет музыка леса: пение невиданных птиц и голоса неведомых зверей. Сочетание красоты и уродства. Блестящее, необычайное, великолепное оперение птиц и отталкивающий вид игуан, аллигаторов, броненосцев... От этого пестрого зрелища нас отрывает радушный хозяин, он приглашает позавтракать в роскошно отделанной в стиле прошлого века кают-компании. Оказывается, он взял с собой на судно уйму собственных поваров, чтобы достойно обслужить нас как важных персон.

— Хорошо бы, — шепчет мне Джонни, — если б можно было заодно съесть и рой этих назойливых москитов!

В этой католической стране полно всяких суеверий. И уж кому-кому, а мне это понятно! (Недаром же я ношу рядом со своим заветным крестиком и «кукиш» — сжатый кулачок, причем большой палец просунут между указательным и средним: по поверью, этот талисман хранит от беды.)

В городе на любом перекрестке, чуть ли не на каждом шагу, можно встретить алтарь под открытым небом или нишу со статуей святого. И мое первое побуждение — поставить там свечу. И потому в одной из газет я увидела свою фотографию с такой подписью: «Она молится за здравие своего жениха...» Одним претендентом больше. Надо сказать, что среди всех журналистов мира первое место по находчивости, дерзости и изобретательности, на мой взгляд, занимают римские репортеры.

В том же году, когда я побывала в Манаусе, где стояла удушающая жара, меня после поездки в Бразилию ожидало знойное лето в Италии. Я должна была там записать для Эннио Морриконе песню для телесериала «Моисей». Было также решено, что мы подготовим альбом лучших песен на его музыку из кинофильмов.

Мне всегда нравилось исполнять песни из кинофильмов: они так богаты образами. Последнюю из них я спела всего полгода назад — это песня из фильма Гранье-Дефера «Поезд».

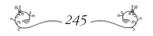

Я несколько раз смотрела эпизоды из этой кинокартины, чтобы проникнуться тем волнением, с каким играют в ней Роми Шнайдер и Трентиньян. Эдди Марией написал слова на очень красивую музыку Филиппа Сарда:

> Сказали мне:
> «Ваш возраст все заметней,
> Весна сорокалетней
> Так на зиму походит!»
> И все же,
> Хоть луны на небе нет,
> С милым встречусь — вспыхнет свет,
> И счастье к нам приходит.

С Эннио Морриконе мы записали песни не только на музыку из широко известных фильмов «Однажды на Дальнем Западе» и «Однажды произошла революция» режиссера Серджо Леоне, но также на музыку из фильмов «Халиффа», «От любви умирают», «На заре пятого дня»... Слова для марша из фильма «Сакко и Ванцетти» были написаны Мустаки:

> О вас мы память в сердце сохраним.
> В час смерти были вы одни,
> Но смерть поправ, вы — с нами.

Для фильма «Романс» Пьер Деланоэ написал слова к удивительно роштической музыке:

> Мелодия... расскажет обо всем, что я таю:
> Я о любви к тебе пою.
> Ты слышишь песню нежную мою?..

Мощная, хорошо оркестрованная музыка Эннио подчеркивала простоту взволнованных слов. Такова, например, песня из фильма «Однажды на дальнем Западе».

В репертуаре Мирей Матье была и песня из фильма «Поезд»
с неподражаемыми Роми Шнайдер и Жаном-Луи Трентиньяном

Мне всегда нравилось исполнять песни из кинофильмов

Когда уходит солнца луч за окоём,
Воспоминанье душу мне терзает...
А вечером, едва приходит тьма в наш дом,
Мне так твоих объятий не хватает!
Но ты еще придешь...
Знай: без тебя цветы не расцветают,
И вспомни обо мне...

А вот слова, написанные для мелодии со сложной тесситурой, где низкие звуки чередуются с высокими:

Всего один случайный взгляд
Тобой был брошен, будто наугад,
И в тот же миг я поняла,
Что сразу, словно чудом, обрела
И солнца свет, и синий небосвод, —
И это все живет
В слепящем блеске глаз твоих...

Партитуры были сложные. Потребовалась огромная работа, она заняла июль и август. Записывали меня через день, и происходило это в заброшенной часовне, которую Эннио приспособил под студию. Поразительная студия с великолепной акустикой!

— Такая акустика бывает только в часовне! — утверждал он.

В свободный от записи день я готовилась к ней, работая над двумя текстами — французским и итальянским. Джонни, следуя своему уже не раз испытанному правилу, снял для меня загородный дом в 35 километрах от Рима. В такой сказочной обстановке я еще ни разу не жила! Дом принадлежал одному из магнатов итальянской прессы и был известен тем, что тут нередко снимали фильмы. Здесь все к этому располагало: необычайно красивая вилла, обширный парк, бассейн, куда поступала вода из насыщенного газом источника, — погружаешься в него, будто в ванну с минеральной водой! Мне казалось, что крошеч-

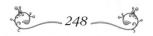

ные пузырьки удерживают меня на поверхности. Только в этот бассейн я отваживалась входить без спасательного круга!

Стояла сильная жара, но в доме, облицованном мрамором, было прохладно. Я жила в комнате, которую занимала Лиз Тейлор, когда снимался фильм с ее участием. В таких условиях можно было работать быстро и хорошо. На вилле проживали также учитель итальянского языка, шофер, двое слуг и замечательная повариха Пим-Пам-Пум. Я прозвала ее так потому, что эта дородная женщина всегда шумно топала. Ее большая голова казалась еще больше, потому что у нее были, хотя и короткие, но очень густые курчавые волосы. Своими похожими на колбаски пальцами она удивительно ловко управлялась со свежими пирогами. Чудо-пироги! Я готова поверить, что Джонни специально приезжал из Парижа, чтобы их отведать. Не меньшим гурманом, чем дядя Джо, был Серджо Леоне. Этот близкий друг Эннио живо интересовался тем, как подвигается запись. Он был явно зачарован нашей работой.

Между Эннио и мной царило полное согласие.

— Как странно, — говорил он, — я не раз слышал по радио твои выступления, видел твои фотографии и полагал, что хорошо тебя знаю. Думал, что красивое личико и прекрасный голос — это все, чем ты обладаешь; когда же мы начали записывать в нашей студии пластинку, я обнаружил, Что ты способна на гораздо большее, чем я рассчитывал! Я очень удивлен. Ты преодолеваешь трудности, с которыми нелегко справиться человеку без музыкального образования. Тебе удается исполнять даже те мелодии, которые предназначались для музыкальных инструментов. Повторяю, я удивлен и благодарен тебе за то безграничное доверие, с каким ты следуешь моим указаниям. За твою решимость. За твою страстную и глубоко человечную любовь к музыке. За ту простодушную веру, с которой ты относишься к моему творчеству. И все это происходит потому, что ты и сама уверена: тот, кто сидит в стеклянной кабине посреди студии, внимательно слушает и испытывает к тебе величайшую признательность.

Я так хорошо помню слова Эннио, потому что он их мне написал.

Я действительно люблю его музыку, которая изумительно гармонирует с образами и помогает исполнителю донести их до слушателя. Ценю его тонкое чувство мелодии, его лиризм... Я не замечала, как летит время.

По правде сказать, я теперь совсем иначе отношусь к записи пластинок, чем прежде. В начале моей артистической карьеры мне нравилось петь только на сцене; но мало-помалу я почувствовала вкус к звукозаписи: работа в хорошо оборудованной студии позволяет достичь более совершенного звучания. Здесь песню шлифуешь. Гранишь ее, как драгоценный камень. К счастью, человеческий голос не машина! Он зависит от твоего настроения, певцу необходимо добиться душевного равновесия. Порой лучше всего удаются первые пробы, потому что в них больше импровизации, а порой бывает и наоборот. Внезапно замечаешь в своем исполнении нечто «лишнее», и не сразу удается понять, что именно. Так же трудно понять, почему вдруг распускается цветок, и распускается именно так. Но разве цветок задается подобными вопросами? Тобой владеют разноречивые чувства. Раньше я плакала, когда запись песни не получалась. Теперь я плачу, когда песня, которую записываю, меня волнует. И это тоже «лишнее». Но хуже всего, когда запись не ладится, когда у меня не возникает нужного контакта с оркестром. Случается, я записываю песни, пластинку прослушивают и отвергают: ей так и не суждено увидеть свет. Конечно, я испытываю при этом разочарование, потому что эти песни мне нравились, только такие я и пою. Иногда Джонни мне говорит: «Попробуй все-таки исполнить эту песню, Мирей». И я повторяю про себя: «Попробуй, Мирей. Быть может, ты и ошиблась». Я вовсе не так упряма, как утверждают. Ведь над песней трудится целая «команда», и я прислушиваюсь к тем, кто вместе со мной работает.

Если запись никак не идет, мы ее прекращаем: утро вечера мудренее. Назавтра снова попробуем.

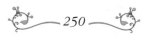

Назавтра я вновь в студии, за стеклянной перегородкой. И знаю, что в кабине сидит Джонни, который всегда стремится к совершенству. Обычно я прошу погасить верхний свет, освещают только меня. Мне нужна такая обстановка, я тогда чувствую себя изолированной, как на сцене.

Я знала, что Эннио столь же требователен, как Джонни. Когда я приходила в часовню, он уже сидел за пианино или письменным столом — сочинял либо записывал музыку. Какие это были счастливые дни! Я и думать забыла о строгом соблюдении режима: попробуй соблюдать диету, когда Пим-Пам-Пум каждый день готовит новые паштеты и печет новые пироги! А ко всему еще Серджо Леоне несколько раз увозил нас в конце недели в Рим. Мы приезжали в его излюбленный кабачок, один из тех, где обедают на свежем воздухе в беседке, увитой виноградом; до сих пор вспоминаю эти шумные веселые застолья, в которых принимали участие знакомые артисты. На них царила праздничная атмосфера и, разумеется, я пела, мы все пели за десертом. Серджо настаивал, чтобы я непременно усаживалась в его «Роллс-Ройс», снабженный кондиционером. Это была чудесная машина, но в ней приходилось надевать пуловер! Эннио бурно протестовал. И я усаживалась в «Мерседес», который нанял для меня Джонни. Он строго-настрого запретил шоферу включать кондиционер. Серджо не обижался на меня. Он даже решил сопроводить мою пластинку пояснительным текстом, украсив его своей размашистой подписью: «Прелестная женщина может очаровать сразу несколько мужчин, певица с неповторимым голосом может принести счастье тысячам людей. Скажу без колебаний: Мирей сделала меня счастливым».

Вполне понятно, что моя дружба с одним из самых известных композиторов и с одним из самых знаменитых режиссеров привлекла к себе внимание падких на сенсации газет.

Джонни снял этот загородный дом для того, чтобы я могла укрыться в нем от любопытных и спокойно работать. Обычно я заучивала тексты песен, записанных на магнитофон, устроившись с наушниками на голове в шезлонге, стоявшем в парке;

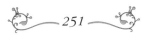

при этом, чтобы спастись от солнечных лучей, я (по примеру туарегов) опускала на лицо платок из голубой кисеи.

Однажды нам пришлось прогнать какого-то репортера: взобравшись на ограду парка, он с помощью телеобъектива фотографировал меня, когда я купалась в бассейне... в том самом бассейне, где в свое время купалась Лиз Тейлор!

Несколько дней спустя я так сосредоточенно заучивала песню, что не придала особого значения гулу вертолета. Надин, которая всегда заменяет мне глаза и уши, всполошилась:

— Откуда взялся этот вертолет и что он тут делает?

Мы довольно скоро это узнали, развернув какую-то газету. Она сообщала и вправду сенсационную новость. Взглянув на заголовок и подпись под фотоснимком, я узнала, что прячусь на роскошной вилле, так как скрываю постигшую меня ужасную беду: растянувшись в шезлонге, я оберегаю лицо от дневного света, потому что мне грозит... СЛЕПОТА!

Иногда мной овладевает хандра. Нет, не ужасная, не беспросветная. Такого со мной не бывает, для этого я слишком здоровый человек. Это, скорее, назойливая тоска, она рождает желание куда-то уйти, уехать.

Ее первый признак: я не могу усидеть на месте. Как-то жила в Мюнхене; город этот я очень люблю, и обычно я там весела. Однажды туда приехали навестить меня Кристиана и Матита. Не успели мы усесться за столик в соседнем ресторане, как я тут же поднялась со стула.

— Какая муха тебя укусила? — спросила Матита.

— Я ухожу.

— Ты заболела?

— Нет. Но я возвращаюсь к себе.

Странное ощущение: мне как будто не хватает воздуха. Хочется вдохнуть его всей грудью, но только не там, где я нахожусь. Хуже всего, когда такое накатывает на меня в студии.

Еще пример: мне нужно было за четыре дня записать новую программу и выступить с ней перед публикой. Репетиции проходили трудно.

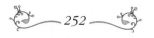

— Что с тобой? — спрашивал меня Джонни.

— Ничего.

— Что значит «ничего»? Ты больна?

— Нет. То есть, да... мне нездоровится. Я хочу уехать.

— Но, послушай, Мирей... это невозможно... ведь соберется публика.

В самом деле, я не могу себе этого позволить. Публика... В зале будет всего человек сто. Но сто человек или даже меньше, все равно — это ПУБЛИКА, и она для меня священна. Эти четыре дня были каким-то кошмаром! Наконец все осталось позади.

Затем предстояло записать пластинку на немецком языке. Джонни решил, что перед тем мне полезно будет немного подышать горным воздухом. Ведь после смерти тети Ирен — а она скончалась три с половиной года тому назад — у меня не было ни дня передышки: я все время колесила по свету. Я сама так хотела. Перемена мест не спасает от горя: усопшие путешествуют вместе с тобой. Но гастроли заставляют тебя работать.

— Пожалуй, мы переусердствовали... — говорил иногда Джонни.

Мы объехали чуть ли не весь земной шар: снова побывали в Токио, Лондоне, Нью-Йорке, Берлине, были в Бейруте, Мадриде, Мехико...

Верный своему решению, Джонни поселил меня вместе с сестрами, Надин и учительницей немецкого языка в отеле «Шпитцингзее», в 60 километрах от Мюнхена, а сам вернулся в Париж, надеясь, что мы пробудем недели три в этом, как он считал, уютном гнездышке.

Это было поистине идиллическое местечко на берегу горного озера. Зимой здесь ходят на лыжах, катаются с гор на салазках и спортивных санях, к услугам отдыхающих кегельбан, каток, спортивные игры на льду... Летом — а мы были там как раз в конце июля — катаются на парусных лодках, на водных лыжах, ловят рыбу, любуясь синим небом, по которому бегут белые облачка, почти задевая верхушки темных сосен. Так быва-

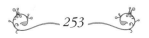

ет обычно. Но тогда — в 1977 году — лето выдалось отвратительное. Просто «Грозовой перевал»[1]. В горах завывал ветер. Плотные тучи обложили небо. День походил на сумерки, можно было разглядеть лишь силуэты сосен, озеро бушевало... Построенная в швейцарском стиле гостиница и та приобрела зловещий вид, украшавшие ее оленьи головы наводили тоску. А если у тебя еще кошки скребут на душе... Учительница была непреклонна: после завтрака — немецкий язык, после обеда — немецкий язык, гулять все равно погода не позволяла. Песни, над которыми я работала, были очень трудные, они были написаны на стихи Гете и Шиллера, а их поэзию особо веселой не назовешь.

В то утро, о котором идет речь, Надин не спешила заказывать первый завтрак. Она хотела дать мне выспаться, а я все еще не высовывала носа из своей комнаты... Первый завтрак был для нас неким священнодействием. Он напоминал о семейных традициях. Заряжал всех хорошим настроением на целый день. Где бы мы ни находились, все дружно собирались за первым завтраком. Мне нестерпима мысль завтракать в постели одной, с глазу на глаз с подносом.

— Я ее не видела, она, должно быть, еще не проснулась, — сказала Матита.

Все уже проголодались, и Надин решилась заглянуть ко мне в номер. И в страхе отпрянула: моя кровать была пуста. Надин привязана ко мне, как сестра. Каждый, кто знает, до чего она впечатлительна, легко представит себе, какой переполох она подняла в гостинице. Наконец ей удалось установить, что я чуть ли не на заре вызвала такси и куда-то уехала.

В каком-нибудь американском фильме эта история могла бы показаться смешной. Но взбалмошной меня не назовешь. Вспоминаю, как однажды Жан Ко брал у меня интервью; по его словам, он задумал проверить, в самом ли деле я «марионетка Старка, которую тот из-за занавеса дергает за ниточки»!

— Бывают у вас приступы гнева, подвержены ли вы капризам? — спросил меня журналист.

---

[1] Роман Эмилии Бронте. *(Примеч. ред.)*

— Нет, никогда.

— Почему?

— Потому что в семье нас было пятнадцать человек. Тут уж не до капризов.

Словом, Надин, понимая, что дело не в капризе, безумно встревожилась и кинулась звонить Джонни:

— Может, следует обшарить дно озера?

— Но ведь она уехала в такси! Лучше наведите справки в аэропорту! Таким образом Надин и напала на мой след. Она узнала, что я улетела в Париж. Джонни решил, что самое милое дело — перехватить меня при выходе из самолета в Руасси, и поручил это шоферу.

— Тут моя вина, — сказал он Надин. — Мы потребовали от нее нечеловеческих усилий.

— Я знала, что она вот-вот сорвется! — ответила Надин. — Еще когда она снималась на телевидении у этого бездушного режиссера!

Стремясь всячески защитить меня, она не раз ссорилась с этим человеком, и он в конце концов запретил ей появляться в студии!

— А сколько времени Мирей уже без отдыха! И тут еще эта учительница морочит ей голову! А в довершение всего — отвратительная погода... От нее от одной можно впасть в хандру! Вы себе это в полной мере не представляете, господин Старк!

В аэропорту я сразу же увидела знакомого шофера. Слава богу, Джонни там не было. Я попросила шофера получить мой багаж.

Бедняге пришлось тщетно его дожидаться. Никакого багажа у меня не было. Сама же я вскочила в такси и поехала на Лионский вокзал. В тот же вечер я была в Авиньоне. У своих.

Я еще не жила в новом доме моих родителей. Он был мне совсем незнаком. Я еще не сумерничала у камина, который соорудил мой отец. Я не видела, как рос Венсан.

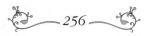

Меня встретили как долгожданного гостя. Как встречают блудного сына. Я позвонила Джонни. Он не сомневался, что я нашла себе прибежище в Авиньоне. И был спокоен. Все уладится. Пластинку на немецком языке можно будет записать позднее. В одном он был твердо уверен: через две недели назначен гала-концерт, и он знал наверняка, что на встречу с публикой я непременно приду.

Следующим летом я снова вернулась в Мюнхен. На этот раз стояла солнечная погода. Особняк, где меня поселили, находился в богатом квартале. Однако большую часть дня мы проводили в «бункере»: позади дома, в подвале, Христиан Брун оборудовал одну из лучших в Германии студий звукозаписи. На погоду мы не обращали внимания, так как все время сидели с наушниками на голове, записывая пластинку.

— А теперь на очереди песня «Письмо из Стамбула», — объявил Джонни.

— Мне она не нравится!

— Поверь, Мими, это — прекрасная песня. Прослушай ее внимательно, а уж потом суди! Христиан написал чудесную музыку с восточным колоритом. В песне рассказывается о рабочем, который получил письмо из дому: дети скучают без него. Он отвечает, что заработает немного денег для семьи и тогда вернется в Стамбул. Песня должна тебе понравиться!

— Мне больше нравится песня «Santa Maria». Она проникнута христианским духом.

— Это совсем иное дело. Песню «Santa Maria» ты исполняла на многих языках. А песню «Письмо из Стамбула» будешь петь только в Германии.

— А потом и в Турции! Вы, пожалуй, захотите, чтобы я выучила еще и турецкий!

Все смеются. Это не исключено.

В семь вечера мы возвращаемся в дом. Кстати, здесь есть и крытый бассейн. Ведь в Мюнхене под открытым небом купаться можно далеко не всегда. К обеду мы не переодеваемся,

садимся за стол в чем были. Нас приезжает проведать немецкий артист номер один — сорокалетний Петер Александер, он не только поет и танцует, но и исполняет драматические роли.

Я нередко выступала с ним в различных шоу. В последний раз мы виделись во Флориде: вместе снимались в «Диснейуолд» для рождественского шоу.

— Ты тогда походила на школьницу, приехавшую на каникулы!

— Ты тоже отнюдь не походил на старичка!

Какие последствия имело наше совместное путешествие по стране, где царили Микки Маус и Рождественские деды? Некоторые журналисты расписали его как свадебное путешествие Мирей и Петера.

Меня не раз «обручали» в Германии, как, впрочем, во Франции, Италии и Америке. Однажды я исполняла дуэтом с Полом Анкой песню о влюбленных, которых после короткой встречи жизнь надолго разлучает. Еженедельники тут же сделали свои выводы.

Большой радостью и честью стало для меня то, что Пол Анка не только сам оценил мое творчество, но и решил сделать его достоянием широкой публики в Соединенных Штатах. В своих студиях звукозаписи в Лос-Анджелесе с утра появлялся первым, а вечером уходил последним. Он обладает абсолютным слухом, предельно собран, и от его внимания ничто не ускользает. Как-то вечером мы с ним просматривали фильм «Самый длинный день»; в одном из эпизодов Пол снят в составе отряда из 235 солдат, которые штурмуют мыс Ок 6 июня 1944 года.

— Я дважды «отличился» тогда, — сказал он мне. — Во-первых, только я один получил увечье во время киносъемок: порезал руку об острый край скалы; а во-вторых, я сочинил песню для этого фильма![1]

Кроме того, Пол сочинил также и хватающую за душу песню к фильму «Исход» и еще уйму других; несколько из них, в том

---

[1] Музыку к фильму написал Морис Жарр. *(Примеч. авт.)*

числе «Ты и я» («You and I»), «Париж в чем-то не прав» («Paris is something wrong»), мы записали на двух языках на пластинке-«гиганте». Работа длилась полгода. Мы отпраздновали появление пластинки в Париже, куда Пол часто приезжает, потому что его жена Анна — француженка.

Женившись на ней, он стал истинным ценителем французских вин. Когда в ресторане метрдотель предлагает ему отведать бордосского вина «О-Брион», он, в отличие от большинства американцев, может ответить:

— Согласен! Этот сорт — урожая 1978 года — удался на славу! Такое вино есть у меня в погребке!

Анна родила ему пять дочерей; как-то мы все вместе отдыхали две недели на его яхте. Мы с ним продолжали в это время заниматься английским — думаю, именно ему я обязана своими успехами в овладении этим языком. Младшей дочери Пола было тогда всего полтора года, а старшей — 11 лет. Анка — образцовый папаша, он даже получил в Калифорнии приз Общества примерных отцов; так что его, меньше чем кого-либо другого, можно заподозрить в любовной интрижке. Но ведь заподозрили! И с кем? С Мирей! Как говорится, дальше идти некуда. Но разве можно было записать пластинку «Ты и я», не глядя друг другу в глаза, не создавая впечатления, что веришь тому, о чем поешь, особенно когда вас снимает такой замечательный фотограф, как Норман Паркинсон? Он фотографировал саму английскую королеву!.. С тех пор как мы знакомы, на конвертах моих пластинок не раз появлялась выполненная им моя фотография.

Пол сделал мне бесценный подарок: направил ко мне дирижера своего оркестра. Дон Коста был дирижером у Фрэнка Синатры и аккомпанировал выдающимся певицам — Барбре Стрейзанд и Лайзе Миннелли. Коста приехал в Париж, чтобы записать на пластинки песни, которые он сочинил для меня: «Танцуй, Франция», «У меня всего одна жизнь», «Осенняя симфония»... Должна признаться, это он посоветовал мне попросить Лайзу и Барбру, чтобы они разрешили мне исполнять пес-

ни из их репертуара: «Влюбленная женщина» и «Нью-Йорк, Нью-Йорк...».

Появление пластинки на английском языке мы отпраздновали в узком кругу в Лос-Анджелесе 22 сентября следующего года в ресторане «Эрмитаж». Заодно отмечался двадцатилетний юбилей деятельности Пола, а также мои первые шаги в «его королевстве пластинок». Два известных французских повара — Бокюз и Эберлен — составляли меню. Стол был накрыт на 26 персон. Среди гостей Пола были многие знаменитости американского шоу-бизнеса.

— Ну, как у тебя с головой? — спросил меня Джонни после трапезы.

— Все в порядке! — ответила я, думая, что он намекает на обилие разных вин на столе.

— Значит, она у тебя не кружится?

Я рассмеялась, поняв, что он спрашивает, не вскружил ли мне голову успех.

— Честное слово, нет!

— Если ты сейчас не зазналась, то с тобой этого уже не случится!

В газетах еще несколько раз намекали, будто Пол Анка неравнодушен к своей «красотке».

Некоторое время спустя я снова встретилась в Мюнхене с Хулио Иглесиасом. Он выступал там в Олимпийском зале. В конце его сольного концерта, который привел почитателей Хулио в исступленный восторг, на сцену хлынул ливень цветов. И вдруг артист громко сказал:

— Я вижу в первом ряду милую моему сердцу Мирей Матье и прошу ее спеть вместе со мной!

Он заставил меня подняться на сцену, и мы спели дуэтом три песни на испанском языке. Заранее мы к этому не готовились, но я хорошо помнила его песни, ибо есть у меня особое пристрастие: я знаю наизусть не только свои песни, но и песни тех, кто мне дорог, — Азнавура, Холлидея, Иглесиаса...

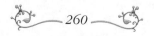

С Хулио мы подружились, когда он впервые выступал в Париже в 1975 году. Мы встретились в одной из телевизионных студий и сразу же прониклись симпатией друг к другу. Я тогда же выучила две его песни — «Мануэлу» и «Песню о Галисии». Когда Хулио где-нибудь далеко, он присылает мне короткие письма; они начинаются словами «Милая сестренка» и заканчиваются словами «До скорого свидания».

После Хулио у меня три года назад появился новый «жених» — Зигфрид, белокурый немецкий волшебник из Лас-Вегаса. Когда он приезжал вместе со своим партнером Роем на отдых в Европу, мы с ним виделись либо в Мюнхене, где я записывала пластинки, либо в Париже: им обоим нравилось вновь окунаться в атмосферу мюзик-холла «Лидо», где они выступали в начале своей артистической карьеры.

Мама простодушно поверила, что я, быть может, стану госпожой Зигфрид. Во всяком случае, такие разговоры пошли в Авиньоне.

— Алло, мама! Что это тебе вздумалось объявлять о моей свадьбе?! Откуда ты взяла такое!

— Послушай, Мими... Ко мне пришел какой-то журналист. Он показал мне фотографию, где ты снята рука об руку с Зигфридом, и спросил: «Стало быть, они скоро поженятся?» А я ответила, что это вполне возможно, так как ты посулила преподнести нам большой сюрприз на Рождество!

— Ты даже не понимаешь, мама, сколько шума наделали твои слова! Мы были на званом вечере у Пьера Кардена, я стояла между Зигфридом и Роем...

— Откуда нам знать! Зигфрид держал тебя под руку, как в наших краях держат суженую! У вас обоих был такой счастливый вид...

— Да мы и не чувствовали себя несчастными! Пора уже тебе знать, какие тут у нас обычаи! Если бы мне пришлось выходить замуж за всех мужчин, которые держали меня под руку...

— Надеюсь, ты все же когда-нибудь найдешь время выйти за кого-либо замуж...

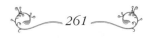

— Я тебе сообщу об этом первой.

— Так о каком же большом сюрпризе ты вела речь?

— Скажу тебе... когда наступит Рождество!

А то вдруг промелькнуло сообщение, будто я неравнодушна к Патрику Даффи, исполнявшему роль Бобби в сериале «Даллас». Слух этот был уж вовсе нелепым, потому что я встречала в Руасси Патрика, когда он прилетел туда вместе со своей женой Каролиной. Не в моих правилах «уводить» чужого мужа, да еще на глазах у его жены! С Бобби, виновата, с Патриком я познакомилась на премьере мюзик-холла «Мулен Руж» в Лас-Вегасе. Он сразу же мне признался, что очень любит петь. Сказано — сделано, и уже вскоре мы записали на пластинку песню «Вместе мы — сила», которую исполнили дуэтом. Он сказал, что охотно приехал бы во Францию. И я пригласила его принять участие в программе «Перед вами Мирей Матье», которую мы готовили с Карпантье. В ней обещали также выступить Иглесиас и Джон Денвер.

Я до сих пор не понимаю, как можно было распустить слух о нашем «романе» с Патриком, потому что рядом с ним всегда была Каролина! Она была очень рада, что снова попала в Париж. Она балерина и приезжала сюда несколько раз с Канадским балетом и балетной труппой «Харкнесс». Она водила Патрика на левый берег Сены, чтобы показать ему небольшую гостиницу, в которой когда-то жила «за пять долларов в сутки».

— Моя жена превосходно готовит, — сообщил мне Патрик. — Она прекрасно кормит наших рыбок и птиц, трех собак, кота и обоих наших мальчишек. Сказывается ее французская кровь. Мои родители — чистокровные ирландцы, потому меня и назвали Патриком — в честь святого покровителя нашей родины.

Забавная подробность: Патрик не носит смокинга. Ему нравится расхаживать в джинсах. А когда надо появляться в обществе, он надевает смокинг Бобби, своего любимого персонажа! В нем он и пришел на обед, который я устроила в его честь в ресторане «Максим». Но уже через минуту Патрик снял гал-

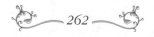

Хулио Иглесиас

*Я знаю наизусть не только свои песни, но и песни тех,
кто мне дорог, - Азнавура, Холлидея, Иглесиаса...*

стук. Скрипачи оркестра замерли со смычками в руках: находиться в этом фешенебельном ресторане без галстука не принято. Чтобы «разрядить обстановку», все наши друзья — Ив Мурузи, отец и сын Клерико (владельцы «Мулен Руж» и «Лидо»), Жильбер Карпантье, режиссер Андре Флерерик — последовали примеру Патрика. Такого здесь еще никогда не видали! Не видали никогда и того, чтобы хозяйка званого обеда покинула своих гостей посреди трапезы. Дело в том, что застолье затянулось, а я, как Золушка в полночь, должна была исчезнуть, чтобы пойти лечь спать, заснув на свои десять часов: назавтра мне предстояло записывать пластинку. Если не высплюсь, голос совсем не будет звучать.

Заметив, что я потихоньку ухожу, Патрик спросил:

— Она что, спешит на концерт?

Ему объяснили, в чем дело. Он очень удивился, узнав, что я так строго соблюдаю режим.

Мой флирт с миром оперы

Как зритель я страстно люблю Мориса Бежара. Танец вообще и Бежара — в особенности. Я никогда не видела его спектакли во внутреннем дворе Папского дворца в Авиньоне, потому что в ту пору еще клеила конверты на фабрике. Однако я видела его по телевизору, затем в Париже во Дворце конгрессов — там-то я и воспылала к нему любовью. Вот почему, когда он в 1980 году пригласил меня участвовать в его музыкальном представлении «Большая шахматная доска», я просто онемела.

Он сказал мне: «Мне хотелось бы, чтобы вы спели в моем спектакле одну из песен Шуберта. Но я вас, должно быть, сильно удивлю, когда скажу, что петь вы будете в джинсах...»

Действительно, в такой одежде я бываю только на лоне природы. Я часто облачалась в самые экстравагантные костюмы в постановках Карпантье, но не представляла себе, что можно петь Шуберта в джинсах.

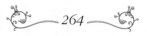

— Это вас смущает?

— Нисколько, раз вы об этом просите.

Я всегда стараюсь встать на точку зрения режиссера. А потому надела джинсы и начала ходить на все репетиции вместе с танцорами, не уставая восхищаться скромностью, терпением и выдержкой этих самозабвенных тружеников. Такой неустанный труд мне понятен, я не просто восторгаюсь — я преклоняюсь перед ним. В это время Бежар вынашивал замысел поставить на сцене (в Женеве) оперу «Дон Жуан», пригласив на главную роль Руджеро Раймонди, который не так давно сыграл ее в кино с потрясающей силой. Я несколько раз смотрела этот фильм, мне бесконечно нравились и сама опера, и певец.

А позднее одна моя близкая приятельница-журналистка — не удивляйтесь, и такое бывает! — рассказала мне, что она брала интервью у Раймонди.

— Угадай, что именно он распевает для собственного удовольствия, находясь в ванной комнате? Песни, которые поет Синатра! Руджеро очень хотел бы при случае побеседовать с тобой, потому что Синатра тебе хорошо знаком. Не съездить ли нам в Женеву на премьеру с участием Раймонди?

Со временем у меня всегда туго, и осуществить этот план было не так-то просто. Нам удалось побывать только на первой репетиции в костюмах.

— Будьте снисходительны, — сказал нам Бежар. — До премьеры целых десять дней, и мы еще поработаем.

Катя Риччарелли, исполнявшая партию Донны Анны, наступила на шлейф своего платья; пожарный ни на шаг не отставал от актера, державшего факел в руке, опасаясь, как бы тот не подпалил занавес. Но нашему взору уже представал впечатляющий спектакль о Дон Жуане. Артисты — в костюмах, изготовленных из тканей старинного образца, богато расшитых и украшенных драгоценными камешками; на вращающейся сцене возникают дома и улицы города давних времен, а затем смена декораций — и перед нами уже толпа туристов в черных очках, они тоже становятся очевидцами вечной истории о Дон Жуане.

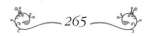

После спектакля — ужин в узком кругу: директор оперного театра Юг Галль, Раймонди, Бежар и (какое чудо!) недоступная Жанина Рейс. У этой белокурой женщины страстный темперамент южанки; ей свойственна необыкновенная живость, само ее присутствие поднимает тонус у окружающих, она столь своеобразна, что даже не думаешь, красива она или нет.

Жанина — «владычица мира оперы». Ее всюду встречает восторженный шепот: «Она пестовала саму Марию Каллас!»

Да, она преподаватель пения, но не только: она репетирует с певцами, дает им ценные советы, шлифует их голос; она признанный авторитет в области вокального искусства. Оперные артисты боготворят Жанину, дорожат каждым часом работы с ней. Она ездит по всему свету, как и они: сопровождает то Терезу Берганца, когда та исполняет партию Кармен в театре «Ла Скала», то Пласидо Доминго, когда он поет Фауста в театре «Ковент-Гарден», то Руджеро Раймонди, исполняющего партию Бориса Годунова в Берлине…

Мне хорошо известна ее высокая репутация. Я всегда мечтала ее встретить, и, видимо, так истово, что мечта моя сбылась. Как бывает почти всегда, этому помогло непредвиденное стечение обстоятельств!

Мы с Раймонди встретились впервые.

— Но наши фотографии уже встречались, — пошутил он. — Они висят рядом в столовой театра.

Я и в самом деле выступала там с тремя сольными концертами, и зал был полон. Значит, я оставила о себе добрые воспоминания, во всяком случае — в театральной столовой.

— Вам никогда не приходило в голову попробовать свои силы в оперном жанре? — спросил меня Раймонди.

— Я бы в жизни на это не решилась.

— Она была бы прелестной Церлиной[1], — заметил Бежар.

---

[1] Не лишенная кокетства юная новобрачная из оперы «Дон Жуан». (*Примеч. авт.*)

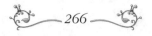

Жанина Рейс хранила молчание. Собравшись с духом, я обратилась к ней и сказала, что если бы она любезно согласилась дать мне несколько уроков, то, конечно, научила бы меня многому. Вежливо, но холодно она ответила, что эстрадное искусство не по ее части. Я повторила, что могу показаться назойливой, но с ее помощью, вероятно, могла бы понять то, что до сих пор от меня ускользает, так как музыкального образования я не получила. В ответ она сказала, что редко бывает в Париже, потому что ездит со своими подопечными по разным странам, где они выступают на сцене или записывают пластинки, и происходит все это то в Америке, то в Европе.

— Я вас прекрасно понимаю, — продолжала я настаивать. — Но все-таки иногда вы в Париже бываете...

— Очень редко.

Убедившись, что от меня не так легко отделаться, она дала мне номер своего телефона, но предупредила:

— Застать меня очень трудно. Однако... если вам повезет...

— Порой мне везет.

Вечер прошел прекрасно, мы очень приятно провели время в этом ресторане. Под конец Раймонди сказал мне:

— Вам, говорят, хорошо знаком Синатра. Не расскажете ли вы мне о том, как он работает, как поет?..

После моего разговора с Жаниной эта просьба могла показаться странной!

— Вам, если не ошибаюсь, нравится песня «Путники в ночи»? Отчего бы вам не спеть ее в моей программе «Перед вами Мирей Матье», которую мы запишем через месяц? Кстати, ее будут транслировать и на Америку.

— Согласен! — воскликнул он.

Вот каким образом великий, бесподобный Раймонди выступил 20 декабря 1980 года в программе «Перед вами Мирей Матье». Концерт получился незаурядный. Чтобы принять в нем участие, из Америки приехал даже Джин Келли.

— Я только появлюсь на сцене, немного побуду на ней и удалюсь...

— Ну, нет! Я вас так просто не отпущу, вы будете вести программу вместе со мной!

Так мой кумир, воплощавший мечты о Голливуде, стал «церемониймейстером» моего концерта. Он любит вкусно поесть, и мы обсуждали с ним план предстоящего концерта в ресторане «У Бовилье».

Он мне признался: «Теперь, когда я больше не танцую, то могу наконец есть по-человечески! Долгие годы я во всем себя ограничивал. Я прослыл королем трезвости и поборником «новой кухни».

Келли был очень взволнован: Фрэнсис Коппола, решивший вновь обратиться к жанру музыкальной комедии, попросил его взять на себя руководство этой сферой деятельности кинокомпании. И теперь Джин направлялся в Копенгаген, чтобы посмотреть и отобрать там лучшие цирковые и эстрадные номера. Когда я сказала ему, что Америке принадлежит пальма первенства в этой области, он возразил:

— Нет, нет, комедия дель арте родилась не в Техасе, а у вас в Европе! Сейчас всюду есть хорошие танцоры, а некоторые из французов обладают потрясающей техникой.

Потом он заговорил о балетной школе Парижской оперы: по его словам, он был поражен высоким уровнем профессиональной подготовки учениц.

— Им показывают специально отобранные фильмы, они изучают историю балета. Когда я в 1960 году был приглашен в этот театр как хореограф, за моей спиной раздавался шепот: «А кто он такой, этот Келли?», нынешние же учащиеся балетной школы видели все мои фильмы!

Наш концерт превратился в незаурядное шоу на американский лад, и не без причины: ведь в нем принял деятельное участие Дэнни Кэй. Азнавур написал для этой передачи песню «Жизнь, полная любви». Ален Делон подарил мне свой самый короткий фильм. То был скетч «Алло, такси!», который закан-

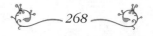

чивался страстным «поцелуем в диафрагму». Журналисты пролили по этому поводу немало чернил, а Мирей Дарк в ответ на их домыслы и намеки остроумно заметила:

— Очень хорошо, так он, по крайней мере, не станет путать имена!

Просто невероятно, с каким злорадным упорством люди приписывают артисту черты и поступки персонажа, которого он изображает. Помимо балетного номера, подобного тому, который украсил передачу «Я люблю Париж», где декорации изображали набережную, была исполнена неистовая кадриль. Главным сюрпризом стало выступление нашего «Дон Жуана».

— Ах, мне даже ни разу не пришлось вертеть регуляторы! — воскликнул в восторге старший звукооператор.

Великолепный голос Руджеро привел в восхищение всех присутствующих. Исполнив знаменитую арию «Клевета», он неожиданно спел песню «Ночь и день» («Night and day»), которую поет Синатра. За кулисами находилась группа моих поклонниц из Атланты. Прославленный оперный певец вслед за классической арией исполняет эстрадную песню — такое не часто услышишь! Они были так взволнованны, что их пришлось тут же усадить на стулья!

Мы дружно уговаривали новоявленного «мастера эстрады» записать несколько песен этого жанра. Подобная пластинка имела бы бурный успех. Думаю, что его импресарио, горячий приверженец оперного искусства, этому воспротивился; как бы то ни было, такая пластинка еще не появилась.

В отличие от Раймонди Пласидо Доминго не чурается эстрады. Широкую популярность он приобрел после того, как снялся в кинооперах «Травиата» и «Кармен». Когда Жак Шансель готовил свою музыкальную программу «Большая шахматная доска», он спросил у Доминго, кого тот хотел бы пригласить для участия в ней.

— Мирей Матье.

Шансель заколебался и спросил:

— Но... почему ее?

— Потому что у нее прекрасный голос.

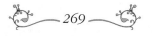

С этого началось наше знакомство с Пласидо. А вскоре мы уже пели дуэтом арию, написанную Мишелем Леграном; она называлась «Все мои мечты ».

Однажды мы встретились с Пласидо в съемочном павильоне. И кого я увидела рядом с ним?.. Жанину Рейс! Шел март 1983 года, прошло уже больше двух лет после того, как мы вместе с ней обедали в Женеве. С присущим мне порой упорством я регулярно звонила ей домой по тому номеру телефона, который она мне назвала. И неизменно узнавала, что она в Лондоне, Милане или Нью-Йорке, либо уезжает в Чикаго, Рим, Гамбург... Не стану уверять, будто я звонила ей каждую неделю, ведь я и сама не сидела на месте. Однако по ее тону — всегда вежливому, но сдержанному — я понимала, что видеть меня она не хочет. Но, встретив ее, я сразу преодолела робость. Такое со мной иногда бывает: моя застенчивость внезапно уступает место отваге. Я направилась прямо к ней:

— Вы и в самом деле, мадам, презираете то, чему я посвятила жизнь?

Моя дерзость явно поразила ее.

— Я прошу вас дать мне один урок. Всего один.

— Боюсь, что нам и в самом деле придется ограничиться одним уроком.

Она смотрела на меня с удивлением и, как всегда, отчужденно; мой гнев, должно быть, слегка забавлял ее. Потом она достала записную книжку. Мне доставать свою не было необходимости, я твердо знала: «Будь что будет, но я к ней пойду».

Немного остыв, я почувствовала смущение. Ведь эта надменная дама пестовала саму Марию Каллас! С сильно бьющимся сердцем я позвонила в квартиру Жанины. Она открыла мне дверь и пригласила пройти в гостиную. Я не могла бы сказать, какая там стояла мебель. Я смотрела прямо перед собой. Главное впечатление — море цветов, повсюду — огромные букеты, много книг и пластинок... и все пластинки только с оперной музыкой. Мы были наедине, никого больше в гостиной не было, впрочем, один свидетель имелся — фортепиано. Я не сводила

Звезда мировой оперной сцены итальянский бас-баритон
Руджеро Раймонди в роли Дон Жуана в одноименной опере Моцарта

- Вам никогда не приходило в голову попробовать свои силы
в оперном жанре? - спросил меня Раймонди.
- Я бы в жизни на это не решилась...

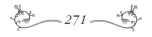

с Жанины глаз. И приготовилась к худшему. К тому, что через четверть часа она меня выставит вон.

— Вы не знакомы с сольфеджио?

— Нет, мадам.

— И не владеете нотной грамотой?

— Тоже нет.

Она подавила вздох. Спросила, кто со мной работал. Я ответила, что несколько уроков мне дал Жан Люмьер и еще несколько — господин Жиродо из «Гранд-Опера».

— И что вам сказал господин Жиродо?

— Что я могу исполнить партию, не помню уж какого персонажа, из произведения Брехта «Семь смертных грехов». Кроме того, он запретил мне смеяться, сказал, что так недолго и голос потерять. А вот Жан Люмьер советовал мне смеяться, он считал, что это меня раскрепощает.

Она качает головой. Садится за фортепиано и просит меня спеть гамму. Я немного разочарована. Мне хотелось бы исполнить какую-нибудь песню, показать, что я умею, она ведь никогда не слушает эстрадную музыку. Жанина прочла нетерпение в моем взгляде:

— Перед тем как петь, необходимо «разогревать» голосовые связки. Вы ведь видели, как танцоры Бежара разогревают мышцы. Без этого они не смогли бы исполнить даже самый простенький танец: отказали бы мышцы. А голосовые связки тоже мышцы. Так их и надо рассматривать.

И я начала: до, ре, ми...

Она занималась со мной целый час. А на прощание спросила:

— Когда вы снова хотите прийти, Мирей?

Жанина, можно сказать, подарила мне настоящее сокровище. Она помогла мне осознать, что такое голос. Я поняла, как он рождается и какую роль в этом играют горло, нос, грудь и даже живот. Она избавила меня от чувства вечной тревоги — теперь я больше не боюсь охрипнуть, потерять голос. С ее помощью я научилась «полировать» звуки.

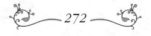

— Прислушайтесь, Мирей, эта нота не слишком хорошо звучит. Не так ли?

Она развила у меня «внутренний» слух. Благодаря ей я поняла, что певец может совершенствовать свое мастерство все больше и больше, идти все дальше и дальше, все искуснее «ковать» звук... Иногда, приходя к ней, я говорила: «Сегодня я плохо спала...»

— В таком случае будем работать потихоньку.

И мало-помалу мой голос набирал силу. Исполнив вокализы, я восклицала: «Просто поразительно! У меня такое чувство, будто я надышалась горным воздухом».

Однажды она мне сказала: «Как хорошо, что вы с 20 лет придерживаетесь правила спать не меньше десяти часов. Без этого вы не сумели бы столько петь — давно потеряли бы голос!»

Заслуга тут не моя, а Джонни.

Жанина научила меня «беречь ресурсы»: находясь два часа на сцене, я теперь помню об этом и чередую громкое пение с пением под сурдинку. Прежде я, не щадя голоса, форсировала звук. Она объяснила мне, что я должна придерживаться двух октав, стараться не выходить за их пределы.

Хотя мы обе колесим по свету, но все же время от времени встречаемся и непременно выкраиваем часок для работы вдвоем.

Когда я выступала во Дворце конгрессов — а это было очень важно для меня, потому что я вернулась в Париж после гастролей, длившихся почти 13 лет, — я знала, что она не сумеет присутствовать на «главной» премьере концерта. Но через несколько дней, когда я выступала перед незнакомой публикой, Жанина под вечер вошла в мою артистическую уборную (я всегда прихожу туда задолго до начала выступления). По моей просьбе там поставили фортепиано, и дирижер моего оркестра Клодрик обычно аккомпанирует мне, когда я пою вокализы, чтобы «разогреть» голосовые связки. Жанина села за инструмент. Мы поработали около часа.

— Все пройдет гладко... — сказала она.

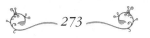

Она решила послушать концерт. Но в зале не оказалось свободных мест, и ей пришлось стоять. Кто-то из театральных служителей передал мне, что, когда меня провожали овацией, Жанина была сильно взволнованна. Поднявшись в артистическую, она обняла меня.

Да, теперь мы подружились. Она говорит — и мне, и другим, — что я могла бы исполнять любые песни, и даже оперные партии. Я попробовала спеть во время наших занятий несколько арий... но я отношусь с таким уважением к оперным певцам... У них особое дарование. Пласидо гораздо легче исполнить песню на музыку Гершвина, нежели мне спеть арию из оперы Моцарта. Я не привыкла часто менять свой репертуар. Я труженица. Может быть, дело в том, что у меня нет музыкального образования. Мне на все нужно время. Я работаю над песней гораздо дольше, чем человек, который читает ноты с листа и сразу же понимает, что и как ему надо петь. Мне же приходится полагаться лишь на музыкальный слух и память: они помогают мне «почувствовать» и усвоить песню.

Порой Жанина говорит: «Надо бы мне заняться с вами сольфеджио!»

Но до сих пор времени для этого у нас не нашлось!

Зато я нахожу время, чтобы слушать выступления моих друзей — оперных певцов. Я делаю это всякий раз, когда могу. Опера кажется мне самым совершенным видом музыкального искусства. Какое это великолепное зрелище! Мы встречаемся с Пласидо Доминго в различных уголках мира. Он удивительный певец и музыкант. Я видела, как он дирижировал оркестром в Лондоне. Пласидо прекрасно играет на фортепиано, а уж до чего он чудесно поет!.. Нам никак не удается записать на пластинку песню, которую мы исполняем дуэтом. Это замечательная песня Мишеля Леграна «Да, счастье есть — его я повстречала».

Нечего и говорить, что ее оркестровка выше всяких похвал. Мы условились с Доминго, что сначала каждый из нас в отдельности выучит эту песню.

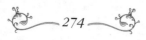

Три года тому назад мы встретились с ним на обеде, который Пьер Карден устроил в честь Барбры Стрейзанд в ресторане «Максим». Мне посчастливилось сидеть вблизи нее. Между нами сидел Пласидо. Вот уже три месяца мы старались с ним встретиться, чтобы наконец записать пластинку. Твердо условились: встретимся в Лондоне. Он дирижировал в театре «Ковент-Гарден», где шла оперетта «Летучая мышь», — Доминго обожает в свободное время выступать в качестве дирижера. Однако нас подвел Мишель Легран, он был слишком захвачен работой над фильмом «Иентль», в котором снималась Барбра; надо сказать, что музыку он написал восхитительную. Поэтому Мишель не мог уехать из Нью-Йорка. Тогда мы решили записать нашу пластинку в промежутке между двумя сольными концертами, с которыми Пласидо намеревался выступить в театре «Метрополитен-опера». Но у него тогда, как на грех, пропал голос!

А затем произошла ужасная драма — землетрясение в Мехико, во время которого Доминго потерял нескольких членов своей семьи. Он был глубоко потрясен. Сам пытался помогать спасателям. Дал несколько сольных концертов в пользу пострадавших... В 1986—1987 годах график моих выступлений был очень напряженный. «Да, счастье есть...» Это бесспорно, но записать эти слова на пластинку нам до сих пор не удается.

Мы вновь встретились в Мехико для того, чтобы записать новогоднюю передачу, которая наделала много шуму в Латинской Америке. Ее главный герой — Крикри — сказочный персонаж, кузнечик, ему от роду полвека, как и персонажу Уолта Диснея утенку Дональду, которого так любят дети. Крикри должен был предстать перед телезрителями (их было 350 000 000) в рождественский вечер. Крикри символизирует ум и отвагу маленького человека, выступающего против враждебных сил; кузнечик становится жертвой злой колдуньи (ее роль исполняла известная мексиканская актриса Офелия Медина), он зовет на помощь Мирей Матье, и она спешит ему на выручку вместе со своим другом Пласидо Доминго; в поисках их сопровождают бродячий кот, добродушная крыса и красивый идальго (его

воплощал испанский певец Эммануэль). Это шоу создавалось в трех вариантах: английском, испанском и французском.

Мы немало забавлялись оттого, что нас снимали вместе с марионетками. Но у нас не оставалось ни одной свободной минуты, так что не могло быть и речи о том, чтобы записать на пластинку наш дуэт!

Итак, я улетала в Мехико в конце года, чтобы выступить там в телепередаче, посвященной кузнечику Крикри (на Пасху эту передачу должны были показывать в Канаде и Соединенных Штатах). Я отложила свой отъезд на сутки, потому что хотела послушать другого моего кумира, Паваротти, — он пел в театре «Гранд-Опера», где давали «Тоску».

У меня есть все его пластинки. Сказать, что он изумительно поет, — это почти ничего не сказать. Слушая певца, забываешь о его внешности (о таких людях говорят — он «крепко сшит»), так красив его голос, так очаровывает его артистизм! Я пошла к нему за кулисы, когда стихла овация, которой его провожала публика: она длилась больше десяти минут по часам. А затем произошел небольшой казус: торопясь принять меня в своей артистической уборной, Паваротти забыл о том, что уже успел снять брюки! Он поспешно закутался в плащ Марио, чью партию исполнял, и уселся в кресло, не решаясь пошевелиться во избежание конфуза. Окружающие дружно смеялись, смеялся и он. У Паваротти, как у большинства итальянцев, очень громкий жизнерадостный смех.

Я спросила его, почему он не спел «на бис» свою коронную арию, хотя этого настойчиво требовала публика. И в ответ услыхала:

— Это было бы некрасиво по отношению к моим товарищам, ведь они все замечательно пели!

С Раймонди можно говорить о театре и о религии, благодаря ему я прочла «Генриха Четвертого» Пиранделло, потому что он хотел его сыграть и на прогулке он не расставался с этой книжкой. Меня восхищает то, с каким самозабвением Раймонди работает: он выучил русский язык, чтобы лучше исполнять

Бориса Годунова, он овладел искусством обращения с плащом тореадора, чтобы создать совершенного Эскамильо. С Доминго я разговариваю на кулинарные темы (тут он дока), о Мексике и классической музыке. А с Петером Хофманом можно поговорить о рок-музыке, хотя он известный тенор и главное место в его репертуаре занимают оперы Вагнера.

Хофман — любимец Байрейта и такой великолепный Парсифаль, о котором можно только мечтать. Дебютировал он с песнями в жанре рока. У него, как и у многих немцев, есть все мои пластинки! В одном из моих телешоу — «Париж для нас двоих» — он тряхнул стариной и спел вместе со мной прелестную песню «Ярмарка в Скарборо». У Петера множество фанатичных поклонников, потому что он был чемпионом Германии по десятиборью и широко известным исполнителем рок-музыки. Но позднее его охватило неодолимое влечение к опере, и он посвятил себя служению этому жанру. Сейчас Хофман живет в окрестностях Байрейта, принадлежащий ему замок напоминает декорацию из оперы «Валькирия». Я преклоняюсь перед ним, потому что он наделен невероятной волей. В 1977 году Петер на своем мотоцикле попал в дорожную аварию — он безумно любит быструю езду, — у него были сломаны обе ноги. Он перенес десяток операций и теперь ходит. И поет. Он неподражаем.

1985 год: в душе радость и скорбь

Если бы я не повстречала Жанину Рейс, то вряд ли довела бы до конца сольный концерт, который дала 4 июля 1985 года в Авиньоне. Он имел для меня огромное значение. Ведь он проходил в моем родном краю. В этом городе я ни разу не выступала после конкурса «В моем квартале поют» (повторение эпизода из этого конкурса для фильма Франсуа Рейшенбаха не в счет), иначе говоря, я как бы вернулась к началу своего творческого пути. Наконец-то я сумела преподнести родителям сюр-

приз, обещанный им еще на Рождество: приехала петь в свой родной город.

Иногда я ненадолго приезжала сюда в связи с различными событиями в жизни семьи либо для участия в какой-либо церемонии, например, юбилее винодельческой фирмы «Жигонда», когда мне подарили столько бутылок этого вина, что они уравновесили мой собственный вес (как нарочно, я перед этим похудела!). Но в качестве «Мирей, которая поет» я сюда еще не приезжала.

Мой концерт должен был состояться перед самым открытием традиционного Авиньонского фестиваля, и я знала: устроители этого празднества были не в восторге от того, что Мирей Матье станет петь на площади перед знаменитым Папским дворцом, где на следующий день будут выступать артисты классического жанра. Однако новый мэр города, Жан-Пьер Ру, хотел, чтобы открытию фестиваля предшествовало некое народное празднество. Так оно и получилось: вокруг эстрады, сооруженной посреди площади, собралось около 4000 зрителей. Были, конечно, и сидячие места, но сотни людей устроились на ступенях парадной лестницы или возле окон. Артистической уборной служил мне автомобильный фургон, но я не роптала. Я чувствовала себя, словно в кругу большой семьи, где царит очень теплая атмосфера. Впрочем, теплой ее можно было назвать только условно, так как вскоре подул мистраль, который все сметает на своем пути и безжалостно «заглатывает» человеческие голоса.

Я хорошо с ним знакома еще с той поры, когда он пригвождал меня вместе с моим велосипедом к стене. Должно быть, он поклялся напомнить мне изречение «Нет пророка в своем отечестве»! Но я в свой черед поклялась доказать обратное. Мистраль разбушевался вовсю. Пригибал деревья к земле, беспощадно трепал украшенный тремя ключами стяг фестиваля, уже развевавшийся над главной башней дворца. Хуже того: он грозил повалить железный каркас, на котором были закреплены

Вечная любовь. С Шарлем Азнавуром

прожекторы. Так что пришлось даже объявить перерыв, чтобы пожарные могли укрепить растяжки.

Мама заглянула ко мне в фургон. Я спросила, не замерзла ли она.

— Ничуть. Мы знали, что вот-вот задует мистраль! Люди захватили с собой одеяла, а тем, у кого их не оказалось, одеяла выдали в мэрии. Так что все укутались в них!

Я успокоилась.

— Но ты, бедняжка, собираешься петь в открытом платье. Как бы тебе не потерять голос...

— Не бойся, мама, не потеряю.

Благодаря Жанине Рейс, благодаря ее наставлениям я была уверена, что могу петь и при любом шквале. Так оно и вышло. Выйдя после перерыва на сцену, я сказала зрителям, которые по-прежнему сидели на своих местах: «Славно дует мистраль, не правда ли?!»

Они ответили мне дружным смехом. Мы все были заодно. Я вновь обрела свои корни, и ничто не могло меня от них оторвать! Кажется, устроители фестиваля, надеявшиеся на мой провал, теперь аплодировали мне вместе с другими. Моя прическа, которую так любила бедная тетя Ирен, растрепалась, и волосы — как и мои юбки — развевались на ветру. Но я не отступала ни на шаг. В моей программе было 30 песен. Я решила даже спеть на две больше. Когда я начала новую, посвященную Олимпийским играм, песню «Дай руку, друг, коль захотим, то завтра станет мир иным», зрители встали с мест и сбросили с себя одеяла; я шла по «залу» под открытым небом, держа микрофон в руке, а люди, взявшись за руки, хором подхватили песню... Это был настоящий триумф. И то, что происходил он в дорогом моему сердцу родном городе, доставило мне особое удовольствие.

После концерта меня ожидал приятный сюрприз. Мистраль выбился из сил и начал стихать. И тогда мэр выступил с короткой речью, он торжественно объявил, что я стала «почет-

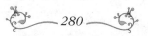

ной гражданкой Авиньона»; до меня такой чести были удостоены только трое: Черчилль, генерал де Голль и Аденауэр!

— Вы пронесли имя нашего города по всему свету — от Америки до Японии, от Скандинавии до Мексики... — сказал мэр и прибавил, что звание почетного гражданина обычно присваивают только руководителям государств и присуждают его лишь с согласия всех членов муниципального совета.

Я только через час смогла присоединиться к членам своей семьи, потому что фургон, где я находилась, был осажден охотниками за автографами. С каким удовольствием раздаешь их своим землякам, с которыми тебя роднят детские воспоминания, общие друзья, знакомые места!..

На ужин были приглашены все двоюродные и троюродные братья и сестры со своими детьми — словом, собралась вся родня; некоторых я видела только детьми, а иных и вовсе не видала, потому что они родились лишь недавно. В тот вечер даже малышам разрешили оставаться на ногах до полуночи! Я обходила столики... Папа, как всегда, был в шляпе.

— Послушай-ка, Мирей, в Безье говорят, будто ты выходишь замуж за какого-то француза, живущего в Мексике, — сказал мне мой кузен.

— Запомните, мои дорогие, когда я и в самом деле соберусь замуж, то, прежде всего, сообщу вам. А теперь я с вами прощаюсь. Завтра вечером я пою в Тулоне. И моему голосу пора на отдых!

Мой сольный концерт и последовавшие за ним короткие гастроли были для меня очень полезны: необходимо было проверить на публике новые песни, убедиться, что они хорошо оркестрованы, так как мне предстояло по возвращении в Париж выступить во Дворце конгрессов. Некоторое время мы колебались, чему отдать предпочтение — этому огромному залу или «Олимпии», где состоялся мой дебют. Я была всей душой привязана к «Олимпии», но ведь я не пела в столице целых 13 лет, и мне следовало теперь выступить с совершенно новой программой, которая плохо вписалась бы в рамки «Олимпии».

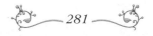

— Ты пела за границей перед двадцатью тысячами зрителей и вполне можешь выступить перед тремя с половиной тысячами парижан во Дворце конгрессов! — говорил папа. Он мечтал об этом.

Я была готова к предстоящему концерту. Выдержав испытание мистралем, я была убеждена, что отныне мой голос может противостоять любым, даже самым суровым испытаниям. Увы, я и не подозревала, какой жестокий удар готовит мне судьба.

В августе Джонни посоветовал мне поехать на две недели в Киберон, чтобы отдохнуть после утомительных гастролей и начать подготовку к концерту, который обещал быть весьма нелегким. Ставка была очень велика. Я немного побаивалась Парижа. Нет, дело было не в голосе — за него я была совершенно спокойна! Страшили меня критики, которые никогда не питали ко мне особой нежности, хотя повсюду в мире...

Папа меня все время тормошил. Мы ежедневно разговаривали с ним по телефону:

— Ты должна выступить с блеском, не то парижане — ты ведь знаешь, какие они обидчивые, — подумают, что ты их больше не жалуешь!

Мама, Матита и я отправились на этот приморский курорт. Приближалось 15 августа — День Успения Богородицы; он всегда был для нас священным, вся семья должна была собраться у меня на вилле.

Нам уже давно не удавалось собраться вместе в этот день. В том году он приходился на четверг; во вторник мы предполагали вылететь в Париж, купить там подарки для каждого и на следующий день отправиться самолетом в Марсель...

Телефонный звонок. И новость. Как гром среди ясного неба. Невероятная новость, которая исторгает из груди крик ужаса. Папа скончался.

Он умер. Сразу. В одну минуту. Мыл свою машину. Хотел, чтобы она блестела, когда он приедет за нами в аэропорт. Он умер мгновенно. Роже, который был вместе с ним в саду, подумал, что отец наклонился, желая поднять какой-то предмет

с земли, и поспешил к нему. Папа стоял на коленях. Не шевелясь. Он умер. Не успев ничего сказать, не произнеся ни слова. Мгновенная смерть. Разрыв аневризмы.

И меня там не было. Меня никогда не бывает возле любимых мной людей в час их кончины. Я всегда нахожусь вдали от них. Не могу протянуть им руку в минуту, когда они уходят из жизни. Не могу закрыть им глаза. Меня не было возле дедушки в его смертный час. Я не видела, как ушла из жизни бабуля. Не была рядом с тетей Ирен в час ее кончины. Не оказалась рядом и с отцом... А ведь именно ради них я стремилась добиться успеха...

В час, когда мы получили ужасное известие, не было ни поезда, ни самолета на Авиньон. Джонни удалось заказать специальный самолет. Мы попали домой глубокой ночью.

Отныне главой семьи стала я.

Папа не одобрил бы громких стенаний. Самых слабонервных из моих братьев и сестер я заставила принять транквилизаторы. Мама была необычайно тихая. Она занялась внуками. Потом присоединилась к нам, сидевшим у гроба.

Перед моим мысленным взором проносилось множество образов... Папа ставит на стол большое блюдо с картошкой и говорит нам: «Это для вас. Я уже поел!» (мы-то знаем, что это не так). Это было в пору бедности. Потом наступила пора надежды: «Мими, у тебя самый красивый голос на свете! Ты непременно победишь!» Быть может, если бы в его словах не звучала такая убежденность, у меня недостало бы сил... Потом настало время успехов. Именно тогда он создал самое прекрасное из своих надгробий, его шедевр. Он гордился надгробием, которое соорудил для Альбера Камю в Лурмарене.

Отец хотел, чтобы наш фамильный склеп стал воплощением любви, которую он ко всем нам испытывал. Он неустанно трудился над ним и закончил его в 1969 году.

Он говорил нам:

— Помните, человеку верующему кладбище никогда не кажется грустным. Особенно наше кладбище! Я хочу, чтобы соо-

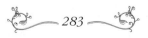

руженный мной надгробный памятник радовал взор... Он выполнен в истинно провансальском стиле, из превосходного гранита, самого лучшего камня здешних краев. Он достаточно вместителен — в нем сорок восемь мест, хватит для всех!

Когда я достигла совершеннолетия, отец настоял на том, чтобы я подписала заверенную у нотариуса бумагу: в ней я выразила свою волю быть похороненной в фамильном склепе. Все мои братья и сестры, вырастая, подписывали такую же бумагу. Перед нашей часовенкой отец разбил газон и посадил цветы — анютины глазки и розы (того сорта, что носит название «Мирей»). Он установил там статую Лурдской богоматери. И статую святого Антуана, перед которым так преклонялась бабуля. И статую святой Терезы, которую так почитала тетя Ирен.

Мы поместили в этот склеп прах отца после заупокойной службы в церкви Нотр-Дам-де-Лурд, где наша семья совершала все торжественные обряды. Эта церковь так мала, что в ней нашлось место только для родных и близких. Наш добрый священник произнес простые слова о загробной жизни, он почтил память своего друга Роже, который до последних дней не оставлял ремесло каменотеса... но, увы, не успел совершить реставрацию статуи Пресвятой девы для церкви. Мы положили в гроб папину шляпу, букет лаванды, собранный мамой, и длинное письмо: его написали мы, дети, в последнюю ночь, которую провели у изголовья усопшего; в нем мы безыскусно излили свою душу. Мама держалась мужественно, а мы все шли, взявшись за руки, как некогда в детстве, когда отправлялись по воскресеньям на прогулку к мосту через Рону или к Домской скале.

Отцу не суждено было дожить до 1986 года, когда исполнялось 20 лет моего служения искусству. Как бы он гордился этим событием, пожалуй, самым памятным в моей жизни.

Перед моим возвращением в Париж Патрик Сабатье предложил мне принять участие в передаче «Час истины». Джонни предоставил мне право выбора. Передача эта идет прямо в

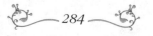

эфир, и ты чувствуешь себя неуютно под градом вопросов слушателей и зрителей, которые меньше всего стремятся тебе угодить. Я говорила себе, что вряд ли они окажутся более жестоки, чем иные репортеры и критики.

— Боюсь только одного: как бы они не заговорили со мной о смерти отца. Знаю, что этого я не выдержу.

Я посоветовалась с сестрой и самыми близкими друзьями.

— Нет ничего зазорного, если ты не справишься с волнением, когда с тобой заговорят о столь недавней невосполнимой потере.

Так тому и быть. Постараюсь держать себя в руках. Правда, мне нелегко бывает справиться с наплывом чувств. Случается, я плачу, прочитав слишком суровый отзыв о себе в газетной хронике. А в таких заметках, увы, недостатка нет. Ничего не могу с собой поделать. Уж такая от природы. Чуть что — и из глаз у меня уже бегут слезы.

Парк Бют-Шомон. В артистической уборной, на туалетном столике, передо мной — фотография папы, с которой я теперь не расстаюсь. Думаю, она придает мне силы.

Конечно же, немало говорили о «марионетке Старка». Но это уже не ново. В очередной раз мне пришлось объяснять, что я приехала из провинции, не будучи певицей и ничего толком не зная, а потому без Джонни Старка, который стал для меня как бы вторым отцом, мне пришлось бы плохо и я, без сомнения, наделала бы гораздо больше ошибок! Не обошлось без вопросов о моих многочисленных «женихах», коснулись жизни моей семьи и кончины папы. И я не справилась со вновь овладевшим мной горем.

Такого рода вопросы, в общем-то, не были для меня неожиданными. Кроме одного. Я бы назвала его каверзным:

— Хорошо или плохо поступили средства массовой информации, когда столько времени освещали, в частности в прямой телевизионной передаче, обстоятельства гибели колумбийской девочки?

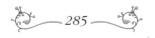

— Это действительно очень сложная проблема. Конечно, она и меня задела за живое. И все же, поступают правильно, когда рассказывают людям обо всем, что может их взволновать, например, о землетрясении в Мексике или о трагедии в Колумбии. Ведь тогда мы начинаем понимать, что на свете происходят в самом деле ужасные события, и когда мы порой жалуемся на жизнь, то не должны забывать, что другие страдают гораздо больше нас, а мы, в сущности, люди счастливые. Вот почему, полагаю, они хорошо поступили, показав нам эту маленькую страдалицу...

Патрик Сабатье спросил, считаю ли я, что «можно говорить обо всем».

— Запретить касаться каких-либо тем — значит посягнуть на свободу печати.

— Разве свобода не требует ограничений?

— Думаю, что нет...

Моя полная откровенность во время передачи «Час истины» поразила многих. Я была этим очень довольна. Самое удивительное, что многие считают, будто я «запрограммирована» раз и навсегда. Могу согласиться лишь с тем, что я «запрограммирована» на овладение секретами своей профессии. Ведь искусство тоже вид ремесла. А я хороший ремесленник. И ни на что большее не претендую. Как всякий мастеровой, я делаю все возможное, чтобы показать товар лицом. А мой «товар» — это мой голос. Я не считаю себя творцом. Я просто исполнитель... Я назвала свое выступление во Дворце конгрессов словами из песни, которую написал для меня Пьер Деланоэ, «Сделано во Франции». Перед премьерой концерта он опубликовал статью в газете «Фигаро»; вот несколько строк из нее, которые доставили мне большое удовольствие: «Слушая Мирей, автор песни испытывает огромное удовлетворение, так как она великолепно доносит до публики то, что он хотел сказать».

Верно. Именно к этому я и стремлюсь. Меня переполняет гордостью и следующая его фраза: «Она — единственная французская певица, чье имя что-то говорит среднему аме-

С четвероногим другом

Есть у меня еще одно, без сомнения, самое удивительное воспоминание: я сидела верхом на... тигре!

риканцу: она достойно представляет нашу страну всюду — от Германии, где ее считают звездой первой величины, до Японии, от Советского Союза до Мексики и стран Латинской Америки». Свою статью он заканчивает вопросом: «Чем объяснить такое? Во Франции, как известно, в эфире звучат, главным образом, песни на английском языке; мнением публики интересуются редко, но когда это происходит, то — как показал недавний опрос, проведенный еженедельником «Телевидение за неделю», — больше всего голосов собрали Мирей Матье и Мишель Сарду, певцы поистине французские. Чем вы можете объяснить такое?!»

Мое выступление открывают песни «Орлеанская дева» и «Сделано во Франции», что задает тон всему концерту. Этому способствуют и афиши, они — трехцветные, как наш французский флаг. Моя надежная опора — 60 музыкантов, из них 36 играют на струнных инструментах. И никакой электроники. В руках у Николя д'Анжели гитара, за дирижерским пультом — Жан Клодрик.

Стоит упомянуть о моих туалетах — они от Пьера Кардена. Этого я добилась не без труда. Сначала он передал мне через общую знакомую, что у него нет ни малейшего желания шить платья для сцены: он и так перегружен работой, ему приходится все время готовить новые коллекции одежды, словом, забот хватает, и думать о театральных костюмах ему некогда. Я понимала, что дерзко обращаться к нему со своей просьбой. Но в моих глазах Пьер Карден — гений. Я стремилась выступить перед публикой во всеоружии, а в арсенале певицы платье играет не последнюю роль.

Помог мне, как часто бывает, случай. Встретившись с Карденом, я спела ему несколько моих последних песен, которые нигде еще не исполняла. Оказывается, он запомнил меня как «маленькую Пиаф».

— Хорошо, я готов вас одевать, но вам придется покорно соглашаться со всеми моими замыслами. Я в своем деле тиран!

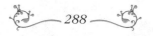

Через два дня я уже была у него в ателье. Зная, что мне приходится часто уезжать из Парижа и много репетировать, он собственноручно изготовил манекен, убедил меня, что мне незачем прятать свои ноги, тут же набросал несколько фасонов длинных и коротких платьев... Словом, так же «раскрепостил» мою фигуру, как Жанина Рейс «раскрепостила» мой голос.

С тех пор и днем, и вечером, во все времена года я ношу одежду, сшитую только у него. В ней я чувствую себя свободно, двигаюсь, как хочу. Я всегда говорю, что своим вторым рождением обязана Джонни, а третьим — Пьеру Кардену.

И вот наконец премьера. Первая встреча с публикой — «момент истины» для артиста. Кто-то из театральных служащих сказал мне, что пришлось открыть три билетные кассы — такая выстроилась очередь. Перед одним из концертов Жанина Рейс пришла в мою артистическую уборную: «Если бы мне сказали, что в один прекрасный день я буду проводить репетицию с Мирей Матье... я была бы просто поражена!»

Выходя на сцену в начале концерта, я пою без музыкального сопровождения... мне самой это нравится. Но это связано с известным риском: от волнения можно нарушить ритм, и оркестру будет непросто вовремя вступить в конце песни. После репетиции Жанина говорит: «Превосходно... вы справитесь с любыми трудностями».

А вечером встреча лицом к лицу с привередливыми парижанами!

В конце первого отделения какой-то неуемный поклонник песни вскакивает и кричит: «Гип! Гип! Гип! Ура!» Зал подхватывает. Когда во втором отделении я исполняю песню «Акцент мой сохранился», меня подстерегает сюрприз: кто-то из зрителей, следуя новой моде, бросает на пол дымовые шашки. Для меня это полная неожиданность. Перестаю петь и заявляю: «Прошу меня извинить, но я не курю и к дыму не привыкла!» В зале вспыхивает смех. Когда дым рассеялся, я запеваю песню «Браво! Ты победила!». По-моему, она пришлась кстати. На «бис» я исполняю песню «Нет, не жалею ни о чем...».

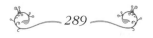

В полночь мама позвонила мне в артистическую.

— Алло, это ты, мама? Слышишь, все идет очень хорошо! Произошла просто невероятная вещь: один из моих почитателей был настолько возбужден, что даже укусил билетера!.. Нет, я не шучу. Разве такое выдумаешь?!

Каждый вечер, пока продолжались мои выступления, я после концерта раздавала автографы, а потом незаметно уходила из зала через служебный вход. По окончании гала-концерта мои новые авторы — Лемель, Барбеливьен, Мари-Поль Белль — ликовали. Были довольны и мои постоянные авторы: Эдди Марией, Пьер Деланоэ, Луи Амад... За ужином в ресторане «Максим» собрались все наши друзья, среди них — Ален Делон, Далида, Жак Шазо, Манюэль, Ле Люрон, Анри Верней... За столом Пьер Карден сказал мне:

— Больше всего меня удивляет, что после столь трудного испытания вы выглядите такой свежей, будто можете заново повторить концерт.

Я и в самом деле могла бы это сделать. И вот почему: отец ни на миг не покидал меня. И в этом я черпала силы.

Мой заветный двор

Мой маленький музей

Мое отношение к миру «образов» — кинематографу и телевидению — самое пылкое. Ведь именно на телевидении 21 ноября 1965 года я родилась (в тот же день, что и Мишель Друкер); не будь телевидения, не было бы и меня. И если бы мое лицо не появлялось постоянно на голубом экране, я перестала бы существовать. Вот почему телевизор — желанный гость в моем доме (я по-прежнему живу в Нейи, но теперь уже в трехэтажном доме, который стоит в небольшом саду, здесь чувствуешь себя почти как в деревне): его можно увидеть везде — в гостиной, в комнате, где я работаю, в спальне и даже на кухне, где мы едим в непринужденной обстановке (за исключением тех дней, когда там стряпает Бубуч, то есть дядя Джо. Я стала называть его так, после того как на экраны вышел фильм «Буч Кэссиди»). Сама я в жизни не сварила даже яйца. Варит яйца, как и все остальное, Матита. Умение готовить она унаследовала от тети Ирен. Она такая же искусная повариха и хорошая хозяйка. Время от времени Бубуч, который водит дружбу с такими мастерами кулинарного дела, как Бокюз, появляется у нас с рецептом нового блюда. И тогда мы превращаемся в подопытных кроликов. К примеру, мы два месяца подряд ели безе, пока он осваивал секрет их изготовления. Сколько цыплят не появилось на свет из-за того, что он пустил в дело уйму яиц! Но зато его пирожные теперь так хороши, что, уходя из нашего дома, друзья уносят их целыми пакетами.

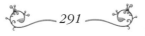

Когда же он угощает раками (а готовить их надо два дня!) или пирожными, мы не смотрим телевизионных передач. Зато до ужина и после ужина нас от голубого экрана не оторвешь.

Его высочество Телевидение дало мне так много, что и мне, естественно, захотелось привезти для него подарок из Нью-Йорка. Нет, это была не песня и не музыкальная комедия, это были... куклы, которых в Париже прежде никто еще не видал. Да, куклы «собственной персоной», если так можно выразиться, говоря о марионетках. Они стали главной сенсацией моего телешоу 1977 года. Косоглазый простофиля Эрни, живущий в мусорном ящике Оскар, болтун Берт с грушевидной головой и взъерошенный грубиян «Big Bird»[1] (только очень высокий человек, подняв руку над головой, может дотронуться до кончика его клюва, который торчит вверх на 2 метра 35 сантиметров!).

По крайней мере, я могу быть спокойна: ни за кого из них меня не просватают!

Многому учишься, приглядываясь к выступлениям других. Я критически отношусь к собственным программам, записанным на видеомагнитофон, отыскиваю в них ошибки. И никогда не бываю довольна собой. Настанет ли день, когда я буду довольна?!

Тем не менее, охотно я выступаю по телевидению, особенно когда играю какую-либо роль!

Я до сих пор храню воспоминания о некоторых очень веселых передачах. В одной псевдоисторической комедии участвовали спартанцы; ее главная героиня, Фифигения (автор пародии Роже Пьер назвал ее так по аналогии с мифологической Ифигенией), возвращается с Олимпийских игр, где она заняла первое место по прыжкам в высоту с шестом! Запомнились мне и очки секретарши из скетча «Отпечатанное на машинке письмо», нелепое поведение которой выводило из себя Жана Пиа, унаследовавшего эту роль от Саша Гитри. И линейка в руках учительницы, которая обучает группу шалунов песне Пьера Перре «Озорник».

---

[1] «Большая Птица» *(англ.).*

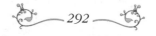

Я всякий раз удивляю тех, кто не подозревал во мне задатков комической актрисы!

Вспоминаю один случай: устроитель гала-концерта для довольно чопорной аудитории в одной из соседних стран сказал мне:

— Если не ошибаюсь, вы, участвуя однажды в веселой программе Патрика Себастьяна, очень развлекали зрителей. Вполне возможно, что и на этот раз вас попросят исполнить на «бис» песню «Озорник».

Я не представляла себе, как можно для такой избранной публики спеть «Озорника», да еще после песни «Не покидай меня»! Я была просто в панике, тем более что исполняла эту дьявольскую песенку всего один раз и слова ее совсем забыла. Но желание публики — закон, и на всякий случай нужно быть готовой.

Поэтому я позвонила Надин и попросила ее продиктовать мне слова песни «Озорник». Бедняжка поперхнулась:

— Какие слова?

— Слова «Озорника».

— Зачем они вам?

— На всякий случай.

Она решила, что я ее разыгрываю. Такое нередко случалось. Как-то Джонни разбудил ее среди ночи (вероятно, забыв о разнице во времени) и сообщил, что нас в Аризоне занесло снегом. Спросонок она воскликнула:

— Не трогайтесь с места, я сейчас приеду!

Через два часа Надин мне позвонила. Она нашла слова песни и стала их диктовать. Если телефонистка на коммутаторе нас слушала, она, должно быть, немало повеселилась.

Меня несколько раз вызывали, но никто не просил исполнить песню «Озорник». Я негромко сказала Жану Клодрику:

— «История любви».

— А не «Озорника»? — переспросил он, едва разжав губы.

Я покачала головой и повторила:

— «История любви»!

— Ладно!.. Тебе виднее!

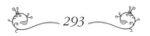

В моем скромном «личном» музее я бережно храню книжечку с карандашными пометками на полях. О, как бы мне хотелось сыграть всю роль целиком! Фернан Сарду сделал мне самый большой комплимент, какой только можно было сделать: «Ты была наиболее трогательной исполнительницей роли Фанни...» Он сказал это после того, как я вместе с ним (отцом Мишеля Сарду), воплощавшим после Ремю образ Сезара, разыграла сцену, связанную с письмом Мариуса. Мне очень хотелось познакомиться с Марселем Паньолем. Это «мой» автор; хотя я читаю мало, но две или три его книги мне хорошо знакомы. Его так легко понять: когда он описывает дерево, оно отчетливо встает у тебя перед глазами.

Наша встреча состоялась благодаря Тино Росси, который дружит и с Паньолем, и с Джонни:

— Не тревожься, Марсель, — сказал Тино, представляя меня. — Она не болтает, она только поет!

Все мы рассмеялись. Обстановка стала непринужденной, и Росси сказал мне:

— Спой что-нибудь для Марселя!

Я остановила свой выбор на песне, которую будто специально для этого случая написал Гастон:

Акцент мой сохранился,
В Марселе он родился,
Со мною вместе рос
Там, где шумят оливы,
Где много синей сливы
И виноградных лоз...

Марсель был тронут. А я... погрузилась в молчание. Моя немота не удивила Тино.

— В молодости я был так же застенчив, как ты, — сказал он. — Женщины считали меня сердцеедом, и одна из них как-то пришла ко мне в артистическую уборную, одевшись, словно для врачебного осмотра — под плащом на ней ничего не было!

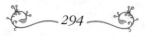

Мирей Матье в СССР полюбили раз и навсегда, в 1967-м ее даже снял в эпизоде своего фильма «Журналист» знаменитый советский кинорежиссер Сергей Герасимов

Я так оробел, что не мог ей... отказать. А знаешь, почему я сыграл свадьбу 14 июля? Хотел, чтобы она осталась незамеченной — все в это время смотрели парад!

В тесной компании Тино был на редкость приятным сотрапезником. Бубуч не раз угощал нас рыбной похлебкой с чесноком и пряностями собственного приготовления. Тино неизменно беспокоило только одно: его вес. Последние 20 лет он был не только певцом, но и преуспевающим деловым человеком — выпускал собственные пластинки. И при этом постоянно жаловался:

— Я самый разнесчастный человек: меня вечно терзает ГОЛОД!

Мы обменялись с ним песнями. Он по этому поводу шутил:

— Мы с тобой «взаимозаменяемы»!

Я позаимствовала у него песню «Милый рождественский дед», а он иногда исполнял «Париж во гневе» и «Последний вальс».

Его смерть сильно опечалила меня, Джонни горевал еще больше. На правах друга семьи он устроил достойные похороны, во всем помогая его вдове Лилии и сыну Лорану, которого я ласково называла «кукленок». Нам предстояла тяжелая поездка. После мессы в церкви Мадлен и скорбного прощания с парижанами мы в специальном самолете повезли гроб Росси на Корсику. Погода там стояла ненастная; несмотря на это, пока погребальный кортеж двигался от селения к селению, люди стояли на пороге домов и крестились. Мостовые некоторых улиц были устланы цветами, их приносила молодежь. Когда мы прибыли наконец в Аяччо, жизнь в городе замерла.

Перед моим мысленным взором проносились незабываемые картины: мы жили с Тино по-соседству, и я часто бывала у него. Я грелась у его семейного очага, ведь своего у меня не было. Казалось, что могло быть общего между домом каменотеса Матье и домом миллиардера Росси? Но общее было. Тино тоже родился в многодетной семье со скромным достатком, мы

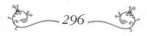

говорили на одном языке, с одинаковым акцентом. Я вспоминала его веселость, его удивительный дар имитатора; он с таким юмором подражал подражателю, который сам кому-то подражал! Я навсегда сохранила в памяти его советы — пожалуй, не менее ценные, чем советы Шевалье, — которые он мне давал с присущим ему тактом:

— Я люблю публику, как женщину. А ты должна любить ее, как своего единственного избранника.

Мы нередко участвовали вместе в телевизионных передачах; не скрою, мне очень нравилось, когда мы пели дуэтом. В нашем репертуаре были песни «Тревога», «Когда смотрю в твои глаза, Мария» и, конечно, «Милый рождественский дед». Но больше всего я любила петь для Тино в его доме свои новые песни. Когда он улыбался, я знала, что песня получилась. А он мне говорил почти те же слова, что и Морис Шевалье:

— Воспевай солнце и любовь — это самый лучший подарок, который ты можешь сделать людям. И пусть тебя не смущают угрюмые зрители, им-то больше всего и нужны такие песни!

В память о Морисе я храню соломенную шляпу.

Одну из его соломенных шляп. Он любил дарить их тем, кто пользовался его расположением.

Есть у меня и его книга «Восемьдесят лет», она живо напоминает мне о том, как мы вместе занимались зимним спортом. Морис отдыхал тогда на высокогорном курорте Гстаад, а я приехала туда для участия в гала-концерте.

— О, Джонни! Я совсем не знакома с зимними видами спорта! Нельзя ли задержаться здесь хотя бы дня на два? Я поучилась бы ходить на лыжах.

— И сломала б себе ногу, после чего пришлось бы отказаться от гастролей в Монреале, Нью-Йорке и Москве!

Я нахожу Мориса на снежной поляне.

— Нет, нет, нет, — говорит он. — Даже не мечтай о лыжах!

— До чего же красив снег!

— Да, Мими, он действительно красив. Окинь взглядом заснеженные горы! Мне было сорок семь лет, когда я впервые попал на горнолыжный курорт. А тебе лишь двадцать. Видишь, насколько ты меня обогнала!

Хотя я должна была пробыть здесь всего двое суток, мне купили полное «лыжное обмундирование». Увы, на лыжи я встала только для фотографов. Подбирая мне обувь, продавщица сказала:

— Какая маленькая ножка! Вам надо поискать лыжные ботинки в детской секции.

Потом она прибавила:

— Просто невероятно! Голос-то у вас такой сильный!

Морис со смехом заметил:

— Ты не перестаешь поражать окружающих!

После того как нас закончили фотографировать, мы немного погуляли на солнышке. Морис сказал, что рад передать мне свой опыт «старого бродячего певца».

И добавил:

— А ты мне обновляешь душу... Кстати, я недавно вернулся из Южной Африки. Там о тебе уже наслышаны!

— Но я там никогда не была...

— Зато были твои пластинки. Тебя знают и черные, и белые! Просто потрясающе! Теперь все происходит так быстро...

— О, погодите... Здесь так красиво! Хочу получить вашу фотографию и пошлю ее маме!

— А я впишу несколько строк в свой дневник...

Этот дневник — его книгу «Восемьдесят лет» — я получила восемь месяцев спустя. Дойдя до 264 страницы, я почувствовала, что краснею:

«В Гстааде я присутствовал на гала-концерте в отеле «Палас»; самым интересным было выступление Мирей Матье. Разноплеменная публика: элегантно одетые мужчины и красивые женщины в модных туалетах. Публика избранная, изысканная, титулованная — принцы, принцессы и прочая знать. В полночь в зале меркнут огни, вспыхивает прожектор и на эстраду выхо-

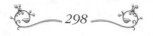

дит девочка, крохотная и прелестная, как ангелочек. И почти сразу эта трогательная девочка-звезда покоряет сердца избалованных зрителей, сидящих в зале. Не все песни, которые она так храбро поет, одинаково ей удаются, но заметно, что с каждым выступлением мастерство ее растет. Не знаю, каких высот она достигнет, но я в нее верю.

Сколько свежести в этом юном существе! Сколько прелести, молодости, чистоты! Слушаешь ее — и будто пьешь воду из родника.

Под конец она исполнила песню «Я — «Яблоко», и восхищенная публика потребовала, чтобы я вышел на сцену.

С помощью дюжего метрдотеля я взобрался на эстраду, взял Мирей под руку и обнял ее.

— Что мне сказать вам? — обратился я к залу.

Прежде всего, я поблагодарил собравшихся за теплый прием. Я говорил тихо, медленно, доверительно... Мне хотелось, чтобы зрители поняли: возможно, на небосводе французской песни возникает новая звезда, и она способна затмить тех певиц, которые ныне представляют нашу страну за ее рубежами. Перед нами хоть небольшой, но чистой воды бриллиант. Точно роза, распустилась она в гуще трудового люда Франции, воплотив в себе извечные его черты: приветливость, добросовестность, мужество, прямодушие, силу. Для меня она — символ нашего трехцветного флага. Мирей Матье — самый трогательный птенец в нашей артистической семье, и я благодарен судьбе за то, что она позволила мне узнать эту певицу.

Мы провели вместе несколько безмятежных дней в Гстааде: долгие прогулки, потом отдых, чтение, записи в дневнике, а вечером мы часок-другой смотрели, как наши соседи по гостинице танцуют под громкие звуки двух молодежных оркестров. Вчера вечером одна уже немолодая, но еще привлекательная и миловидная дама подошла к моему столику и на виду у всех пригласила меня на танец, как приглашают юную девушку. В зале в это время мало кто танцевал, оркестр заиграл «Луизу», я был смущен и немного растерялся. Но затем встал, обнял за талию

свою лукавую партнершу и прошелся с ней в ритме классического фокстрота 20-х годов. Нас проводили аплодисментами.

А накануне я танцевал с Мирей Матье, которая еще ни разу в жизни не танцевала в ресторане. Мы изобразили с ней какой-то немыслимый танец, насмешливо подражая молодым парочкам, извивающимся вокруг нас в современных ритмах. Словом, мы позабавились вволю.

После того как в газете «Франс-суар» появилась вполне доброжелательная статья, где говорилось о дружеском романе, который начался между Мирей и мной, я получил по этому поводу анонимное письмо. Некая дама возмущалась все растущим шумом вокруг нашего «союза» с Мирей. «Мне противно видеть, — пишет она, — как носится публика с этой дебютанткой и то, в какое смешное положение вы себя ставите. Вы, точно старый паяц, стремитесь любой ценой снискать себе скандальную известность. Умора да и только!» — восклицает она в конце своего послания, брызгая ядовитой слюной...»

Заметив, что я сижу над открытой книгой и вид у меня очень грустный, тетя Ирен спросила, что произошло. Я показала ей страницу, на которой Морис говорит о самоубийстве Мартины Кароль. Он вспоминает эту милую женщину — веселую, щедрую, остроумную, которая умела ладить со всеми: бывшими возлюбленными, журналистами, соперницами!

Как никто другой, она искусно лавировала в артистической среде, легко выходила замуж и столь же легко расходилась... «Истинное дитя Парижа», — пишет Шевалье. Но вот ярко вспыхнула звезда Брижит Бардо. И Морис продолжает: «За несколько месяцев эта более молодая, более красивая, пленявшая новизной актриса затмила Мартину, которая была до глубины души потрясена случившимся». В одном из своих интервью Кароль пожаловалась на то, что Шевалье, которого она всегда считала настоящим другом, причинил ей нестерпимую боль, непомерно восторгаясь талантом Бардо. Года через два или три он столкнулся с Мартиной в лифте какой-то гостиницы в Риме и, встретив ее ледяной взгляд, спросил, дейст-

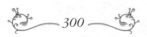

вительно ли она возмущена его поведением. Она сухо ответила: «Еще как!» По-прежнему испытывая к ней дружеские чувства и не желая ссоры, он попытался объяснить Мартине, что в артистическом мире смена поколений — дело обычное. Одна волна всегда сменяет другую, он и сам не раз испытывал это на себе. Некоторые журналисты уже заживо хоронили его, утверждая, будто он «выдохся, перегорел, вышел в тираж»! Она холодно выслушала его доводы, и взгляд ее не смягчился. Больше они не встречались. В заключение Морис пишет: «Драма нашей профессии в том и состоит, что чужой успех может выбить из колеи артиста, который в пору собственного успеха казался таким уравновешенным».

— Не понимаю, почему это тебя так опечалило, — сказала тетя Ирен. — Между тобой и Мартиной Кароль нет ничего общего, ты даже не блондинка! И ты вовсе не «дитя Парижа»! И лавировать ты не умеешь! И замужем несколько раз не была! К тому же она и не певица вовсе! Свой голос ты сохранишь надолго, если будет на то воля Господня. Погляди на Мориса: ему же восемьдесят лет, а как он чудесно поет!

— Ты права, тетушка.

Я немного лукавила. На самом деле меня сильно опечалило анонимное письмо.

Среди всех выдающихся людей, которые по воле провидения встретились на моем пути, нежнее других относился ко мне Морис. Он стал для меня Учителем. Когда я однажды заговорила с ним о том, что хотела бы сменить квартиру, он мне ответил:

— Ты должна поступить как я, Мими. Когда я купил свою прекрасную виллу, то сказал самому себе: «Морис, спору нет, ты теперь уже не беден, но в нашем ремесле ничего нельзя знать наперед... А потому приобрети для себя еще какое-нибудь скромное жилье. Достаточно просторную комнату, где можно было бы поставить фортепиано. Если в один прекрасный день ты разоришься, у тебя будет кров над головой и фортепиано, чтобы можно было работать над песней...»

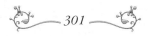

Я последовала его совету. В свое время, переехав из дома на бульваре Виктора Гюго, дома, где уже не было темных углов и закоулков, я сохранила за собой две скромные комнаты, превратив их в студию. Небольшую студию. В ней стоит фортепиано. Тут мое тайное убежище. С этим считаются даже мои сестры и Джонни.

Иногда я прихожу туда. Укрываюсь там на час или на два. Близкие люди могут позвонить мне по телефону, номер известен только им. Это — моя келья, мое заветное прибежище. Быть может, самое нужное. В него нет доступа никому. Да, тут мое пристанище. Ведь те, кто родился под знаком Рака, напоминают маленьких крабов. Им тоже необходимо надежное убежище под скалой, куда они могут забиться и спастись от тех, кто хотел бы их проглотить.

Мы необычайно весело отпраздновали восьмидесятилетие Шевалье в помещении мюзик-холла «Лидо». В знак почтения к юбиляру все мужчины были в смокингах и... соломенных шляпах. Справа от Мориса сидела его давняя приятельница из Голливуда — Клодетт Кольбер, слева — со стороны сердца — сидела я.

— Ах, будь мне тридцать лет, — шепнул он мне, — я бы за тобой приударил!

А вслух он сказал: «Стараюсь изо всех сил выглядеть благообразным стариком!» И ему это удавалось. На «Вечере кинематографа» я вручила ему приз «Победителю»; Морису устроили овацию, не уступающую той, которой его встретили американцы в «Эмпайр Рум» в Нью-Йорке. В телевизионной передаче «Большая фарандола» я выступала в костюме мальчугана и исполняла песню Шевалье «Твист соломенной шляпы»... Он смеялся, смеялся...

— Ах, малышка, малышка... Хотелось бы мне пожить еще долго и увидеть, каких высот ты достигнешь!..

Я была на Гавайских островах, где снималась в очередной программе для американского телевидения; там я и узнала о его смерти. А я-то думала, что он вечен. Представляла его себе

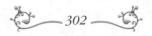

С юными балеринами, воспитанницами Московского хореографического училища на заключительном концерте «Неделя Советского Союза». 1976 г.

столетним старцем. Мне так и не удалось присутствовать на его похоронах. Находясь на другом конце света, я могла только помолиться в маленькой церкви за спасение его души.

12 сентября ему исполнилось бы 84 года. Меня пригласили приехать в городок Рис-Оранжис, где его по праву считали благодетелем. Впервые день рождения Шевалье отмечали без него.

— Мужайтесь, мужайтесь, друзья мои! Ведь вы хорошо помните его нрав: оттуда, где он находится, ему будет приятно увидеть, что вы улыбаетесь! — сказал директор дома для престарелых артистов.

Я сидела по левую руку от оратора, справа от него сидела наследница Мориса Одетта Мелье, былая участница его выступлений; они случайно встретились незадолго до того, как его приковала к постели болезнь. Она прожила очень трудную жизнь, ребенок у нее был инвалидом. Исполняя волю покойного, она передала в музей Шевалье в Рис-Оранжис полученные Шевалье в разных местах награды — статуэтки «Оскар», афиши, ключи от виллы, врученные ему в Сан-Франциско, а также установленную им в своем саду — в память о его матери Люке — стелу, которой он дорожил больше всего на свете. (К этой стеле он непременно подводил гостей, которые удостоились чести быть принятыми у него в доме, к ней он однажды подвел и меня.) Секретарь и близкий друг Мориса Фелик Пакэ, его бывшая жена Нита Райя, Пьер Сака, автор песни «Признаться должен откровенно — всю жизнь я слабость к женщинам питал...» — все были глубоко взволнованны.

Сухонькая старушка вытирала слезы. Она познакомилась с «Парнем из Менильмонтана» после мировой войны, нет не второй, а первой! Это была короткая встреча между уже известным тогда артистом и фигуранткой. Но он никогда ничего не забывал. И после того как она превратилась в «стрекозу без крыльев», он привез ее в этот дом для престарелых, который помещается в старинном замке, где в свое время побывал Людовик XV. Многие из тех, кто доживают здесь свой век, были некогда ко-

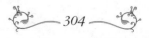

ролями и королевами оперетты; здесь можно встретить и тех, кто в свое время был в мире эстрады Наполеоном, Верцингеторигом, госпожой Помпадур или Жанной д'Арк. Ныне их слава превратилась в прах. Им осталось только одно: улыбка Мориса, изваянного в бронзе. А у меня осталась песня, которую я посвятила его памяти несколько лет спустя:

> Могу любить я принца,
> Затем — другого принца,
> Но никогда — другого Шевалье![1]

Одна из пластинок в моей дискотеке особенно дорога моему сердцу: вместе с отцом, у которого был красивый баритон, я записала песню «Полночь христианина», а с моим братом Режи, когда ему было всего семь лет, другую песню — «Милый рождественский дед».

Какое это удовольствие — петь вместе с детьми! Радость наполняет сердце. На память приходит летний лагерь, куда мы ездили на каникулы... Однажды во время моих гастролей я исполняла с хором из 50 удивительно трогательных мальчуганов песню «Отчего в мире нет любви?». Несколько песен я записала и с хором «Маленькие певчие», которым я так завидовала в детстве:

— Мне тоже хочется быть маленьким певчим!

— Пойми, что это невозможно! Ты ведь девочка! — говорила мама.

А недавно я записала с детским хором из Аньера песню «Летающий ребенок».

Иногда, когда кончается веселье и умолкает смех, мне становится грустно. Тогда я слушаю блюзы...

— Что за характер! — говорит мне Матита. — Настроение у тебя то поднимается, то падает — совсем как на «американских горках»!

---

[1] Во Франции «шевалье» — низший дворянский титул. (*Примеч. пер.*)

Да, я такая. Но совсем не обязательно слушать блюзы только в часы печали. Достаточно бывает желания сосредоточиться.

Самые красивые блюзы я слышала в Гарлеме.

Играет джаз. Негритянские музыканты неподражаемы. Барклей и Азнавур всех их хорошо знают. По примеру моих спутников делаю условный знак, и меня тут же пропускают... Это — одно из самых чудесных воспоминаний об Америке, а их у меня столько накопилось за 20 лет...

Бесспорно, к их числу принадлежит и первое выступление в Карнеги-холл. Теперь в этом знаменитом зале часто происходят сольные концерты артистов эстрады. Но когда я там пела в первый раз, меня просто подавляли имена великих музыкантов, которые здесь прежде выступали. Я дрожала как в лихорадке. Микрофон в моих руках вибрировал, точно погремушка. Сердце сжималось, единственный раз в жизни я ощутила желание уйти со сцены. Во второй раз меня уже не трясло. А в третий — в 1982 году — ничто не омрачало мою радость.

Но наиболее волнующее воспоминание об Америке возникает у меня всякий раз, когда я смотрю на один из «экспонатов» моего скромного музея — маленький, самый обыкновенный с виду флакон. В нем хранится какая-то пыль. Это у всех вызывает любопытство.

— Что в нем такое?

— Лунная пыль...

Альфред Уорден, командир «Аполлона-15», возвратившись 8 августа 1971 года после полета на Луну — он пробыл в космическом пространстве 12 дней, — едва ступив на Землю, заявил встречавшей его толпе журналистов:

— Время прошло незаметно... тем более что я захватил с собой кассету с песнями Мирей Матье!

30 августа меня пригласили в Хьюстон, в космический центр НАСА.

На фасаде одного из ангаров я увидела огромную светящуюся надпись: «Welcome! Thank you Mireille Mathieu»[1].

---

[1] «Добро пожаловать! Спасибо, Мирей Матье!» *(англ.)*

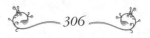

Майор Уорден встретил меня у трапа самолета. Мы сели в длинный черный лимузин и направились в главный зал центра исследований. Руководитель полетов мистер Гриффин показал мне необычные установки. Я увидела здесь копию летательного аппарата, который позволил астронавтам «прилуниться» и провести нужные исследования. Мне даже помогли облачиться в комбинезон астронавта. Уорден сказал, что оставил кассету с моими песнями на спутнике, который вращается теперь вокруг Луны:

— Быть может, в один прекрасный день ваши песни услышат инопланетяне!

А потом он подарил мне на память этот маленький флакон. На вид в нем нет ничего особенного. Но он наделен необычайной властью: уносит меня в мир мечты. В волшебных сказках часто говорится о небольших ларцах... стоит их открыть — и в действие вступают колдовские силы. Когда я беру в руки этот маленький флакон, передо мной возникает ковер-самолет и уносит меня на Луну...

При этом я, однако, не забываю о реальности, просто в такие минуты чувствую себя причастной к величайшей победе человечества, достигнутой в наши дни.

Есть у меня еще одно, без сомнения, самое удивительное воспоминание: я сидела верхом на... тигре! Морт Винер, поверенный в делах Дина Мартина, видел меня в одном из шоу Карпантье, и после этого Дин, с которым я познакомилась еще во время моего первого пребывания в Лос-Анджелесе, пригласил меня в 1977 году принять участие в необычной программе.

Я встала в четыре утра, чтобы успеть вымыть голову шампунем: съемки происходили на ранчо, куда предстояло добираться целый час. Час надо будет гримироваться, а еще больше времени уйдет на то, чтобы затвердить с помощью репетитора скетч и подготовиться к «магическому» номеру, поставили который два самых известных в Лас-Вегасе иллюзиониста — Зигфрид и Рой.

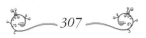

Как и «весь Париж», я присутствовала на их первом представлении в мюзик-холле «Лидо». Зрители были в восторге: прямо на наших глазах непонятным образом исчезала пантера. Зигфрид, как и подобает человеку с таким именем, блондин, а Рой — брюнет; оба — писаные красавцы. Редкостный талант быстро привел их в Лас-Вегас, а теперь они самые высокооплачиваемые иллюзионисты в мире. В Париже мы обоих, увы, больше никогда не увидим, потому что в шоу этих артистов участвует теперь множество великолепных зверей: на глазах изумленной публики появляются и пропадают даже... слоны! Нечего и говорить, что необходимый для этого реквизит нетранспортабелен!

Общие друзья познакомили нас в Лас-Вегасе, артисты пригласили меня в свою усадьбу, где они живут со своими четвероногими помощниками, которые разгуливают на свободе. Тигры купаются в бассейне вместе с хозяевами... Артисты, по их словам, добились от хищников полного послушания потому, что постоянно находятся вместе с ними и сумели тем самым разрушить «барьер недоверия». Осуществленное ими начинание — единственное в своем роде, и оно кажется чудом. Не могу не упомянуть об одной любопытной подробности: Зигфрид — немец, он привык к прохладному климату своей родины, и превратил поэтому одну из комнат их общего дома в сущий холодильник; он заходит туда в толстом свитере, разводит в камине огонь, усаживается у окна и любуется, правда, не милыми его сердцу Альпами, а залитыми палящим солнцем Скалистыми горами!

Благодаря Зигфриду и Рою мне удалось, точно колдунье, парить в воздухе, оседлав метлу... а также усесться на спину великолепного королевского тигра с очень кротким нравом. Тигр был отнюдь не тряпичный. Лучшее тому доказательство — он урчал.

Возвращаясь в Париж, я увозила с собой чарующие образы, навеянные фильмом «Волшебник из Оз».

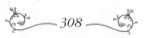

Во время работы над программой «Мими любит Америку», которая состояла из шести получасовых эпизодов, я встречалась со многими известными американскими артистами, в частности с Джеффри Холдером. Бруно Кокатрикс хорошо знал Холдера, потому что в свое время ангажировал его вместе с женой Кармен. В эстрадной программе Жозефины Бекер они выступали с каким-то причудливым танцем. Вернувшись в Америку, Джеффри — танцовщик, хореограф, режиссер, театральный художник и декоратор — поставил музыкальную комедию «Волшебник» по мотивам фильма «Волшебник из Оз» (всем памятен этот фильм, в котором некогда снималась Джуди Гарланд, позднее он был переснят с участием Дайаны Росс и Майкла Джексона). В спектакле Джеффри было немало режиссерских находок. Негритянские актеры его труппы мастерски исполняли роли Льва, Страшилы, Волшебника... Пьеса шла в театре на Бродвее три года подряд, и зал был всегда полон. Спектаклю присудили семь премий «Тони» (аналогичных премиям «Оскар» в кинематографе). Я была сильно им увлечена. Прежде всего, потому, что люблю волшебные сказки. К тому же зрелище было великолепное. Я задумала поставить такой же спектакль в Париже. Для этого нужно было в первую очередь найти подходящих негритянских актеров.

Художественный руководитель театра «Мариньи» Робер Манюэль ободрил меня, заверив, что у него есть все условия для воплощения этого замысла. Все мои сомнения отпали. Я сама была готова играть в этой комедии. Были подобраны восхитительные песни. Джеффри несколько раз приезжал в Париж. Но потом дело застопорилось. Первый вариант либретто не всем понравился, подготовка другого затянулась. Работа предстояла огромная, все мы были очень заняты, трудно было согласовывать даты встреч... Волшебная сказка так и не увидела свет рампы.

В нашей профессии самое большое огорчение, быть может, приносит то, что очень многие замыслы, даже те, над которы-

ми уже начата работа, так и не воплощаются в жизнь. Хотя контуры их были уже ясно видны. Но вдруг в шестерни попадает песок.

Некоторое время спустя Тьерри Ле Люрон и я начали мечтать о том, что хорошо было бы выступить вместе в спектакле такого рода. Надо сказать, в какой-то степени мы уже были партнерами: он поставил спектакль-пародию, где фигурировала Мирей Матье! Меня часто спрашивали, не смущает и не шокирует ли меня то, что меня имитируют и «передразнивают» на сцене? По-моему, гораздо хуже, если тебя никто не имитирует! А к подшучиванию, высмеиванию, передразниванию и прочим булавочным уколам я за 20 лет уже привыкла. Пожалуй, самым щедрым на выдумку оказался Мишу. Уж он-то не поскупился: на подмостки у него выбегают сразу десяток актрис, одетых и причесанных, как я.

Меня восхищал редкостный голос Тьерри, я считала, что он мог бы стать настоящим королем оперетты.

— Но я слишком маленького роста! — возражал он. — Ни с одной партнершей, кроме тебя, я не могу появляться на сцене: все другие — на голову выше меня!

Это правда — мы могли бы превосходно петь дуэтом и прекрасно выглядели бы рядом. Оставалось только составить нужную программу и выкроить время, а его-то у нас обоих не хватало: выступления, гала-концерты, съемки...

— Кажется, я что-то придумал... — сказал мне однажды вечером Тьерри после представления в театре «Мариньи».

Что именно он придумал, Ле Люрон так и не успел мне сказать[1].

В рамке под стеклом я храню, пожалуй, самый драгоценный для меня автограф. Дело происходило в Лондоне. Сидя вечером в ресторане, я обедала вместе с друзьями, неожиданно я поймала изумленный взгляд сидевшего напротив меня прияте-

---

[1] Тьерри Ле Люрон умер 13 ноября 1985 года. В наших сердцах его никто не заменит. (*Примеч. авт.*).

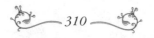

Лас-Вегас. Мирей с дрессировщиками Зигфридом и Роем

Общие друзья познакомили нас в Лас-Вегасе, артисты пригласили меня в свою усадьбу, где они живут со своими четвероногими помощниками, которые разгуливают на свободе. Тигры купаются в бассейне вместе с хозяевами... Артисты, по их словам, добились от хищников полного послушания потому, что постоянно находятся вместе с ними, и сумели тем самым разрушить «барьер недоверия».

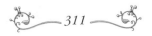

ля и почувствовала, как чья-то рука опустилась на мое плечо. Я обернулась и оцепенела: рядом со мной стоял Чарли Чаплин.

Должно быть, он видел телевизионную программу «Ночи в Палладиуме», в которой я регулярно выступала. Так или иначе, он взял с нашего столика меню, достал свою авторучку, мигом нарисовал бессмертный силуэт Шарло и написал под ним: «I love you, Mireille»[1].

Я онемела: ничье признание не могло доставить мне большее удовольствие. Его глаза весело блестели. Я нашла, что он очень красив, седина была ему к лицу. Потом он молча удалился, ушел так, как уходил в своих фильмах, которые нас так смешили, когда мы учились в школе, где преподавала госпожа Жюльен.

Если меня спросят, какой из «экспонатов» моего музея мне дороже всего, я задумаюсь над ответом. С каждым из них связано какое-нибудь воспоминание. К примеру, возле автографа Чаплина висит маска Мольера. Точнее, это черная полумаска, расписанная золотой краской. Все ученики Робера Манюэля вышли на сцену в таких масках, когда мы отмечали пятидесятилетие его театральной деятельности.

Надетые для того, чтобы преподнести сюрприз юбиляру, они скрывали лица тех, кому он дарил свои советы и дружбу. Поздравить его пришли Мишлин Будэ, Николь Кальфан, Мишель Кретон, Энрико Масиас, Жаклин Майан и Лина Рено (две эти артистки с подъемом сыграли сцену Арсинои и Селимены), Серж Лама-Наполеон, Сабин Азема, Мишель Дюшосуа, Клод Жиро, Меркес и Мерваль, Жан Пиа (он играл опоздавшего на урок ученика) и Жан-Люк Моро (он выступал в роли преподавателя)... Шарль Левель написал для Франсуа Валери пародию на его песню «Эмманюэль», назвав ее «Э, Манюэль», а для меня сочинил песню «Мольер», которую я сохраняю в своем репертуаре.

---

[1] «Я люблю вас, Мирей» *(англ.)*.

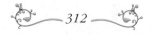

> Жил сын обойщика, он звался Жан-Ватистом
> И в ранней юности задумал стать артистом.
> Он ремесло отца отверг, мечту лелея:
> Играть в комедиях, хотя бы роль лакея.

Манюэль был очень растроган и счастлив.

У меня надолго сохранилось незабываемое воспоминание о том, как праздновали один из дней моего рождения. Я записывала тогда в Мюнхене песни на пластинку, и Джонни снял большой зал в знаменитом ресторане Кефнера, где постоянно бывают заняты все помещения снизу доверху.

Один журналист как-то заметил: «Мирей и вся ее компания родились под знаком Рака». Это и в самом деле так: дни рождения Матиты, Надин, Ива Мурузи, Лины Рено, Пьера Кардена и мой следуют друг за другом с интервалом в несколько дней.

Отведенный нам зал был украшен флажками. В тарелке у каждого лежало вырезанное из дерева и перевитое трехцветной лентой сердечко, на котором было начертано его имя. «Мое» сердечко заняло теперь место в домашнем музее.

Наши немецкие гости — директор фирмы, выпускающей пластинки, владелец издательства, адвокат и, конечно, Христиан Брун с супругой, а также друзья из Парижа (среди них был Мишель Одиар) — не могли прийти в себя: вместо обычных мюнхенских кушаний на стол подали добрую дюжину изысканных блюд, приготовленных по рецептам и под пристальным наблюдением Джонни, а традиционное немецкое пиво уступило место игристому розовому шампанскому. (Когда меня однажды обворовали — да, со мной и такое случалось! — я жалела не столько об украденных драгоценностях, сколько об утраченном ящике с игристым розовым шампанским!)

Этот чудесный напиток взбодрил нас. За десертом я поднялась и запела «Марсельезу». Мне гораздо больше по душе петь, чем выслушивать пожелания счастливого дня рождения. Наши немецкие друзья сперва растерялись, потом подхватили пес-

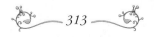

ню, а затем вместе с нами пели ее уже во весь голос. В ресторане громко зазвучали слова и мелодия Руже де Лиля. Представляю себе, как отнеслись к этому посетители, сидевшие в соседних залах!

Не стану скрывать: я привержена цветам нашего национального флага.

И все же, если бы мне предложили захватить с собой на необитаемый остров всего лишь один предмет (как-то меня спрашивал об этом один журналист), я бы не взяла бюст Марианны, для которого позировала (до меня для него позировали Брижитт Бардо и Катрин Денёв) и который стоит теперь в нескольких мэриях. Позировала я скульптору Аслану, и о тех днях у меня осталось незабываемое воспоминание: сперва художник набрасывает на листе бумаги черты твоего лица, а затем запечатлевает его в глине... кажется, ты снова рождаешься на свет.

Но единственный предмет, с которым я никогда не расстанусь, это — четки; их подарил мне папа Иоанн Павел II после ранней утренней мессы; на ней присутствовало несколько артистов, среди них Урсула Эндрюс.

Я не спала всю ночь и встала в четыре часа утра, чтобы не опоздать на заветное богослужение, начинавшееся в шесть часов. На голову я накинула черную кружевную мантилью, доставшуюся мне от бабушки.

После службы Его святейшество дал нам частную аудиенцию.

— Вы воспеваете любовь и мир, — сказал он мне. — Да благословит вас Господь.

Вечером следующего дня — это было 14 ноября 1983 года — меня пригласили как почетную гостью на фестиваль церковной песни, который состоялся в Ватикане. В присутствии Иоанна Павла II я исполнила песни «Тысяча голубок», «Пресвятая дева морей» и «Ребенок придет...».

Придет ли он? При взгляде на коллекцию игрушек, которые занимают свое место не только в моем музее, но и в моей повседневной жизни, в это можно поверить.

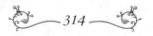

Из своих поездок я обычно привожу различные сувениры, которые пополняют мой музей. А как я провожу время, когда бываю дома? Мне хорошо и уютно в моей «раковине», в моей «скорлупе»; чем реже я выхожу из дома, тем меньше мне хочется выходить, я живу, словно в коконе и превращаюсь в бабочку, только когда пою. Как же я провожу время у себя дома? Хорошенько поработав, играю в игры, требующие терпения. У меня есть наборы крохотных шариков, их можно носить с собой в сумочке, а в самолете доставать, чтобы забыть, где находишься. Люблю я и головоломки, хотя некоторые из них — сущая китайская грамота. А из кубиков я возвожу причудливые сооружения.

С друзьями мы играем в «Scrabble»[1], и я уже набила себе руку, а когда остаюсь одна, то разгадываю кроссворды, они расширяют мой словарный запас.

А еще я играю на скачках, пытаюсь определить, какие три лошади придут первыми. Ставки я поручаю делать Надин. Обожаю выигрывать. Но весь выигрыш передаю в «Подснежник» — приют для детей-инвалидов, его основал Лино Вентура. Он принадлежал к числу моих близких друзей. Сколько раз мы с ним отправлялись на приморский курорт Киберон! Сколько раз вместе посещали детские дома! Я всегда буду помогать по мере своих сил его жене Одетте в ее благородном деле. Своего ребенка у меня нет, но множество других детей нуждаются в моей заботе.

Мои президенты

Когда я уезжала из Нью-Йорка, бережно неся под мышкой длинный пакет, служащий таможни спросил меня:

— Что у вас там такое?

— Осторожно! Не разбейте! Это статуя Свободы!

---

[1] Буквально: «Каракули» *(англ.)*. Цель игры — составить как можно больше слов. *(Примеч. пер.)*

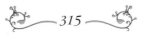

Эту статуэтку из неглазурованного фарфора — с факелом в руках, «который освещает мир», — мне подарили на память о «празднике века», вручив ее во время обеда в плавучем ресторане, который стоял на якоре перед статуей Свободы; моими соседями по столу были Эстер Уильям и князь Альберт из Монако. Я в целости и сохранности привезла статуэтку домой, и она заняла свое место в моем скромном музее.

Патриотические чувства переполняли мое сердце, когда вместе с Энди Уильямсом я репетировала песню, которую нам предстояло исполнить дуэтом в честь столетия статуи Свободы. В этот день мы оба словно помолодели на 20 лет. Всякий раз, когда я вновь встречаюсь с Энди, то непременно вспоминаю о его предновогодней передаче, в которой я участвовала в декабре 1966 года, когда впервые приехала в Америку (он по-прежнему выступает с этой традиционной программой, которую смотрит вся страна). Итак, 18 июня 1986 года мы вошли в окруженный тенистыми деревьями дом, расположенный в одном из зеленых кварталов Лос-Анджелеса: здесь на втором этаже Энди оборудовал свою рабочую студию.

Дирижер его оркестра вместе с «моим» дирижером Жаном Клодриком тут же принялись за работу. А мы с Энди тем временем напевали — я по-французски, он по-английски — идентичные слова песни:

Америка и Франция ее
Сто лет назад установили...

Словно бы в нашу честь, Энди репетировал с бокалом бургундского вина в руке. Он пел в своей обычной, немного сентиментальной манере, пел своим «теплым» голосом, от которого млели два или три поколения американок. Через два часа наша совместная работа успешно завершилась.

— Все хорошо, Мими... встретимся через две недели!

На следующий день я уезжала в Мексику, где проходило первенство мира по футболу.

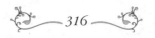

А две недели спустя после окончания прямой телевизионной передачи Мигель Алеман, директор основанной им мексиканской телевизионной компании «Телевиза», предоставил в наше распоряжение свой личный реактивный самолет для того, чтобы мы вовремя вернулись в Америку. Регулярных авиарейсов в столь поздний час уже не было.

В шесть утра мы прибыли в аэропорт Кеннеди, а затем — в Нью-Йорк, где уже царило необычайное возбуждение: на торжество собрались четыре миллиона человек.

В четыре часа дня мы были уже на месте: об этом позаботились те, кто с истинно американским размахом подготовили торжественное празднество. Я ожидала чего-то грандиозного, но действительность превзошла все, что можно было вообразить...

Мы вышли из машины на набережной. Нас в числе 300 участников празднества, снабженных особыми жетонами, перевезли на остров Губернатора. А всего в музыкальном представлении — огромной панораме, воссоздающей историю иммигрантов, — участвуют 2 000 человек: детей, танцоров и певцов, хористов, костюмеров, гримеров, рабочих сцены. Собрались тут и участники парада. Поначалу мы — Клодрик, Джонни, Матита, четверо друзей, входивших в «свиту мисс Мэтью», и я — немного растерялись. И зря. Всех прибывших на остров ожидали уже автобусы. Водитель одного из микроавтобусов стал поименно выкликать членов моей группы.

Нам пришлось миновать несколько полицейских кордонов, пока мы не добрались до «загона звезд», расположенного вблизи эстрады для выступлений.

У самой воды тянутся ряды нарядных шатров. В них разместились буфеты и стойки с прохладительными напитками (так называемые «Зеленые комнаты»), а также гримерные, парикмахерские и помещения для отдыха. Чуть поодаль стоят фургоны, они служат артистическими уборными для звезд: среди них такие блистательные актеры, как Лиз Тейлор, Фрэнк Синатра, Грегори Пек, Ширли Маклейн, Нил Дайамонд... Пред-

ставление займет много времени, поэтому в некоторых фургонах расположились по две артистки: я, например, выступаю в начале спектакля, а Дебби Аллен, устроившаяся в одном фургоне со мной, выйдет на сцену гораздо позже, чтобы принять участие в музыкальной панораме. Она — новая негритянская звезда Бродвея и уже завоевала несколько премий, выступая в благотворительных спектаклях. Мы сидим и болтаем, но не в нашем фургоне, а в «Зеленой комнате». Дебби сопровождают несколько членов ее семьи: мама, заменяющая ей костюмершу; сестра, которая ее причесывает (как Матита — меня); брат — постановщик — и кузен, видимо, секретарь.

В «Зеленой комнате» я встретила Лайзу Миннелли, а затем к нам присоединяется Лиз Тейлор, которую я не сразу узнаю. Она снова выглядит двадцатилетней, ее талию можно охватить пальцами рук.

Нам приносят чай, а позднее можно будет выбрать время и для обеда, потому что репетиция продлится всю ночь. На следующий день все повторится снова. Синатра держится на отлете. Ему нужен покой, он лишь недавно вышел из больницы. Состояние его здоровья все еще внушает серьезные опасения.

Он успокаивает друзей, которые осаждают его вопросами:

— Вы же видите, я себя чувствую хорошо! Не торопитесь меня хоронить!

«Верховный жрец» всей церемонии в честь статуи Свободы, которая транслируется на весь мир, — тот самый Дэвид Уолтер, что руководил театрализованными представлениями в дни Олимпийских игр. У него в подчинении 400 человек. Его сразу узнаешь по каскетке игрока в бейсбол и белой бородке. Он привлек к работе Гэри Смита, режиссера всех шоу, в которых участвовал Синатра.

11 осветительных мачт расположено вокруг площади, где займут свои места 3 000 привилегированных зрителей: это официальные лица и те, кто пожертвовал 250 000 000 долларов для реставрации «Леди Свободы». Пока что «она остается невидимой во мраке ночи. Мы с Энди стоим у подножия трибуны, где

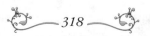

Композиторы у меня были чудесные: Поль Мориа, Мишель Легран, Эннио Морриконе (я часто встречалась с ним в Италии), Франсис Лей...

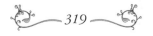

будут сидеть президенты Рейган и Миттеран. После репетиции парада морских пехотинцев и торжественного марша республиканской гвардии (французской!) мы оба вступаем на большую лестницу, которая ведет на сцену в форме звезды.

— Тут, на рейде, часто дует ветер, — говорит мне Гэри Смит. — Боюсь, что он помешает вам петь.

— О! Знаете, я родилась в краю, где дует мистраль... Так что ветер и я хорошо знакомы друг с другом!

Вспыхивают огни. Гремит музыка. Энди и я шагаем рядом вверх по ступенькам, вступаем на сцену и начинаем петь:

> Над статуей у океана
> Не властно время...

В этот вечер нашу публику составляют рабочие, техники, таможенники, артисты... Они аплодируют нам. Два статиста усаживаются в кресла, приготовленные на трибуне для президентов. Уподобляясь им, они нажимают две кнопки, и происходит нечто чудесное: темная ночь внезапно освещается — и прямо перед нами на соседнем острове, «ее» острове, возникает статуя Свободы: сначала показывается озаренный красным светом цоколь, затем искрящийся синим пьедестал и, наконец, фигура женщины с факелом — ослепительно белая, сверкающая, призрачная. Это производит такое сильное впечатление, что все присутствующие как один человек встают и кричат «ура».

Наступает торжественный день. Напряжение возрастает. Меры безопасности становятся строже. Полицейские силы увеличиваются в несколько раз.

Журналистов не допускают в «загон звезд»; на фоне царящего вокруг возбуждения он походит на тихий оазис. Мы чувствуем себя как дома, болтаем о своих делах, о песнях, о туалетах. У прессы есть свой «загон», он оборудован всевозможными средствами связи — ведь надо передавать информацию в газеты, на радио, на телевидение. Время от времени являются за кем-нибудь из нас — предстоит пресс-конференция. Авто-

мобиль увозит звезду в «загон» к журналистам, и она поступает в их полное распоряжение. У нее берут интервью, ее фотографируют, снимают на кинопленку, как кому вздумается. Иногда это длится целый час. Когда наступает мой черед, журналистов приводит в восторг мое платье от Кардена: длинное синее платье со множеством складок; оно раздувается по ветру, и у меня такое чувство, что я вот-вот улечу к небу, как и мой голос. Здесь присутствуют журналисты из разных стран, и я пою — то по-испански, то по-английски, затем по-немецки, по-итальянски и по-французски, желая всем доставить удовольствие.

Мы прибываем на наш остров днем и становимся в некотором роде узниками — нечего и думать о том, чтобы вернуться в город. Гэри Смит был прав: поднимается ветер... Над нами — ясное небо, куда-то пропали летавшие во время репетиции вертолеты, рекламные аэростаты. Но дело не в ветре, их удалили по соображениям безопасности. Приближается начало торжества.

Хотя стоит июль, по мере того как садится солнце, становится холоднее. Хорошо еще, что в «Зеленой комнате» можно выпить горячего чая или кофе; со мной, как обычно, — термос с липовым отваром на меду.

Прибыли президенты: Рональд и Нэнси держатся за руки, словно влюбленные, вид у них непринужденный; у президента Миттерана и его супруги вид очень серьезный, официальный. Празднество начинается.

По сравнению с нью-йоркским ветром наш мистраль просто шутник-самоучка. Я больше не чувствую ни платья на теле, ни волос на голове, они будто улетели куда-то!

— То, что вы сумели петь на таком ветру, просто чудо! — говорит мне Гэри, когда я ухожу со сцены.

Теперь, когда всё позади, я ощущаю пронизывающий холод. Я сильно замерзла, но по правилам протокола никто не имеет права покинуть остров, пока там находятся президенты.

Церемония тянется бесконечно: вручают медали тем, кто получил американское гражданство: среди них архитектор Пэи, который воздвиг пирамиду у Лувра, Киссинджер, Боб Хоуп,

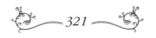

Эли Визель, скрипач Перлман... Барышников в ожидании своего часа разогревает мышцы в «Зеленой комнате». В этот день он в числе 40 000 человек принимает американское гражданство и приносит присягу!

Утром следующего дня мы должны были вылететь из Нью-Йорка, и потому нам разрешили покинуть остров. Так что продолжение праздника мы смотрели в тепле, сидя перед телевизором, как и подавляющее большинство американцев. Франсуа Миттеран и Рональд Рейган одновременно нажали на кнопки, и по их команде трехцветная статуя Свободы возникла из тьмы во всем своем великолепии.

Назавтра нам уже не удалось посмотреть «морской парад века», происходивший в полдень: в нем участвовали не только большие корабли, но и множество небольших суденышек, прибывших в нью-йоркский порт. Наша машина мчалась вдоль берега, и мы видели, как сотни суденышек направлялись к гавани. Зрелище, без сомнения, предстояло грандиозное, но задержаться мы не могли, так как до вылета «Конкорда» оставалось мало времени, а вечером мне надо было попасть в Рим — на следующий день я должна была петь в присутствии президента Итальянской Республики. Увидеть за двое суток трех президентов... Положительно, я побиваю все рекорды!

В Руасси мы прибыли в 22 часа 30 минут по местному времени; на соседней взлетной полосе нас ожидал маленький самолет «Мистэр-20». В него перенесли наш багаж, мы заняли свои места и в час ночи были в Риме; проехав в автомобиле 80 километров, мы прибыли наконец в красивый курортный городок Фьюджи, где через день должно было состояться вручение национальных премий в области искусства и науки.

Какая перемена! После бурлящего Нью-Йорка, где звучали фанфары, развевались флаги, где на каждом шагу виднелись изображения статуи Свободы — на значках, на мужских сорочках, на афишах (а в холле нашей гостиницы даже высилась ее трехметровая фигура из шоколада!), — мы внезапно оказались в очаровательном итальянском городке, где стояло жар-

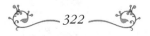

кое лето и не чувствовалось ни малейшего ветерка. В чудесном парке, после того как премии были вручены, после того как выступили лондонский оркестр под управлением Лорена Маазеля и хоры из церкви святой Цецилии, после обеда (под благоухающими липами были накрыты столы на 650 персон) состоялся мой сольный концерт, в котором участвовали также «мои» танцоры и музыканты, приехавшие из Парижа.

Программу этого концерта составил министр иностранных дел: он — мой страстный почитатель, у него есть все мои пластинки, даже самые ранние; я исполняла песни на пяти языках к удовольствию членов дипломатического корпуса, присутствовавших на церемонии.

Президент Итальянской Республики Франческо Коссига сказал мне:

— Стало быть, я у вас третий президент?

— Только по времени, господин президент!

И только за последние двое суток... потому что неполных три месяца тому назад я, первой из иностранных певиц, была приглашена в Китай... и пела там в присутствии руководителей этой страны.

26 апреля в аэропорту нам устроили торжественную встречу; из уст переводчика я услышала: «Мы вас ждем у нас в стране с 1979 года!» — и быстро сосчитала в уме, что меня, оказывается, ждут семь лет, а семь — моя любимая цифра, и, значит, все пройдет хорошо. Перед нами расстелили (в прямом смысле этого слова) красный ковер.

Меня сопровождали в Китай 35 человек: Матита, Джонни со своим врачом (до последней минуты опасались, что он не сможет поехать, так как только-только оправился от легочного заболевания), моя постоянная гримерша на телевидении Лили, группа работников телевидения, несколько музыкантов, которые должны были играть вместе с симфоническим оркестром города Пекина, что нас немножко тревожило.

Еще до нашего приезда сюда доставили необходимое оборудование, весившее 15 тонн, в том числе и устройство для об-

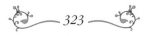

разования «дымки», которое очень заинтриговало таможенников. Наш инженер по свету Жак Рувейроли установил в огромном театре Дворца выставок 350 прожекторов; к нашему прибытию все было готово.

Здание этого театра — своего рода подарок Пекину от Москвы в пору их «медового месяца» в 50-е годы. Жаль только, что за кулисами этого монументального сооружения нет артистических уборных!

И потому, отвешивая самые любезные поклоны, меня устроили в огромном фойе, где стоят мягкие кресла — в них во время антракта отдыхают важные лица. Для меня один из углов помещения отгородили большой ширмой. Тут я могла переодеться, наложить с помощью Лили грим, но умывальника здесь, увы, не было и в помине! Хуже того: туалеты в театре были устроены на китайский лад, иначе говоря, они были общие и не запирались. Даже если ты не ханжа, тебе становится не по себе, когда приходится отправлять известные потребности, не имея возможности уединиться! Но, видимо, это ничуть не смущало молоденьких китаянок из оркестра; меняя платья, они разгуливали голышом. В этом — один из контрастов, свойственных Китаю: на улице все держат себя до такой степени целомудренно, что никогда не увидишь целующейся парочки, но в домах нагота никого не шокирует; тут ее считают естественной и безгрешной.

Нас ожидал еще один сюрприз: здешний оркестр обладает высоким мастерством, и музыканты быстро нашли общий язык с гитаристом Николя д'Анжели, группой ударных инструментов под руководством Арпино и пианистом Планшоном. Был и другой сюрприз: меня буквально осыпали гвоздиками — в Китае считают, что эти цветы приносят счастье. Не принять их я не могла и старалась только не смотреть на них, потому что во французских театрах верят, будто гвоздики приносят беду. Об одном лишь я упросила Рувейроли: поменять на сцене занавес, который был зеленого цвета. Уж с этим я примириться не могла!

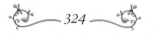

Дворец выставок — громадный комплекс, соседствующий с Зоологическим садом, где, как я узнала, живут панды. Зоопарк, как и у нас, стал тут неким символом охраны природы. В окружении работников телевидения я отправилась полюбоваться пандами. К сожалению, нам это так и не удалось: перед клетками с этими животными всегда стояла толпа. Толпа здесь собирается по любому поводу. Перед зданием театра висели афиши о моих концертах; одна из них была на китайском языке, и я решила там сфотографироваться. Не успели мы остановиться перед ней, как нас тут же окружили люди; они подъезжали на велосипедах, и вскоре собралось человек 300, потом 500 — всем хотелось узнать, что происходит. Я всегда очень боюсь толпы, но в Китае толпа — совсем особая, в ней чувствуешь себя спокойно. Никто не толкается. Люди не обступают вас вплотную. Они проявляют к вам любопытство, но всегда приветливы. Им не свойственна агрессивность. Китай — страна улыбок. Здесь вам улыбаются от души, а не из учтивости, как, например, в Японии. Все китаянки, которых я видела, носят челку, а когда они едут на велосипеде, то — подобно мне! — надевают вуаль, чтобы защитить лицо от пыли и солнца.

Нас поразило, что за 12 дней нашего пребывания в Пекине мы ни разу не услышали детский плач. Ребенок здесь — настоящий король, ведь закон, принятый в годы ужасного голода, предписывает супружеской чете иметь только одного ребенка — в противном случае она лишается социальной помощи. Мы думали, будто в Китае все носят одежду из синей хлопчатобумажной ткани, но разноцветные детские костюмчики так красочны, что просто в глазах рябит. Мы снимали для телевидения фильм о детском саде и были поражены врожденной музыкальностью, пластикой и чувством ритма малышей.

Через два дня после приезда мы проводили пресс-конференцию, и советник французского посольства по вопросам культуры сказал нам:

— В зале присутствуют восемьдесят журналистов... Такое нечасто бывает. Но выступления Мирей вызывают особый ин-

терес: она первая иностранная артистка, приглашенная в страну, и она первая в Китае дает благотворительный концерт!

Спонсором этого концерта была авиакомпания «Эр Франс», он был устроен в пользу людей, ставших инвалидами в результате эксцессов времен «культурной революции». Глава их ассоциации — сын самого Дэн Сяопина, выброшенный из окна хунвейбинами. Он до сих пор не оправился от полученных увечий и принимал меня в военном госпитале, сидя в больничном кресле на колесах. Он горячо поблагодарил меня за 37 000 юаней (примерно 102 000 франков), которые принес концерт. Об этом сообщили газеты. Мы присутствовали на многих приемах; особенно мне запомнился банкет в старинной гостинице, сохранившей роскошное убранство начала века, там приглашенным предлагали отведать 23 блюда!

Остался в памяти и обед, устроенный Пьером Карденом. Сам он, к сожалению, приехать из Парижа не мог и потому не услышал тоста, который я произнесла в память о генерале де Голле (если б не генерал, вряд ли бы я попала в Китай), не услышал он и то, как я пела дуэтом с министром культуры знаменитую и столь популярную в этой стране песню о цветке жасмина. Каждый вечер, когда я исполняла ее в концерте, в зале раздавались возгласы «браво» и зрители хором негромко подхватывали ее.

Эту восхитительную поездку омрачило одно печальное обстоятельство: Джонни заболел. У него сильно повысилась температура, и его надо было положить в больницу. Приехавший с нами врач обратился за помощью к местным властям: необходимо было срочно сделать различные анализы и рентгеновские снимки. Главный врач больницы, очень славная женщина, взяла его под свое наблюдение. Я очень тревожилась за дядю Джо: он был так слаб, что двум мужчинам пришлось отвести его к машине и сопровождать в больницу; но, тем не менее, по вечерам мне приходилось петь. И присутствовать на официальных приемах. И при этом, по примеру китайцев, улыбаться.

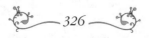

В платье от Пьера Кардена

*Стоит упомянуть о моих туалетах - они от Пьера Кардена...
В моих глазах Пьер Карден - гений. Я стремилась выступить
перед публикой во всеоружии, а в арсенале певицы платье
играет не последнюю роль.*

Женщина-врач за четыре дня поставила Джонни на ноги. Мы хотели ее отблагодарить и пригласили на один из моих концертов. Она решила посетить концерт в день своего отдыха. По техническим причинам представление перенесли. Мы попытались ее об этом предупредить. Телефона у нее дома не было. Узнали адрес, она жила в отдаленном квартале, куда не так-то просто было добраться. Посланный туда шофер так и не сумел ее разыскать. Джонни чуть было снова не заболел от огорчения.

Наш последний день в Пекине походил на марафон: следовало непременно завершить съемки для телевидения. Я все дни была так занята, что не могла найти времени, чтобы осмотреть то, что осматривают все, кто приезжает в Китай, — «Запретный город»!

В тот день я встала в четыре утра. Матита вымыла мне голову шампунем и уложила волосы. В шесть часов мы были уже перед северным входом в «Запретный город»; здесь жители Пекина на восходе солнца занимаются своеобразной гимнастикой. Этот национальный вид спорта называется «тайцзы»; им занимаются тут вместе (и молодые люди, и старики, словом, почти все), но каждый на свой лад и в собственном ритме, не оглядываясь на соседа. Эта гимнастика не похожа, совсем не похожа ни на шведскую гимнастику, ни на аэробику! Движения в ней очень медленные, очень плавные, необыкновенно гибкие, совершают их без перерыва, переходя от одного к другому. Этим зрелищем любуешься, как танцем в постановке Бежара. С удивлением наблюдаешь, что люди в повседневной будничной одежде начинают трудовой день своего рода обрядом; я воспринимаю его как немую молитву, обращенную к Тому, кто позволил нам родиться и поддерживает в нас жизнь. Такой же гимнастикой занимаются и в других местах — в городских парках и даже на улицах. Но особенно впечатляет она тут, у северного входа в «Запретный город». К тому же — для французского и для китайского телевидения — было приготовлено особое зрелище. Завершив занятия «тайцзы», большая группа людей начала повторять те же движения все быстрее и быстрее, превращаясь на наших глазах в грозных бойцов. Для достижения большего

эффекта человек 20 вооружились саблями к полному восторгу толпившихся вокруг зрителей.

Затем мы отправились на Птичий рынок. После революции почти всех птиц истребили, сочтя их «пожирателями урожая» или «ненужной роскошью». Поэтому сейчас их очень ценят. Рано утром можно наблюдать, что китайцы прогуливают свою сидящую в клетке птицу (единственную, как и ребенок), чтобы послушать, как она приветствует песней начало дня. Побывав на рынке, мы отправились к знаменитой Великой китайской стене: нам предстояло проехать 75 километров по дороге с очень интенсивным движением. Каждый китаец раньше или позже должен полюбоваться Великой стеной, люди едут сюда в двуколках, живописно украшенных помпонами и полосками цветной бумаги, в автомобилях, на велосипедах, а иные приходят пешком.

Мы приезжаем к Великой стене и оказываемся среди шумной толпы торговцев сувенирами и туристов, многие из которых вооружены фотоаппаратами. Все спешат на крепостные стены, уходящие к горизонту. Нас предупредили, что там будет холодно, так как дует сильный северный ветер. Те, кто сюда приезжают, захватывают с собой еду. Но у Мими и ее спутников нет такой привычки, и потому мы направляемся всей ватагой в уютный ресторан с внутренним двориком, где нас угощают национальными блюдами.

Мы очень вкусно поели. Но то ли сказался холод, то ли проявилась усталость, накопившаяся за последние дни, то ли дело было в том, что мы пробыли на ногах уже девять часов подряд, но так или иначе всем стало не по себе. Первой вышла из строя Матита, Джонни тоже выглядел плохо (в этом не было ничего удивительного, ибо он чуть ли не накануне вышел из больницы, и его настойчиво отговаривали от поездки к Великой китайской стене). Первый «Мерседес» повез обоих обратно в Пекин.

А мы продолжали снимать гробницы императоров династии Мин. По правде говоря, если не считать прославленной Дороги духов — по бокам у нее высятся монументальные статуи львов,

слонов, верблюдов, лошадей и каких-то сказочных животных, а также фигуры мандаринов и воинов, — других достопримечательностей мы не увидели. Вход в единственную гробницу, куда был открыт доступ, напоминал вход в метро: бетонные стены и на глубине 27 метров под землей (эскалатора, естественно, не было) строгий зал, где, кроме больших дверей, пробитых в глыбе мрамора, ничего интересного не было. Хранившиеся здесь некогда сокровища уже давно отправили в музей.

Когда мы поднимались по крутым ступенькам, у Лили начался приступ тахикардии. Она шла с трудом, опираясь на руку доктора. И вот уже второй «Мерседес» отправился в Пекин, увозя врача и его пациентку.

Однако группа работников телевидения — и я вместе с ними — на этом не остановилась: мы отправились снимать знаменитую площадь Тяньаньмэнь, которая, как говорят, вмещает миллион человек... В этот холодный день она была пуста, на ней было только несколько человек, они запускали бумажных змеев, радуясь сильному ветру. Постепенно мои спутники начали чихать, жаловаться на головную боль и на усталость. Самой крепкой оказалась я. Тем не менее, съемки продолжались. Переводчик показал мне на грандиозный дворец Всекитайского собрания народных представителей, куда ведет монументальная лестница. В этот дворец мы приглашены были вечером на торжественный обед, и, по словам того же переводчика, это была «великая честь, которой, помимо глав государств, была до сих пор удостоена только госпожа Помпиду».

В конце концов, работники телевидения выбились из сил. Они не чуяли под собой ног. По их мнению, снимать за обедом будет особенно нечего. Они ошиблись. Длинная анфилада залов, каждый из которых посвящен той или иной провинции страны, заслуживает внимания. В одном из этих залов был накрыт стол на 20 персон, но в этом просторном помещении он казался совсем небольшим.

Снова звучали тосты, и я вновь провозгласила тост в память о генерале де Голле.

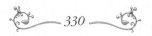

— Приезжайте снова! — сказал мне господин Пэн Чжэнь, председатель Постоянного комитета Собрания народных представителей, пригласивший меня в страну. — Не все китайцы могли вас увидеть!

Когда некоторое время спустя, уже в Париже, я встретилась с советником нашего посольства по вопросам культуры, он мне сказал:

— Знаете, сколько кассет с вашими песнями продано в Пекине и Шанхае? Три миллиона!

Из Китая хочется увезти как можно больше сувениров, до такой степени искусны местные ремесленники — как чудесны их изделия из слоновой кости или дерева, расшитые с неповторимым мастерством шелка! В моем музее есть две вазы. Одна — старинная, изысканной формы, снаружи она — яркокрасная, а внутри — синяя. Ее вручил мне председатель Китайской Республики Ли Сяньнянь.

Позднее, в конце обеда, который дал в его честь в парижской мэрии Жак Ширак, я спела для китайского гостя полюбившуюся мне песню о цветке жасмина, возобновив тем самым знакомство, начавшееся в Пекине.

Вторая ваза — совсем крошечная. Вернее сказать, это изящно расписанный фарфоровый бокал: на нем изображен мостик, деревня и четыре человеческие фигурки. Я купила его на Птичьем рынке за несколько юаней. Для меня это пустяковые деньги, а для китайцев — большие. И все же даже самый скромный из них экономит на всем, чтобы купить такой бокал в подарок своей птице, сидящей в клетке, и держать в нем свежую воду. Ибо теперь на птицу в этой стране смотрят как на дар небес.

Моя судьба

1986 год — двадцатый год моего служения песне — начался с выступления во Дворце конгрессов в Париже и закончился в другом дворце, королевском, в Рабате.

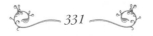

Мой сольный концерт во дворце короля Марокко был отмечен печатью тайны. На нем должны были присутствовать только гости короля Хасана II. Мы жили уже несколько дней в Марракеше, но всё еще точно не знали ни дня концерта, ни того, где он будет проходить. Быть может, в Марракеше, где находится излюбленный дворец короля, или в Фесе, или в Рабате. Нас попросили не вести разговоров по этому поводу. В это время года гостиница «Мамуниа» была переполнена, казалось, весь Париж надумал встретить Новый год под лучами здешнего солнца. Вот почему в гостинице должен был состояться гала-концерт, и все думали, что я потому сюда и приехала. А мы между тем ждали распоряжений.

Пребывание в Марракеше было довольно приятным; город этот — сплошное очарование, чего стоит одна его пальмовая роща! К тому же здесь находились некоторые наши друзья, среди них и Патрик Сабатье. Это позволило нам, устроившись возле бассейна, условиться о содержании программы «Для широкой публики»: он собирался осуществить ее в январе. В соседнем саду 60 садовников вручную тщательно приводили в порядок газон вокруг мандариновых и апельсиновых деревьев; от аромата ирисов и нарциссов слегка кружилась голова.

Наконец 30 декабря все прояснилось: прибыли долгожданные распоряжения, прибыли и автомобили, чтобы доставить нас в Рабат.

Нам отвели комнаты в отеле «Хилтон». Представитель двора, объясняя, какого рода песни предпочитает король, сказал: «Он сам вас пригласил, стало быть, вы ему нравитесь, вы и ваш репертуар...»

На следующий день я репетировала в большой гостиной дворца, убранной в восточном стиле; она выходила в галерею, украшенную мозаикой и каменным кружевом. Декораторы развешивали гирлянды цветов и златотканые драпировки; внезапно они разом замерли. Дело в том, что в галерею вошел король, которому захотелось послушать, как я репетирую. Меня знаком попросили остановиться, а потом — подойти к дверям. В галерее я увидела короля.

На нем было простое одеяние — «джеллаба»[1]. Но не узнать его было нельзя — портреты короля выставлены во всех витринах города. Он осведомился, не нуждаюсь ли я в чем-нибудь, хорошо ли себя чувствую... А затем бесшумно удалился, так же как и пришел.

Вечером я переодевалась в небольшой комнате, без сомнения, служившей артистической, ибо на стенах в ней висели портреты танцоров Бежара. Во всех коридорах стояла охрана. Нас попросили не приносить с собой фотоаппаратов, что сильно огорчило 11 моих музыкантов. В самом деле, дворцовые сады были так чудесны, галерея так красива, такого дива больше нигде не увидишь.

В восемь часов 45 минут вечера я была готова. Так было условлено. Но затем началось долгое ожидание. Что случилось? Время от времени представитель двора приходил, чтобы нас успокоить: король сам рассаживает своих гостей. Сквозь опущенный занавес на сцену доносился шум голосов; наш заведующий постановочной частью с некоторой тревогой заглянул в щелку.

— Там еще не все в сборе, — тихо сказал он.

Потом он шепнул мне, что наследный принц Саудовской Аравии уже сидит в кресле в середине зала. Рядом с ним уселся король Хасан. Левую половину зала занимали женщины в национальных марокканских нарядах, расшитых золотом; все они украсили себя драгоценностями. Справа разместились мужчины. А между теми и другими — во всю длину зала — стояли ширмы, служившие преградой нескромным взорам. Такова традиция. Король подал знак: можно было поднимать занавес.

Я была сильно взволнованна. Свет прожекторов слепил меня, и я почти ничего не видела. Только смутно различала короля и недоумевала, почему он слегка шевелится. Потом услышала, что он воскликнул «браво» и этот возглас дружно подхватили все мужчины в зале. Когда я ушла за кулисы, наблюдавшая за публикой Матита сказала мне:

---

[1] Длинная, до пят, блуза с капюшоном. (*Примеч. пер.*)

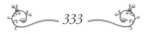

— Он не просто аплодировал, когда ты пела, он отбивал такт и даже негромко вторил тебе!

Я вернулась на сцену, чтобы поклониться зрителям. Ко мне поднялся король с большим букетом цветов; затем он пожал руку музыкантам. Судя по всему, он был в восторге.

Я была в артистической уборной и уже собиралась надеть свитер, когда туда вошел с сияющим лицом представитель двора и сообщил, что король приглашает нас на ужин. Я собралась было вновь облачиться в свое концертное платье от Кардена, но тут появилась придворная дама со свертком, завернутым в белоснежное, искусно расшитое полотно. Осторожно развернув его, она извлекла на свет чудесное платье из красного шелка — настоящий марокканский наряд.

— Король сам выбрал для вас это платье... И просил появиться в нем за ужином, — сказал представитель двора. С этими словами он исчез.

Ко мне поспешили две камеристки. И недаром их было две. Дела хватило для обеих: сперва на меня надели платье из тяжелого шелка, расшитого золотом, а поверх него — другое, муслиновое платье, унизанное жемчугом, на котором было не меньше 80 пуговок. Я ужаснулась:

— Как я, при моем-то росте, управлюсь с этаким нарядом?

— Не тревожьтесь! — успокоила меня придворная дама. — Ведь платье со шлейфом, вам надо будет просто подобрать этот шлейф.

И она показала мне, как это делать с помощью обеих рук.

— А для того чтобы платье сидело лучше, вам принесут сейчас пояс...

Вошла другая придворная дама с футляром из светло-серой замши, она извлекла оттуда позолоченный пояс. Чувствуя, что я потяжелела на несколько килограммов, и осторожно считая шаги из боязни оступиться, я вернулась на сцену.

Король пришел за мной, помог мне спуститься по ступенькам и представил — нет, не мужчинам, а дамам, вернее сказать, тем, что сидели в первом ряду: королеве-матери и своим доче-

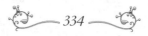

Я счастлива, потому что занимаюсь тем, о чем всю жизнь мечтала. Потому что совершилось чудо, на которое я так надеялась. Я добилась успеха, к которому стремилась... Я хотела петь для всего мира и пою для него. Я хотела даровать своим близким то, в чем они нуждались, и осуществила это...

рям-принцессам, которых, видимо, немало позабавило мое нарядное одеяние марокканской дамы.

Я уселась рядом с ними и посмотрела гаитянский балет, который явно очень нравился королю: он даже «вооружился» каким-то ударным инструментом и отбивал ритм. Затем наступил час ужина. Дамы повели меня с собой по выложенной мозаикой галерее. Я терялась в догадках, где Джонни. Но все мужчины куда-то исчезли. Не увидела я их и за столом — там были одни только женщины. Лишь король имел право входить в эту залу. Он даже сам нас угощал изысканными кушаньями, подходя с приветливой улыбкой к нашему столу, где я сидела вместе с принцессами.

В конце трапезы он вновь появился и проводил меня до входа в галерею. Из его слов я поняла, что он в восторге от песни «Последний вальс». Он уговаривал меня включить в свой репертуар старые французские песни и пошутил: «Я буду весьма недурным импресарио!» После чего назвал несколько особенно полюбившихся ему песен, среди них «Опавшие листья» и «Падам падам». Они запомнились ему в студенческие годы, которые он провел во Франции.

Марокканское платье с золотым поясом заняло свое место в моем домашнем музее рядом с другими предметами, с которыми у меня связаны приятные воспоминания. Один из этих предметов — ковер, его подарила мне Фарах. В ту пору она была владычицей Ирана.

Я привезла в подарок ее маленькому сыну львенка — он прибыл в особой клетке тем же самолетом, что и мы (а вручил нам этого маленького хищника граф де Ла Пануз). Как только мы приехали в Тегеран и устроились в гостинице, мы тотчас же выпустили львенка из клетки. Он весело резвился в номере, как резвятся наши псы.

Нет, у меня нет своей собаки. Разве я могла бы устроить собаке достойную ее жизнь? Но я подарила своим родителям пару замечательных собак: купила я их в Канаде у известного собаковода, он жил возле резервации индейцев, куда я была

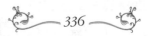

приглашена. Я влюбилась с первого взгляда в его могучих волкодавов, которых впрягают в сани. Среди них чемпионом был пес по прозвищу Сатана, он побеждал на всех состязаниях и был в силах везти груз весом в тонну! Я приобрела дочь Сатаны — Тонку и молодого самца Окиука. Но как было отправить щенков во Францию? Ведь гастроли мои продолжались. В Квебеке мы познакомились с одним режиссером, бельгийцем по происхождению, он недавно женился и мечтал о свадебном путешествии в Европу. Джонни пообещал ему оплатить все расходы, если он отвезет собак к моим родным. Тонка и Окиук тоже отправились в свадебное путешествие, сменив свой снежный край на солнечный Авиньон. Эти великолепные красавцы с синими глазами до сих пор живут там, став верными друзьями нашей семьи.

Наш львенок был очень ласков. Он спал у меня в постели. Под вечер Джонни смотрел по телевизору футбольный матч и внезапно обнаружил, что львенок забрался к нему на плечи. Наконец настало время нашего визита в Летний дворец. И мы отправились, захватив с собой свой подарок. Маленький сын шаха — ему было тогда лет девять или десять, — увидев львенка, пришел в восторг и тут же принялся весело играть с ним.

Шахиня принимала нас в пышных покоях, но держалась очень просто. Она спросила меня, не хочу ли я выпить чаю. На великолепных подносах принесли чашки и... сахар. Впервые в жизни я увидела колотый сахар, кусочки его были искусно сложены в форме пирамиды. Рядом лежали щипчики. Я подумала, что если попробую взять щипчиками кусочек сахара, то от волнения наверняка обрушу всю пирамиду. Меня охватил страх, и я поспешила сказать: «Спасибо, ваше величество, я пью чай без сахара».

Она улыбнулась и взяла кусочек сахара... пальцами.

Я была представлена шаху на концерте в оперном театре, где я пела для дипломатического корпуса. Шахиня была в роскошном вечернем платье, на губах ее играла улыбка. Но мне она запомнилась иной, более непринужденной... вижу, как она

берет сахар пальцами, а ее маленький сын играет на ковре со львенком.

На следующий день полная перемена декораций: я пою на ринге во Дворце спорта! Зал полон. Представление давалось в пользу инвалидов. На этот раз на трибуне для почетных гостей присутствует юная дочь шаха. Она сидит в ложе совсем одна, а вокруг — множество телохранителей.

Уезжая из Тегерана, я увозила с собой подарок шахини Фарах — ковер, похожий на те, что украшали гостиную, в которой мы пили чай. И всякий раз, когда я смотрю на него, у меня перед глазами встает картина: львенок лежит на спине, задрав лапы, а мальчик с радостным видом тормошит его.

Я росла в бедности, теперь я избавлена от нее; я пою для богатых, пою и для бедных. Из каждой своей поездки я привожу сувениры — иногда очень скромные, а иногда дорогие. Например, этот вот старинный самовар, который я вывезла из Советского Союза, оформив все нужные бумаги, ибо его подарило мне Министерство культуры. Однажды у меня вырвалось:

— Ах, по-моему, на свете нет ничего лучше самовара! Но его, увы, нигде не достать!

Самовары-то продаются, но только новенькие — электрические.

Самовар, о котором идет речь, мне вручили в тот год, когда я дала 30 сольных концертов во дворцах спорта Москвы и Ленинграда: на них каждый вечер присутствовало соответственно по 20 или 80 000 зрителей. К счастью, сохранился фильм, запечатлевший эту удивительную публику — одновременно и сдержанную и пылкую. «Группки» (я так и не разобралась, что в точности означает по-русски это слово!) почитателей нередко следовали за мной в обоих городах. Расставались они со мной иногда с каким-то надрывом. Такого я не ожидала. Разве могла я себе представить подобную сцену: в Ленинградском аэропорту какая-то молодая женщина, словно желая удержать меня, ки-

нулась к машине, и я увидела, что у нее на предплечье нацарапано мое имя — «Мирей». Ножом!

Пожалуй, самый скромный из моих сувениров — это бумажный цветок, я привезла его из далекого мексиканского городка Оахака. Три года тому назад... Все началось с телефонного звонка:

— Алло! Мирей? Говорит Франсуа.

Рейшенбах. Я уже привыкла: он исчезает на несколько месяцев, а потом вдруг звонит, иногда с другого конца света. На сей раз он был в Мексике и собирался снимать фильм о том, как своеобразно празднуют Рождество в небольшом, милом его сердцу городке.

— Это будет удивительный фильм. Мне хочется, чтобы ты в нем участвовала.

Вопреки обыкновению я могла выкроить время для этого. Мы полетели в Мехико. Остановились, как всегда, в гостинице «Камино Реаль», где Франсуа назначил нам встречу. И вдруг неожиданно услышали:

— Господин Рейшенбах два дня тому назад уехал снимать колдунов. Он просил передать вам свои извинения. Его автомашина повреждена, и он возвратится лишь завтра.

На следующий день мы все утро прождали Франсуа и сели завтракать только в три часа дня. Он появился, когда мы еще не встали из-за стола, и сказал:

— Я все уладил. Завтра начинаем съемки. Я заказал самолет...

Мы с Джонни молча переглянулись. На следующий день, приехав в аэропорт, мы увидели допотопный маленький самолет. При всем желании гримерша Лили, моя сестра, ассистенты Франсуа, двое друзей, сопровождавших нас, и я сама могли бы в нем поместиться, разве только уцепившись за крылья.

— Ничего страшного, — заявил Джонни. — Я тоже все уладил...

Оказывается, дядя Джо, со своей стороны, заказал новенький двухмоторный самолет, семиместный. Наш самолет взлетел... а самолет Франсуа — нет. Он не смог оторваться от зем-

ли. Вернее сказать, ему не позволили этого сделать: он не отвечал требованиям безопасности!

В Оахаке нам были оставлены номера в гостинице. Она была скромная, но уютная. Там мы ожидали Франсуа. Наконец он прилетел вместе со своими ассистентами. И 23 декабря начались съемки на городском рынке, который и в обычное время пользовался известностью во всей округе, а в эти предпраздничные дни являл собой особенно впечатляющее зрелище. С гор спускались индейцы и приносили на продажу плоды своего труда — глиняную посуду и плетеные изделия, поражавшие изяществом. Шумная толпа, буйство красок, пряные запахи...

— Вы еще толком ничего не видели! — заявлял Франсуа, стараясь поспеть всюду...

Городок Оахака расположен в самом сердце одного из почти не тронутых цивилизацией районов Мексики. Промышленность здесь слабо развита, новые веяния сюда еще не дошли. Тут сохранился в неприкосновенности национальный колорит, и это очаровывает. Франсуа уговорил нас осмотреть пирамиды, высившиеся в горах на просторной площадке в 2 000 метров над уровнем моря. Мексика — страна, полная чудес, но представшая картина потрясала. Рейшенбах заставил меня обойти вместе с ним все вокруг... Он то и дело останавливался и восклицал: «Какая красота! Какая красота!» Неожиданно его ассистент сказал: «Больше снимать нельзя. Уже темно».

Назавтра мы вновь отправились в горы; на этот раз в микроавтобусе разместилась вся наша «команда». Рейшенбах захватил с собой несколько кинокамер. Было решено, что я исполню песню на фоне удивительных пирамид. Наступал сочельник, и на горной дороге нам нередко попадались автобусы, рассчитанные на 40 пассажиров, но сейчас в них ехало не меньше 80!.. На каком-то повороте наш водитель, избегая столкновения со встречной машиной, так круто свернул на обочину, что колеса нашего микроавтобуса повисли над пропастью... Франсуа, ехавший перед нами, выскочил из автомобиля с кинокамерой и крикнул:

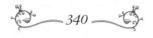

— Какой великолепный кадр! Вылезайте быстрее! Начинаю снимать!

— Ты с ума сошел, Франсуа! Ведь позади пропасть!

Но разве можно остановить Рейшенбаха, когда у него кинокамера в руках?! Мы осторожно выбрались на дорогу, опасаясь, как бы эта окаянная машина не рухнула с обрыва туда, где паслись косули. Впрочем, Франсуа, пожалуй, был бы не прочь заснять нас в обществе диких коз!

Наступил тихий вечер, канун Рождества. Среди всех церквей Рейшенбах выбрал самую бедную, самую обветшалую. Мы добирались туда три четверти часа. Ярко, будто по заказу, светила луна; наконец мы прибыли в небольшое селение.

Церковь в свое время была, видимо, красива, но теперь пол в ней заметно прогнулся. Padre[1] ожидал нас на паперти, над которой светился... неоновый крест. Мы вошли. В церкви еще никого не было, гирлянды бумажных цветов не могли скрыть от нашего взгляда стен с облупившейся краской. Мы уселись на ветхие скамьи. И принялись ждать. Франсуа и его помощники устанавливали по углам прожекторы. Мы приехали в десять вечера. Без двадцати двенадцать начали собираться прихожане.

Сначала до нас донеслись далекие звуки песнопений, затем они зазвучали ближе, более отчетливо. Это приближались индейцы, все они шли босиком, под их пончо скрывалась убогая одежда. Распахнулась дверь, и в церковь вошли дети — тоже босые, кое-как одетые, плохо умытые... Каждый из них бережно нес в руках петуха, или ягненка, или фрукты. Дети входили и входили. Я никогда еще не видела такого Рождества. Из уст мужчин и женщин возносились к куполу песнопения, им вторили детские голоса. Мы все были потрясены. Франсуа снимал этих бедняков, освещенных прожекторами, и яркий свет, должно быть, казался несчастным невиданной роскошью. Рейшенбах снимал прихожан, а я пыталась петь вместе с ними, но не могла.

Впервые в жизни я не могла петь.

---

[1] Священник (исп.).

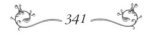

Мы вернулись в гостиницу в половине второго пополуночи. Все проголодались, но поесть было негде, всюду было закрыто. В номерах у нас была только минеральная вода и chips[1]. Франсуа отправился в город на поиски съестного. Он вернулся с несколькими банками консервов и пакетиками жареного картофеля. Он достал их в ночном кабачке. Весь городок уже спал в предвкушении завтрашнего праздника. И мы уселись за необычный рождественский ужин, состоявший из тушенки и холодного картофеля!.

На следующий день мы наблюдали рождественский карнавал. Правда, религиозный, но все-таки карнавал: катили разукрашенные повозки, несли статуэтки святых... и рвались петарды. На мне был шерстяной жакет, и Лили, боясь как бы искры от петард не обожгли мне ноги, все время оттягивала его книзу. Так что в конце дня жакет этот стал походить, скорее, на пальто!

Когда, уезжая из города, мы уже направлялись в аэропорт, Франсуа вдруг остановил машину и выскочил из нее со своей кинокамерой:

— Поглядите! Поглядите!

Открывшаяся нам панорама и в самом деле была прекрасна: среди дня, как это иногда бывает, светила луна.

— Вылезай, Мирей! Вылезай быстрее! Какое божественное зрелище! Какая красота! Какая красота!

Я вышла из машины. Мне надолго запомнилась прекрасная картина, которая предстала нашим взорам в это необычайное Рождество, встреченное в Оахаке. В руках у меня был бумажный цветок, его подарил мне на улице маленький мальчик... И в эту минуту ассисент Рейшенбаха сказал:

— В аппарате кончилась пленка...

Вот почему у меня нет этого великолепного кадра. Остался на память только бумажный цветок.

Я часто бываю в Мексике. Эта страна мила моему сердцу по многим причинам. С нею связан еще один скромный суве-

---

[1] Ломтики жареного картофеля *(англ.)*.

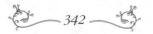

нир — блузка с надписью «Viva Francia»; я носила ее в дни первенства мира по футболу.

Носила с гордостью. Накал страстей во время этих соревнований был так велик, что я сама видела, как плакали бразильские футболисты, когда, понурившись, они возвращались после поражения в Гвадалахаре... Я же ехала из Гвадалахары в приподнятом настроении: наши футболисты не посрамили национальные цвета Франции. На мне были черные очки. А вот голоса не было, он «остался» на стадионе (к счастью, в тот вечер мне не нужно было петь!). Мексиканцы были так предупредительны, что, когда наш автобус попал в чудовищную пробку, они, разглядев на наших блузках надпись «Viva Francia», хором подхватили: «Viva Francia!».

Уверенный в том, что наша команда победит и в заключительном туре, Джонни заказал торжественный обед. Пришел лишь Мишель Идальго.

— Ребята слишком огорчены тем, что проиграли, — объяснил он. Он и сам был не слишком весел.

— Печальнее всего то, что команда упустила свой последний шанс. Лучшие игроки, которые вели ее вперед, через четыре года уже не смогут участвовать в следующем мировом первенстве.

— Значит, Платини уже никогда не станет чемпионом мира?

Я сражена. Оказывается, в мире спорта еще более жестокие законы, чем в мире эстрады.

— Футбольный матч, — продолжает Идальго, — по своей напряженности не уступает фильмам Хичкока. Важнейшую роль играет душевное состояние футболиста.

— А как чувствует себя игрок, которому предлагают бить пенальти?

— Ему никто не предлагает, Мирей. Это дело добровольное. Представляешь себе, что происходит в голове у Фернандеса, когда он берет на себя смелость пробить пятый, решающий пенальти. А вдруг не забьет?! Футбол — замечательная игра: он

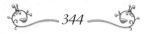

требует от игрока лучших человеческих качеств. Именно поэтому, сама того не сознавая, ты и любишь его.

Как тепло говорит Идальго о своей команде:

— Когда игроки выходят на футбольное поле, я вижу в них мужчин. А за его пределами они, скорее, дети. Ведь никто из них не получил нужного образования, школу они оставили в 13 лет и целиком посвятили себя футболу. Они должны безропотно подчиняться тренеру, едут туда, куда им укажут, играют там, где велят; ничем, кроме футбола, они не занимаются, всю жизнь сражаются на футбольных полях, а в 35 лет оказываются беззащитными перед лицом жизни! Вот почему я так их люблю! Понимаешь, Мирей?

Еще как понимаю...

Матч между командами Франции и Бельгии я видела по телевидению только мельком: меня в это время гримировали в одной из студий «Телевиза». Я должна была участвовать в прямой передаче, постановщик Джанни Мина, которого я хорошо знаю, собрал вместе моих партнеров по программе для детей «Крикри» — Пласидо Доминго и Эмманюэля, а также Педро Вергаса (он так же известен в Латинской Америке, как Тино Росси во Франции). Педро 83 года, что не помешало ему исполнить песню «Solamente una vez»[1], стоя на табурете. С другим участником передачи, Рикардо, мы исполняли дуэтом песню «Жизнь в розовом свете»; Рикардо — единственный партнер, рядом с которым я забываю о своем небольшом росте, потому что он еще ниже меня!

Джанни только-только начал расспрашивать меня о поездке в Китай, как вдруг поступила новость: «Четвертый гол! Игра закончена! Наши победили!» В полном восторге я без музыкального сопровождения затянула китайскую песню о цветке жасмина, с которой объехала весь свет... А потом для Платини, который находился в городе Пуэбла, я исполнила песню «Орлеанская дева».

---

[1] «Только один раз» *(исп.)*.

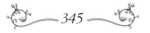

В воскресенье — в последний день нашего пребывания в Мехико — надо было не только сложить чемоданы (впрочем, занималась этим Матита); мне предстояла еще репетиция перед одной из самых популярных в Мексике передач, «Siempre en domingo»[1].

Передача эта закончилась в 11 часов вечера, и мы тотчас же отправились в аэропорт. Мигель Алеман предоставил в наше распоряжение свой личный реактивный самолет. Не будь этого, мы не могли бы вовремя попасть в Нью-Йорк, где уже завтра я должна была репетировать песню в честь статуи Свободы.

Мигель подарил мне свою последнюю книгу (Жан Лартеги уже переводил ее в Париже на французский язык).

Мигель необыкновенно обаятельный человек. Еще 30 лет тому назад, окончив университет, он написал труд об искусственных спутниках Земли, ибо страстно увлекался проблемами радиосвязи. Позднее это вдохновило его на создание телевизионной мексиканской компании «Телевиза», в торжественном открытии которой я участвовала. В часы досуга он с глубоким интересом изучает тысячелетнюю историю Мексики. В каждом городе этой страны есть улица или площадь, носящая его имя. Точнее сказать, имя его отца — тоже Мигеля Алемана, который был президентом республики. Мигель-младший никогда не станет президентом: он женился на иностранке, на француженке, и это преграждает ему путь к высокому посту главы государства. Но зато его супруга Кристиана подарила ему трех дочерей и сына; она отказалась от собственной карьеры: когда ее увенчали званием «мисс Вселенная», она мечтала стать киноактрисой.

Именно о ней я думаю в самолете, где, как всегда, не могу сомкнуть глаз, хотя уже наступила полночь. Она сделала свой выбор. И я тоже его сделала. Но поступили мы по-разному.

Задумав написать эту книгу, я решила не говорить в ней о своей личной жизни. Как понимать слова «личная жизнь»? Они означают именно то, что под этим понимают. Я заговорила об

---

[1] «Всегда в воскресенье» (исп.)

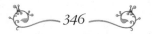

этом только для того, чтобы сказать: меня до сих пор нередко возмущают всевозможные домыслы, выдумки, сплетни. И я даже больше возмущаюсь, когда злословят о других, чем когда злословят обо мне. Потому что со мной все ясно.

Я вовсе не стремлюсь прослыть девственницей, а уж тем более — мученицей. Когда я в последний раз выступала с концертами в Ленинграде, одна из переводчиц, наблюдавшая, как я живу изо дня в день, с утра до вечера, ничего не изменяя в своем распорядке дня (в четыре часа дня я уже в театре, репетиция, короткий отдых, чаепитие вместе с труппой, затем сольный концерт, после него ужин, часто уже в номере гостиницы, десять часов сна, потом — неизбежные для артиста интервью, встречи, приемы и снова: театр, репетиция, отдых и все остальное), спросила у кого-то из моих спутников:

— И что ж, она всегда так живет?

— Да.

— В таком случае... я бы ни за что с ней не поменялась!

Хорошо представляю себе жизнь этой молодой женщины... Когда мне говорят: «Вы приносите себя в жертву!..» — меня это раздражает. Я не берусь судить о точном значении слов, но мне кажется, что слово «жертва» отнюдь не применимо к Мирей Матье. Ведь «жертва» — это нечто грозное, ужасное, бесповоротное. А чем я пожертвовала? Я счастлива, потому что занимаюсь тем, о чем всю жизнь мечтала. Потому что совершилось чудо, на которое я так надеялась. Я добилась успеха, к которому стремилась. Так что о какой жертве можно говорить?! Я хотела петь для всего мира и пою для него. Я хотела даровать своим близким то, в чем они нуждались, и осуществила это. Конечно, нас не обошло горе, но разве оно кого-нибудь минует? Мы — такие же люди, как все.

Только в одном я не похожа на других: я не живу той жизнью, какую обычно афишируют. В ней нет МУЖЧИНЫ.

— Вы лесбиянка? — спросила меня однажды какая-то хористка.

— Нет. Чего нет — того нет.

— Вот как!

Я так и не поняла, была она разочарована или довольна.

Среди всех мужчин самый близкий мне, не считая отца, — Джонни; я об этом часто говорила. И чего только не выдумывали, чего только не писали на сей счет! Так вот, Джонни занимает в моей жизни такое место, какое никто другой занять не может. Могу еще раз повторить: он — художник, а я — его творение. Без него я бы ничего не стоила.

Говорили, будто он помешал мне выйти замуж. Это не так — решала я сама.

Разумеется, я не бесчувственная кукла, и за 20 лет не раз и не два мое сердце билось учащенно.

Думаю, я не одна такая, многим женщинам приходится сталкиваться с подобной проблемой. Задавать себе вопрос: «Составит ли этот человек счастье моей жизни?» Отвечают утвердительно и верят этому. Вдумываемся в глубокий смысл слов: «счастье моей жизни». Стало быть, «счастье всей моей жизни». Жизни вдвоем. Но не втроем. А в моей жизни был, есть и всегда будет третий. И этот «третий» — мое призвание. Всепоглощающее. Чудесное. Но властное, отбирающее всё — время, мысли, радость. Что же останется на долю спутника жизни?

Меня убеждали, что многие артистки сочетают свою профессию с семейным очагом и воспитанием детей. Но семья семье рознь, и матери бывают разные.

У меня прекрасные родители, всю свою жизнь они посвятили нам, детям. Я это знала. Но очень скоро, уже в школе, поняла, что редко кому выпадает такое счастье, в других семьях живут иначе... У нас в доме не бывало ссор, раздоров, распрей, разлада... Даже нашим родным не всегда удавалось добиться того, чего добились наши родители. А позднее, когда я своими глазами увидела, что происходит в актерской среде... Конечно, и дети артистов бывают счастливы. Даже очень счастливы: например, дети цирковых артистов, «питомцы арены», которые никогда не разлучаются с родителями. Там все живут одной большой семьей, и младенец сосет молоко из бутылочки, сидя на руках у своей бабушки, в то время как его мать работает на

трапеции. Бывают счастливы и те дети, принадлежащие к «актерской династии», что наследуют профессию родителей.

Спору нет, бывают счастливы и другие дети, но их немного. Я говорю о тех, у кого хорошие кормилицы, няни, учителя; но это относится лишь к состоятельным семьям. Нас же воспитывали сами родители, и это еще лучше.

Нам всегда было тепло, даже если нечем было отапливать дом. Нелепо утверждать, будто я никогда никого не любила; может ли быть удел более смешной и печальный?! Позвольте, однако, хранить эти воспоминания в моем заветном саду. Я храню там только красивые цветы. Такая сдержанность присуща не мне одной. Думаю, многие женщины переживали нечто подобное: встреча, взаимное тяготение и, наконец, долгожданные слова: «Давай поженимся... ты откажешься от своей профессии...» Если женщина колеблется, значит, она недостаточно сильно любит.

Есть люди, которые легко вступают в брак, легко разводятся, снова женятся или выходят замуж, снова ошибаются и вновь мечтают о семейных узах. Я их не осуждаю! Но я воспитана в иных правилах и, должно быть, поэтому смотрю на брак как на таинство. А таинство, как и обет, нарушать нельзя. Мечта о счастливом браке манила меня, как волшебный мираж: я выхожу замуж, я счастлива, я стала еще богаче, живу без всяких забот, правда, вдали от Франции, но когда есть деньги, то расстояние — не преграда. Но есть иная преграда. И преодолеть ее невозможно. Я рождена, чтобы петь. Для меня это самое главное, я в этом твердо уверена.

Я — певица, но для меня это не просто профессия, а призвание. От профессии, конечно, можно отказаться. Некоторые на своем веку меняют немало профессий. Служение песне для меня... как бы точнее сказать... это страсть. Всепоглощающая страсть. Не думаю, что человек может испытывать одновременно две всепоглощающие страсти. Он поневоле изменит одной из них. Я не умею делать два дела сразу и не умею ничего делать наполовину. Для меня это очевидно.

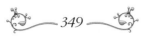

Вот о чем я думала в самолете, уносившем меня в Нью-Йорк. Не скрою, я оставила частицу своего сердца в Мексике, небольшую частицу. Но это поправимо.

У каждого своя судьба. Мою судьбу я считаю необыкновенной и каждый день благодарю за это небо. Одну из своих последних песен я исполнила дуэтом вместе со старейшим из моих партнеров. Мне 40 лет, а ему — Шарлю Ванелю — 93 года:

Мне хорошо — я жизни гимн пою!
Мне плохо — я твердить не устаю:
«Нет ничего дороже жизни».

Нет ничего дороже жизни. Я буду воспевать ее до последнего вздоха. И, как знать, быть может, моя песня переживет меня...

Содержание

Детство

Я покоряю мир

Мой заветный сад

Литературно-художественное издание

ЛЕГЕНДЫ АВТОРСКОЙ ПЕСНИ

Мирей Матье

МОЯ СУДЬБА

История Любви

Редактор *Т. И. Маршкова*
Верстка *А. А. Кувшинников, Ю. Р. Пономарева*

ООО «Издательство «Алгоритм»
Оптовая торговля:
ТД «Алгоритм» 617-0825, 617-0952
Сайт: http://www.algoritm-kniga.ru
Электронная почта: algoritm-kniga@mail.ru
Интернет-магазин: http://www.politkniga.ru

Сведения о подтверждении соответствия издания
согласно законодательству РФ о техническом регулировании
можно получить по адресу: http://eksmo.ru/certification/

Өндірген мемлекет: Ресей
Сертификация қарастырылмаған

Подписано в печать 18.11.2013. Формат 60х84$^1/_{16}$.
Печать офсетная. Усл. печ. л. 20,53.
Тираж 2 000 экз. Заказ 4039.

Отпечатано с электронных носителей издательства.
ОАО "Тверской полиграфический комбинат". 170024, г. Тверь, пр-т Ленина, 5.
Телефон: (4822) 44-52-03, 44-50-34, Телефон/факс: (4822)44-42-15
Home page - www.tverpk.ru Электронная почта (E-mail) - sales@tverpk.ru

ISBN 978-5-4438-0522-1

9 785443 805221